L'ENFER NUMÉRIQUE

ネットの進化と環境破壊の未来

なぜデジタル社会は「持続不可能」なのか

ギヨーム・ピトロン Guillaume Pitron
児玉しおり 訳

原書房

なぜデジタル社会は「持続不可能」なのか

ネットの進化と環境破壊の未来

目次

カミーユ、ヴィクトール、アナイスに
そして、ローランド・ボーマンと
その失われた川に捧げる

「われわれの未来は、ますます強大になるテクノロジーのパワーと、
それを使うわれわれの知恵との競争だ」
スティーヴン・ホーキング

イントロダクション

「一度やったからといって、それは習慣にはならない」［フランス語のことわざ］のだから、時間という怒濤《どとう》を飼い慣らそう。われわれの同胞が19世紀まで送っていた日常生活のリズムを思い描いてみよう。雑穀を育てるのも、軍隊を作るのも、ピラミッドを建造するのも、人間の行為はどんな些細《ささい》なものでも、奴隷の働きや川の水量、海風の移り変わりに依存している。ローマの道、植民地の商館、あるいはアメリカ西部でポニー・エクスプレス［馬を乗り継ぐ郵便速達サービス］のために設置された昔の厩舎《きゅうしゃ》など、この世界には常に目に見える連絡網が存続している。

この何千年も続いた習慣は、1829年10月6日にくつがえされた。この日、イギリス人機械技術者ジョージ・スティーヴンソンが発明した蒸気機関車が、マンチェスターとリヴァプールをつなぐ鉄道を時速40キロで疾走した。馬車やカラベル船は時代遅れになった。鉄道は電信機や飛行機とともに、人間と時間の関係を変容させた。今では港、空港、携帯電話の基地局などの国際輸送網に助けられ、人、商品、そして思想は世界をそれまでにない速さで行き交うようになった。

新たな段階は1971年10月2日だった。アメリカ人エンジニア、レイ・トムリンソンが、当時のアメリカの科学者や軍に利用されていたアーパネット[1]（ＡＲＰＡＮＥＴ）上で世界初の電子メールを送った日だ。人類は突然、即時性の時代に投げ込まれたのだ。今日では、あらゆるものはほとんど光の速さで変化し、行き交う。古代の道路、産業革命時代の鉄道を経て、現在のわれわれの〝デジタル行為〟（ＩＴを使う行為）を日常的に可能にしたインフラはどんなものだろうと問う人もいるかもしれない。あなたが電子メールを一通送るとき、あるいはソーシャル・ネットワーク（ＳＮＳ）上で親指を立てた「いいね！」をクリックするとき、何が起きるのだろうか？そうした何十億というクリックの地理学とは？　どんな物理的な影響があるのだろうか？　われわれが知らないうちに、どんな環境面、地政学面の問題をもたらすのだろうか？

それが本書のテーマである。

アーパネットはデジタル時代の先史時代に属し、それを開発した人たちは――通信ネットワークのパイオニアだ――今日の私たちにとっては、はるか昔のアウストラロピテクスの集団のように感じられる。１９６９年に開発されたこのネットワークは、当初はカリフォルニア州とユタ州のわずかなコンピュータをつないでいたが、10年後にはアメリカやヨーロッパのより多くのコンピュータをつなぐようになった。１９８３年に通信プロトコルＴＣＰ／ＩＰ[2]が開発されてからは、世界中のコンピュータ間で通信できるようになり、今日われわれが共生する「ネットワークのネットワーク」であるインターネットが誕生したのだ。

それ以来、インターネットは地球のすみずみまでデジタル・テクノロジーが支配するのを可能にした。どんな些細な実体を伴う行為でも、デジタルプロセスに変換されるため、今日人間がすることにはすべて、デジタルの側面が存在している。睡眠サイクルを測るために携帯電話のアプリケーションをインストールするなら、眠ることは〝デジタル行為〟であるし、祈るという行為も、何らかの宗教共同体が提案する瞑想《めいそう》をネットからダウンロードするなら、〝デジタル行為〟だ。シリアで戦う「イスラム国（ＩＳ）」の戦士はデジタルの世界で動いている。彼らの携帯電話の位置情報データは、将来法廷に召喚することを想定した「ギャラント・フェニックス」計画の一環としてアメリカに保存されているからだ。[3] ＳＮＳに愛猫がのどを鳴らすのをアップするつもりなら、猫をなでるのも〝デジタル行為〟と言えるだろう。

要するに、現実の世界において私たちがしようとすることはすべて、ヴァーチャルな世界で複製されている。新型コロナウイルスはデジタル化をさらに加速した。この世界的なパンデミックによって、在宅で働く、ｅコマースのサイトで本を買う、友人同士でヴァーチャルなパーティーをするなど、人はいっそうデジタルツールに依存するようになった。デジタル世界の拡大はあまりに急速なために、その世界の人々すら、すさまじいスピードについていけないことがあった。たとえば、２０２０年には、「ネットワークの飽和状態」[4]に対処するためにオンライン動画サービスの質を落とさねばならなかったことなどだ。同様に、パソコンやプレイステーションの販売は急増し、コネクテッドカーを製造するメーカーは前代未聞の半導体不足に直面した。[5]

世界の全般的なヴァーチャル化はまだ始まったばかりだ。ネット業界の巨大企業は２０３０年には人類すべてをワールド・ワイド・ウェブ[6]（ｗｗｗ）につなぐつもりだ。「感覚のインターネット」「複合現実」「グリーンＡＩ」などは近い将来、われわれの日常会話の一部になり[7]、概念と文化の驚くべき混合を促進するだろう。そして、アメリカと中国がサイバー空間をコントロールし、世界を支配するようになるだろう。ところが、ほとんどの人は、自分たちのパソコンやタブレット端末やスマートフォンをつなぐためにどんな設備が敷設されるかを説明することもできない。

その理由の第一は、デジタル・テクノロジーは誤解を招くからだ。このテクノロジーを推進する人たちの言い分を聞くと、デジタル世界は、文書や写真を保存しておく「雲《クラウド》」ほども具体的ではない。せいぜい、輪郭のない、単細胞の粘菌「ブロブ」といったところだ[8]。デジタル化された世界はほとんど「空虚」あるいは「無」のようなものだ。デジタル世界は、一見すると1グラムの資源も、電子ひとつも、水の一滴も使わないで、われわれにオンラインで商売をしたり、ヴァーチャルでゲームをしたり、ツイッター上で激しく非難し合ったりさせるように見える。つまり、デジタルは物質的な影響をまったく生じさせないとよく言われる。「まず、部屋の電気をつけたままなら、何を消費するか認識してください」と、デジタル化をより環境に配慮したものにすることを目指すＮＧＯのトップ、イネス・レオナルデュッツィ氏はからかう[9]。それなら、情報ネットワークはどうなのだろう……。

あらゆる物質的な制約から自由になったと想定されるデジタル資本主義は、今後、無限に発展していくかもしれない。本書で後に見ていくように、デジタル産業は、デジタル化による農業、工業、「サービス関連業」のやり方の最適化によって、地球の保護に有益な貢献ができると自慢することもできる。言い換えれば、デジタル・テクノロジーを広く活用することなしに地球を「救う」ことはできない。それに、「ブロブ」を描写することは非常に難しい！　デジタル産業の発展は、セコイアの森や大洋の酸性化の進展に似ている。現実に起きていることなのだが、肉眼で見ることができない。つまり、知覚できないものは理解できないのだ。

だが、決定的な問題は残る。デジタル・テクノロジーの空間的影響はどうなのだろう？　この新たな通信ネットワークは「エコロジー転換」と両立するのだろうか？　歩兵部隊や航空母艦が、われわれがネット上の楽しみを続けるためにネットのインフラを守ってくれるのだろうか？「脱物質化された」はずのわれわれの生活の物質的構造を制御するからという理由で、未来の世界を統治するのはどんな実体なのだろうか？

私たちはこの2年間、われわれの電子メールや「いいね！」やバカンスの写真のルートを四大陸で追跡した。スマートフォンを作動させるための金属を求めて中国北部を踏破し、フェイスブックのアカウントを冷却する北極圏の広大な平原を歩き回り、世界最大のデータセンターのひとつであるアメリカ国家安全保障局（NSA）のデータセンター（アメリカの最も不毛な州のひとつに建設されている）の水の消費について調べた。バルト海に面した小国エストニアがなぜ、世界で最もデジタル化を遂げた国になったのかを探ろうとし、炭化水素［石油や天然ガス］に依存した金融アルゴリズムの地味な世界を調査し、フランス大西洋岸への大西洋越えのケーブル敷設を追跡した。

私たちはインターネットには色（緑）と臭《にお》い（傷んだバターの臭い）、しかも海水のような塩辛い味があることに気づいた。また、巨大な蜂の巣箱のようなキンキンする音も発するのだ。とにかく、デジタル世界の感覚的な経験をし、そこから、その世界の極端さを知ることもできた。なにせ、「いいね！」をひとつ送るだけでも、人類がこれまでに造ったことのないような最も巨大なインフラを必要とするのだ。われわれはコンクリートとファイバーと鋼鉄の王国を建設し、その王国はほぼマイクロ秒で服従することを命じられたかのように常に使用可能でないといけない。データセンターと水力発電所ダムと石炭の発電所、そして戦略的金属の鉱山からなる「インフラ世界」は、一丸となってパワー、スピード、そして寒さを探求する……。

そのインフラ王国は、実業家、船員、鉱夫、情報工学専門家、石工、電気技師、清掃人、タンクローリー運転手らがひしめき、スーパータンカーや海底ケーブル敷設船が行き交う水陸両用の王国でもある。環境保護面、経済面、戦略地政学面の熱い挑戦に身を投じた男女たちである。何十億人というネット利用者が物理的な法則から「解放された」という幻想を抱くために、デジタルな「集団移住」を導く人たちの王国だ。

訪れた約10ヶ国で見た現実は、〝デジタル汚染〟が膨大で、かつ非常に速く増大しているということだ。「その汚染の数字を発見した時、私は〝どうしてそんなことが可能なのか〟と自問した」と、情報工学者であるエンジニア、フランソワ・ベルトゥ氏は言う。[10] その汚染はまず、インターネットへの入口というべき、何十億台というインターフェース（タブレット端末、パソコン、スマートフォン）から生じる。われわれが常時生み出すデータからも生じる。そのデータは莫大な資源とエネルギーを消費する巨大なインフラのなかで伝送され、保存され、処理される。そのデータのおかげで新たなデジタル・コンテンツが作り出され、さらにより多くのインターフェースが必要になる！　この二種類の汚染は相互に補完し、相互に供給する。

数字は雄弁だ。世界のデジタル産業の水、原材料、エネルギーの消費量は、フランスやイギリスのようなひとつの国全体の消費量の3倍に達する。デジタル・テクノロジーは今日、世界中で生産される電力の10パーセントを消費し、二酸化炭素の排出量全体の4パーセントを占める[11]（世界の民間航空業界の排出量の2倍弱）。「もしデジタル企業が、それを規制する権力よりも力があることが明らかになるとすると、デジタル企業の環境への影響を制御できなくなるというリスクがある」と、スカイプの創始者で、テクノロジーの倫理問題について研究するフューチャー・オブ・ライフ・インスティテュート創始者の一人であるヤーン・タリン氏は警告する。[12] デジタル汚染はエコロジー転換を危険に陥れ、今後30年間の最大の課題のひとつになるだろうと、私は確信している。

競争はもう始まっている。一方では、デジタル企業が、インターネットとスマートフォンと彼らの本社の周りを囲む芝生すら最適化して「グリーン化する」ために、自分たちのすばらしい経済力と革新力を展開する。「エコロジカルで責任のあるデジタル」の課題は、今日ではデジタル産業の関心の中心にある。そうでないと、人々はこれからも競ってクリックしたり、「いいね！」を送ったりし続けることはできないからだ。そのトップにあるＧＡＦＡＭ[13]〔グーグル、アップル、フェイスブック（現メタ・プラットフォームズ）、アマゾン、マイクロソフト〕は、自らが物理的に犠牲にしているものについて人々の無知を維持しようとすらしている。画面には遍在しながら、現実の世界では触れるのが困難なＧＡＦＡＭは、スカンジナヴィアに見られるように、「物理的な支払いが不能である状態」を作っているのだ。「手に触れることができない」ため、ＧＡＦＡＭはある意味で攻撃できないものになっている。報告するべき人はいない……存在しないのだから！　彼らのスローガンを「幸せに生きるためには、非物質化して生きよう」、そして消え去る、としてもいいだろう。

もう一方では、「パイオニア[14]」の共同体やネットワークは、節度を持ち、環境を尊重し、環境に対して責任をとる、別のデジタルのあり方が可能だと考える。私たちはそのパイオニアたちに会った。アフリカから何万個という携帯電話をヨーロッパに逆輸入したオランダ人起業家、自分のデジタルデータを処分する日を世界に広めたエストニアの活動家、古い海底ケーブルを回収するオランダの船乗り、世界一エコロジーなスマートフォンを開発した様々な分野出身のエンジニアの集団。その人たちはみな、協力、節度、共有の大切さを分かち合っている……真に持続可能なデジタルのために。

ちょうど同時期に、メディアにもてはやされた大きな潮流、「気候世代」が出現した。シドニーやベルリンやマニラで、２０１８年以来、政治の指導者や企業が環境危機に対処できていないと非難する何百万人もの若い活動家たちが「金曜日のストライキ」[15]に結集している。それは、単に公正と連帯の理想に燃える、自発的かつ横断的で、女性が大多数の運動ではない。それはむしろ、ハッシュタグやユーチューブのビデオの大波に増幅されたデジタル現象といえる。２０１８年の新学年が始まる日に、最初の気候ストライキを行ったグレタ・トゥーンベリさんが始めた。この勇気あるスウェーデン人活動家が国会前でプラカードを持って座り込んでいる写真は2時間でウイルスのように広がり、彼女はシンボルになった。これは伝説だ。しかし、あまり知られていないのは、環境問題に取り組むスウェーデンのスタートアップ[16]が話題作りのために派遣したプロのカメラマンが撮った写真だったことだ。そして、その写真は優秀なコミュニティ・マネージャー［ＳＮＳ上のファンや利用者のコミュニティ形成を促し、リーダーとして管理する人］の手に渡り、ソーシャル・ネットワーク上の強力なメッセージとして作り上げられ、セレブリティーが生まれたのだ。[17]

　このことは、グレタ・トゥーンベリさんのたたかいの真摯《しんし》さに疑いをさしはさむものではない。しかし、今日、ツイッターやインスタグラム上で１６００万人のフォロワーにフォローされている、このマーケティングの天才に似て、「気候世代」はデジタルツール中毒の若い消費者から形成されていることを忘れてはならない。アメリカの十代は、１日の自由時間のうち7時間22分を画面の前で費やす。[18]そのうち、3時間弱がネットフリックスやＯＣＳ（オレンジ・シネマ・

シリーズ）でビデオを見て、ＴｉｋＴｏｋやスナップチャット、ＴｗｉｔｃｈといったＳＮＳに一時間強を費やす。フランスでは、18歳の若者は平均、5台（！）の携帯電話を持っているという。若ければ若いほど、デジタル機器を買い替える頻度が高い。デジタル機器はデジタル汚染の半分以上を占めるのだ。[19]

歴史上初めて、ひとつの世代全体が地球を「救う」ために立ち上がり、国が気候問題で行動していないとか、木を植えるよう裁判に訴える。[20]親たちは、「うちにはグレタ・トゥーンベリが3人いる」とか、肉やプラスチックの消費や飛行機を使う旅行に反対されるとため息をつく。[21]ところが同時に、子どもたちはｅコマース、ヴァーチャル・リアリティや「ゲーミング」を最も多く利用する世代でもある。若者たちはネットでテレビを見るのが大好きだ。それは、後述するように、エコロジー的には全くナンセンスであるのだが……。英国のある調査によると、インターネットとともに生まれた世代「デジタル・ネイティブ」は、将来、デジタル部門の大企業が提案する新サービスや新インターフェースを最初に受け入れる世代になるという。[22]「気候世代」は、2025年のデジタル部門の電力消費ならびに温室効果ガス排出量を2倍にする（それぞれ世界の電力生産の20パーセント、全排出量の7・5パーセントになる）主役になるだろう。2020年に私たちが参加した議論の席上で、そのパラドックスにさらされたある若者は――そういった問題の専門家だったのだが――次のようなおざりの回答で逃げた。「私たちはデジタル商品を消費するよう提案されているのだから、それを消費するのだ」

実際には、気候世代は最良のものと最悪のものを導き出すインフラを継承しているのだ。本書の調査は彼らにこう呼びかけている。あなたがたはまもなくその受託者になる、すばらしい力をどう使うのか？　デジタル・テクノロジーに誘導される節度のなさを飼い慣らすようになれるのだろうか？　あるいは、イカロスのごとく、デジタルという合成太陽の光に焼きつくされるのだろうか？　テクノロジーの進化する力と、それの使い方に求められる賢明さの間で、どちらの側につくのか？　今のところは、ユーロスタット（欧州連合統計局）によると、あなたたちはＧＡＦＡＭが絶えず浴びせるコンテンツの雪崩の「飽和状態」[23]に近づいているようだ。デジタルを自分の解放の道具にすることによって、新たな支配者の胸に飛び込んでいることに気づいていない。新しいヴィーガンやロカヴォア［地産地消主義者］の習慣は、あなたたちのデジタルフットプリント［インターネットを利用したときに残る記録の総称］を急増させ、デジタルというリヴァイアサン［聖書上の最強の怪物］が生み出す桁外れの影響によって無に帰せられるという危険を冒している。

「この状況は、若い世代が通りを埋め尽くした１９６８年を思い起こさせる」と、デジタル分野のある専門家は言う。カール・マルクスの命に従って、あらゆる国のプロレタリアートは連帯するよう呼びかけられた。だが、そんなことは起きなかった……資本主義者のほうは組織立ってグローバリゼーションを作り上げた。その理由について、石畳の石を手に通りで叫ぶ理想を裏切って、「社会主義者だったが、後に大石油会社の経営者になった人が、デモをした人たちのなかにいる」とその専門家はコメントした。五〇年後、「歴史は繰り返すという気がしている」

それは間違っていると、あなたたちは言えるだろうか？

新たな発明の出現が生み出す恐怖には用心すべきだと、歴史は教えてくれる。新聞、映画、小説から電話まで、「新しいメディアは常に恐慌を引き起こしてきた」と、カナダの心理学者、スティーヴン・ピンカー氏は指摘する。[24] たとえば15世紀、印刷術は「精神への危険」とみなされ、20世紀初めにはラジオが公序良俗と民主主義に反すると言われた。１９６０年代には、テレビは心身の健康を損なうと主張された。[25] 今ではコンピュータやデジタル商品がそういった批判を受け、しかも、これまでにないことに、環境を破壊するという批判もある。デジタル・テクノロジーは明らかに、現代的な不安、そして不安に満ちた新たなエコロジーを写す鏡なのだ。

だが、デジタル・テクノロジーは人類にとってすばらしい進歩をもたらすものだ。そのテクノロジーを使って、人間の平均寿命を延ばし、宇宙の起源を探査し、教育へのアクセスを広げ、次なるパンデミックをモデル化できる。エコロジー面の優れた取り組みを促進しさえするだろう。しかし、今世紀初めに生まれた重大なたたかいに臨もうという時に無邪気であってはならない。今われわれの目の前に展開しているようなデジタル・テクノロジーは、ほとんどが地球や気候に貢献してはいない。ほんの些細なことであっても、逆説的に、人類共通の家である地球の物理的、生物学的限界をもたらすものなのだ。

そのため、私たちは、物質的なものに考えが及ばない世界について調査をしたかったのだ。光を当てることを決して好まないこの産業の暗黒面、抽象的観念を気取る産業の地理を分析すること。また、非物質化というほとんど神話的な理想の名のもとに、恐ろしく物質的な現代性を生み出しているテクノロジーを解剖してみよう。そして、一通の電子メールやひとつの「いいね！」を送ることが、これまでわれわれが思いもしなかった甚大な挑戦をもたらすという明白な事実を明るみに出そう。

第1章

デジタル・テクノロジーとエコロジーの関係は空想にすぎない

アラブ首長国連邦のアブダビの喧騒《けんそう》から、車でわずか30分でマスダール・シティに着く。この町は640ヘクタールの焼けるような砂漠のなかにあり、サウジアラビアに通じるペルシャ湾沿岸の高速道路に沿っている。赤みがかったコンクリートとガラスとアルミニウムのなかに閉じ込められた要塞のようだ。町の中心部の通りは狭く、日陰になっている。ここでは、男性の伝統的な白い長衣「ディシュダーシャ」を身につけた人たちがヤシの木の下を静かに歩いている。建物のファサードは日差しを遮《さえぎ》るために緻密《ちみつ》な格子をはめ込んだマシュラビーヤの装飾が施されている。小さな広場には、古代ペルシャ時代の都市のように、風の塔がそびえ立ち、風をとらえてマスダールの中心部に送り、涼しくしているのだ。

砂丘の縁に打ち捨てられた宇宙船のような[1]この町が注目を浴びるのは、野心的なテクノロジーの試みがまもなくここで具現化されるからだ。アラブ首長国連邦はマスダール（アラビア語で「源泉」という意味）を、これまでにない最もモダンなデジタル・テクノロジーに導かれた世界一の持続可能なエコシティ[2]にする計画だ。170億ユーロが投資された暁《あかつき》には、2030年にマスダールはインテリジェント都市開発の地域モデル、いや世界的モデルになるはずだ。[3] 将来住むことになる5万人の住民は、「最も低い環境負荷で、最も高い生活の質[4]」を享受すると、当局はしきりに宣伝する。つまり、マスダール・シティは、地球上で最も快適な生活を約束する都市であるという白昼夢なのだ。

地球のためのインテリジェント・シティ

マスダールはインテリジェント・シティに対する希望を一身に引き受ける。インテリジェント・シティは「スマートシティ」とも呼ばれ、デジタル・テクノロジーがわれわれにもたらす最高のものの神髄である。なぜなら、現在、世界人口の半分は都市部に集中しているからだ。その都市部は地球上の面積の2パーセントしか占めていないのに、世界のエネルギーの75パーセントを消費し、二酸化炭素の80パーセントを排出する！　水、食料資源、電力の需要が膨大なことは言うまでもない。未来の都市をより生活しやすくエコロジカルにするために、人とモノとエネルギーの流れをよりよく組織することが今後の課題だ。交差点の交通整理のために警笛を吹く警官の群れにはおさらばだ！　傷む商品の在庫にちょうどいい買い手を見つけるためには、口コミだけでよくなる。インテリジェント・シティでは、情報通信技術（ICT）やセンサー、GPS位置情報、あるいは人工知能（AI）によって収集・処理されたデータを利用して、都市住民が協力したり、相互に作用し合う――すべて地球のために――能力を何倍にもすることができるのだ。エコロジカルな世界はまず、よりよく組織された世界なのだ。

マスダールは実地の実験とみなされている。この街はエネルギーを持続可能エネルギーですべてまかない、二酸化炭素も廃棄物も出さない。どうやって？　モーションセンサー、そしてソフトウェアを搭載したメーターによって、街の電気および水の消費量を半分以下に削減できる。また、1800台の自動車両が個人用高速輸送システム（PRT）と名づけられた輸送網を形成する（当初の計画によると）。さらに、ホーム・オートメーションによって、住民の在宅状況に応じてエアコンの働きを住宅内で調整し、町のエネルギーを72パーセント削減する。「アラブ首長国連邦当局は、テクノロジーが都市のすべての課題に対する解決策になるという賭けをしたのだ！」と、マスダール・シティについて長年研究したイタリア人学者、フェデリコ・クグルロ氏は言う[5]。

2007年、マスダール・シティを砂漠から生み出す任務を負った英国の建築事務所フォスター・アンド・パートナーズ[6]は、良識ある効率的な都市整備を重視する方向で取り組んだ。街は日差しを避けるために北東に向けて造られ、小さな通りは風通しをよくするために風の吹く方向につくる。エレベーターの手前に設置された階段は、身体運動を促すためにある。しかし、連邦政府は革新的テクノロジーを優先するほうを望んだため、何も予定通りには進まなかった。技術的問題が次々と発生し、当局は、持続可能エネルギーの割合が当初目指していた100パーセントから50パーセントに下がるだろうと認めた。個人用高速輸送システムは技術的なネックになることが判明し、控えめな自動運転シャトル車両に変更された。[7] ホーム・オートメーション、つまりマスダールの住民のエネルギー消費量の管理と最小化を目指す野心的計画「ビルディング・マネジメント・システム」の実現は、どうやって機能させるかを知る人がいないために大幅に遅れている。[8]

スマートシティの真の環境負荷

現在、当初のエコシティ計画の10パーセントしか建設されておらず、住民はわずか2000人にすぎない。世界のメディアが危惧したように、マスダールは最初の「幽霊グリーンシティ」になるよう運命づけられているのだろうか？[9] 不動産開発業者がこぞって繰り返し言うように、マスダールは実際に環境を尊重した町なのだろうか？ すべてをインテリジェントにすることが環境保護の新たな展望であるのだから、その問いは非常識だと思えるだろう。欧州議会は、スマートシティは「効率的で持続可能」であると同時に、「経済的発展と社会的充足感」を生むものだと断言したのではなかったか？[10] そのために、世界中の286都市のイニシアティブですでに443件のスマートシティ計画が日の目を見たのだ。[11]

ところが、「都市は人間と同じように、反映するためには食料、水、空間を必要とする」と、フェデリコ・クグルロ氏は言う。都市計画の専門家は、人口密集地域の「都市メタボリズム（物質代謝）」を研究し、環境パフォーマンスを評価するために、都市に出入りする物資、エネルギー、廃棄物の流れを調査しようとした。マスダールのようなスマートシティのメタボリズムはどのようなものだろうか？「その問いは正当なものだ。なぜなら、インテリジェントなテクノロジーは物資を必要とするから、その負荷を計算しなければならない」とクグルロ氏は強調する。彼はマスダールのプロモーターに数値情報を依頼したが、入手できなかった。いずれにせよ、「そういう文書はアブダビでは絶対に入手できないのだ」と、マスダール・シティについての著書のあるトルコ人学者ギョクチェ・ギュネル氏は、アラブ首長国連邦が強権的政権であることをほのめかせて言い切った。[12]

驚くべきことに、最近まで、スマートシティの総合的負荷に関する研究は世界のどこでも行われたことがなかったのだ。[13] キッキ・ランプレヒト・イプセン氏の率いるデンマークの研究者グループがある科学誌のために、理論上の分析のための枠組みを確立する2016年まで待たなければならなかった。[14] このグループは6ヶ月にわたって、インテリジェント・ウィンドウ、水のスマートメーター、スマートグリッド〔最適化された電力供給システム〕電気網など――何百万個の設備――のスマートシティの7つのテクノロジーのカテゴリーについて、そのコストと効果をひとつひとつ検討した。[15] 確かに、そうしたツールは都市の電力消費を削減する。しかし、その節約を得るためには、物資とエネルギーの大きなコストは言うまでもなく、大量の機器を製造し、輸送しなければならない。結局、2019年に公表されたキッキ・ランプレヒト・イプセン氏の費用対効果分析は惨憺《さんたん》たるものだった。「インテリジェント・シティというソリューションの発展は、一般的に、都市システムの環境パフォーマンスに否定的な影響を及ぼす」と、同氏は結論づけた[16]。

まとめてみよう。スマートシティは生活するのに快適で、そこに住むであろう何十億人という人々にとっては局地的にクリーンな都市部になり得る。その上、テクノロジーの進歩によってより効率的になり、環境負荷を減少させることにおそらく貢献するだろう。したがって、われわれの町のお偉方たちが今後、政治に反映させることは突飛なことではないだろう。しかし、何千キロメートルにおよぶ、スマートシティ周辺地域――そこでインテリジェント・テクノロジーの製品が製造される――の真の境界線を考慮に入れると、われわれは全体としての環境負荷を現在、悪化させているようだ。「この研究の結論は地球全体に一般化することはできない」と、キッキ・ランプレヒト・イプセン氏は注意を促す。しかし、「インテリジェント・シティに関しては、警戒しなければならない」とも警告する。フェデリコ・クグルロ氏も、証明はできないが本能的に「マスダール・シティの環境コスト(も)期待される効果を上回る」とする。さらに氏は、「提示されたソリューションそのものが問題の原因だ。地理学者や都市計画の専門家に聞けば、95パーセントはインテリジェント・シティに懐疑的だろう」と請け合う。

では、スマートシティへの妄信はなぜ可能になったのだろうか？

自然のためになる数学

その問いに答えるには、数学の長い歴史をひも解かねばならない。人類は何千年も前から自分たちを取り巻く世界を数字に置き換える、つまり計算し続けてきた。手始めに、５０００年前のメソポタミアで栄えたユーフラテス川沿いの農耕社会に身を置いてみよう。住民たちは家畜を数えるのに、群れのなかの頭数だけの陶器のトークンを器に入れた。つまり数えていたのだ。[17] その後、数学の様々な分野（代数、統計、幾何学、算術など）のおかげで、世の中を概念化する、つまり、人間を取り巻くものに対する人間の支配力を拡大し続けることができたのだ。

たとえば、古代ローマでは水道橋を建設するのに、その橋の角度を計測する位相幾何学的計測器「ディオプトラ」の使用がとりわけ役立った。中世には、三角法によって、アラブ人測量士が自分たちの歩数を地理的な距離に変換することができ、最初の土地台帳の誕生に貢献した。ルネサンス時代黎明期の大洋探検は、羅針盤、分度器、アストロラーベなどの天体観測用機器による幾何学計算なしには実現されなかっただろう。18世紀には人口推移や税収推移を予想を可能にした――こうして政府がよりよく統治できる――統計や確率についても同様だ。人類の歴史において、数学は世の中を理解し、よりよく組織し、もちろん支配するための強力な学問分野であったことがわかる。

しかし、数学者が別の目的を抱くようになってから3世紀が過ぎた。それは18世紀初めにさかのぼる。ドイツにおいて森林管理を合理化するために（もちろん利益を上げるために）、森林管理者たちは伐採の頻度を体系化し、様々な計算により森林資源の再生を加速化した。第2次世界大戦後には、漁業についても、持続可能な最大の収益性[18]の計算――種が危険に陥らない範囲で漁獲量を最大にする――により同じ目的を適用した。「資源やエネルギーの消費を制限したり、動物相や植物相の推移を研究したり、その移動を最適化するために数学に頼ってきたという事実には長い歴史がある」と、ある専門家は認める。[19]言い換えれば、人間の社会が自然を支配するために――そして保護するために――自然を測定し始めてから長い年月が経ったということだ。

そこにデジタル・テクノロジー――数字、数、文字やその他の記号などわれわれを取り巻く表象のなかで最も進化したもの――が介入してくる。20世紀、現代の情報機器のすばらしい処理能力と相まって、デジタル・テクノロジーは宇宙のすみずみまでの知識と支配の欲望を膨張させたばかりでなく、ドイツの森の保存事業をより大がかりに継続させたのである。

◉　まず、デジタル・テクノロジーによって地球の〝健康〟について従来にない知識を得ることができるようになった。膨大な画像やデータを組み合わせることで、われわれを脅かす汚染について深い理解が可能になった。それは最近のエピソードでも容易にわかる。何年か前から科学者は、オゾン層に穴をあけるガスCFC‐11[20]が大気圏に執拗に存在することを確認しており、1987年のモントリオール議定書によってそのガスは禁止された。[21] しかし、どの国がそのガスを排出しているかを知るのは不可能だとわかった。ところが、衛星写真[22]や、ガスを拡散させる風のモデリングにより、国際的な研究グループが2019年に排出源を特定することに成功し[23]——中国東部にあるいくつかの工場——CFC-11の違法取引をやめさせることができた。デジタル・テクノロジーがなかったら、他にどんな技術がわずかな期間にそのような環境保護の成果を生むことができるだろうか?

今日、われわれはその環境保護の動きのほんの始まりにいる。ジョージ・オーウェルの『1984年[24]』を思い出される方もいるかもしれない。ウィンストン・スミスが「ビッグ・ブラザー」から唯一逃れられる「オセアニア」の土地は、トネリコのやぶや、ヒヤシンスに彩られた森の空き地や、牧草地や小川など……つまり自然だった。自然は、オーウェルの描く「テレスクリーン」やマイクから逃れられる場所だ。ところが、宇宙に打ち上げられた何千という衛星の「メガコンステレーション」［アマゾンやスペースX社などが参加する巨大な通信衛星網］が、大洋のプラスチック汚染をリアルタイムで観察できたり、農地の酸性度を測定したり、巨大なサンゴ礁の侵食やキリマンジャロの頂上の雪解けを測定したりできるようになってから、事実は小説を超えるようになった。以前は空を見上げて地上の世界をより正確に解釈しようとしていたが、今起きているのはそれとは全く反対だ。何千という通信衛星がわれわれを、そして地中海のマグロを、ケープタウンのケープペンギンを、ブラジルのパラナ州の松の木を常に観察している。自然がこれほどまで監視されることはこれまでになかったことだ！

◉ さらに、デジタル・テクノロジーは人々の暮らしを体系化する方法の最適化を目指す。「たとえば、住民の実際の需要に応じて公道の照明を調整したり、水道網の水漏れの場所を特定したり、（中略）利用者にモビリティのソリューションをリアルタイムで告知する。エネルギー供給網の機能を向上させることに貢献する（中略）。廃棄物の収集や、農業におけるインプット［水、肥料など投入するもの］を最適化するのに役立つ」と、このテーマで権威ある報告書は列挙する。[25] たとえば中国では、大気汚染を抑えるために道路の交通データの使用に期待を寄せる。これは、杭州《こうしゅう》[26]市で何十万台という監視カメラを使ってアリババが開発した「シティ・ブレイン（城市大脳）」というコンセプトだ。アリババによると、収集された情報から交通量に応じて信号を変えることで、渋滞を15パーセント減らし、その結果、二酸化炭素の排出量を削減できるとする。[27] スマートホーム（コネクテッドホーム）では、センサーが住人の正確なエネルギー消費を予測し、不在の時はエアコン使用を少なくし、猛暑の際はストールを自動的に下ろす。そうすれば、エネルギーが最大30パーセントまで節約できるという。[28] このやり方を地球全体に拡大すれば、その効果は未だかつてないものになるだろう。

◉　最後に、デジタル・テクノロジーはわれわれの消費様式をグリーン化するように促進する。アメリカでは、CropSwap[29]やFarmMatch[30]といったオンラインプラットフォームが消費者と地元の農業者を結びつけて食品の短サイクル化を促進している。デンマークのスタートアップToo Good to Go[31]は今では14ヶ国に展開し、捨てられそうになっている保存のきかない食品を持つ生産者と、それを安い値段で入手したい買い手をつなぐ。同社によると、2016年以来、世界で5000万食に近い食事がこうして「救われた」という。環境保護の効果は大きい。地球上で生産される食料の3分の1は捨てられており、それは二酸化炭素の排出の8パーセントにあたるからだ。それだけではない。デジタル・テクノロジーは「シェアリング・エコノミー（個人間の寄付や貸付など）に資金を注入し、再生可能エネルギーやアグロ・エコロジーへのクラウド・ファンディングを容易にする（中略）。さらに、デジタル・テクノロジーは、修理する人の共同体と連携した部品販売のプラットフォームSparekaのように、〝（製品の）陳腐化〟とたたかうことも提案する」と、ある研究はメリットを数え上げる[32]。

フェイクニュースとオルタナティブの時代にあって、世の中の理解向上のための、それほど正確な情報が入手できたことはこれまでにない。デジタルツールは貴重な助けだ。1台のスマートフォンは今日では、人類を月に送った情報システム全体よりも強力だ[33]！　それに地球上の人間の数をかけてみるといい。1秒間に何十億という演算ができるスーパー・コンピュータの大群を思い描くといい。新たな福音はすぐそこにある。これは「グリーンIT（IT for Green）」、グリーン化に貢献する情報技術と呼ばれる。今では「デジタル・テクノロジーを利用せずに気候変動を制御することはできないとまで考えられている」と、ザ・シフト・プロジェクトというシンクタンクの作業チームは言う。[34] あとで述べるように、今後200年の環境保護政策を単独で策定することが可能な「グリーンAI」が出現するかもしれない。いく人かのテクノロジー予言者がすでに目指しているそうした未来では、人間はアルゴリズムを自然界の主人、すなわち所有者に——地球の健康の名において——任命するのだ。

デジタル産業が未来を書き直すとき

意見の対立に勝つには、反論できない数字が前提となる。非公開の報告書に2003年からその数字が現れ始めた。[35] そして2015年には、政府間機関で数字を伴う見解が急増した。「情報通信技術（ICT）のカーボンフットプリントは2020年に1・27ギガトン二酸化炭素換算に達する予測だが、[36] ICT（によるカーボンフットプリントの）削減可能な合計はその7倍に達する」と、ユネスコは主張した。[37] その後、国連貿易開発会議（UNCTAD）は「ICTの有効利用に帰する二酸化炭素の減少は全世界の排出量の15パーセントに相当する」とした。[38]

この分野で他を凌《しの》いで最も影響力のある組織があるとしたら、それはグローバル・e-サステナビリティ・イニシアティブ（ＧｅＳＩ）だろう。これは民間デジタル企業と国際機関を集結させたもので、ブリュッセルに本部を置く。[39] ＧｅＳＩは「ＩＣＴを利用した社会・環境の持続性を可能にするために（中略）公平で主要な情報源」になることを目指す。しかし、ＧｅＳＩは明言はしていないが、会員の利益を擁護するロビー団体である。したがって、強力なコミュニケーションツールといえる。２０１２年、ＧｅＳＩは最初の報告書「SMARTer 2020」を公表し、ＩＣＴ利用によって温室効果ガスを２０２０年までに16・5パーセント削減できると予測した。[40] 3年後には、新たな報告書「SMARTer 2030」で、さらに壮大な予測を打ち出した。「ＩＣＴの使用によって回避される排出量は、その普及によって生じる排出量の10倍になる」[41]とした。

デジタル産業は、自らの環境負荷が限られていると言っているのではない。気候問題に関しては利益のほうが勝ると断言しているのだ。実際に、その産業のパフォーマンスは、デジタル化を実践する経済界の当事者全体に行き渡るだろう。衛星写真のおかげで正確にインプットを調整できる小規模農家、エコナビゲーション・システムを開発し、燃料消費を最適化する自動車メーカー、センサーを利用して採掘されない坑道の空調を止めて電気消費を減少させる大鉱山会社などだ。こうした意欲的な主張は、「SMARTer 2030」の序文が２０１０年から２０１６年まで「気候変動に関する国際連合枠組み条約（ＵＮＦＣＣＣ）」[42]の事務総長だったクリスティアナ・フィゲレス氏によって書かれている理由の説明になる。その条約の最高意思決定機関は有名な気候変動枠組条約締約国会議（ＣＯＰ）であり、毎年、地球の未来について議論される。フィゲレス氏は、気候変動のたたかいの目標に到達する上で、どれほど「この報告書がＩＣＴの根源的役割を強調している」かということを後に述べている。

ＧｅＳＩのコミュニケーション媒体や、国連や国際電気通信連合（ＩＴＵ）がＧｅＳＩの主な結論を広めるとともに、世界銀行は公式文書にそれを掲載した。[43] マッキンゼー、ボストン・コンサルティンググループ、デロイト、オランジュといった大企業も同じことをした。その結果、今日ではＧｅＳＩの報告書はバイブルになり、ＧｅＳＩは「グリーンデジタル・テクノロジー」に関する世界的な情報源だと自負している。

ところが、すぐにいく人かの専門家が、その報告書の真摯さに疑問を投げかけた。仏国立科学研究所（ＣＮＲＳ）の研究者、フランソワ・ベルトゥ氏は、「使われているデータの信頼性を判断するための基準が弱いケースがある」「仮定の根拠となる資料が明確でない[44]」と懸念を示した。さらに、同氏は「これら2つの報告書は二酸化炭素の排出量だけに焦点を当てている。コネクテッドカーなど電子廃棄物の量は、それとして勘定されていない……独立した専門機関はどこも、これらの報告書を認めていない」と、私たちに語った。[45]

「SMARTer 2030」の作成条件を調べれば、この報告書の信頼性についてよりよく理解できるだろうか？　私たちは何週間にもわたって報告書の共同執筆者に会って――彼らの匿名性を尊重すると誓った――調査を行った。最初に驚いたのは、参加した識者の構成だ。17の組織のうち専門家を送り込んだ13の組織は民間企業だった。[46] 非商業分野の専門家を招くことによって、民間企業の優勢に対してバランスをとらなければならなかったようだ。その一例は持続可能な消費・生産センター（ＣＳＣＰ）である。世界自然保護基金（ＷＷＦ）といった、いくつかの非政府組織（ＮＧＯ）にアプローチが試みられたようだが、成功しなかった。報告書の執筆への参加料が求められたために、拒否されたのだ[47]。

「参加した識者の顔ぶれを見て最初に思ったのは、このメンバーたちは経験が浅いということだ。参加した専門家という人のことを私はだれ一人として知らなかった。学術的な信頼性はまったくなかった」と、ある参加者は言う。それでも調査は始まったが、その間、調査の公平性の欠如に何回か不安を覚えたと、その人は言う。実際に、提示された言明のほとんどが「証明が不可能だった。とりわけ、デジタル・テクノロジーによって可能になる電力節減について専門家たちは自説を証明することができなかったのだ。私に言わせると、報告書に提示された数字から、ＧｅＳＩはあまり信頼できないとみなされたと思う」

この調査が続くにつれ、メンバー間に対立が生じたようだ。たとえば研究者のなかには、楽観的すぎると評価された基礎的な仮定が実現されたか否かを5年後に証明するよう、メンバーに求めた人もいた。その結果、スウェーデンのエリクソン社の電気通信機器部門の2人の専門家は、科学的厳格さの欠如を理由に作業グループを去った。結局、驚くほどのことはないのだ。「最初から、報告書の結論は肯定的だとみんな知っていた」と、私たちが接触した人は平然と認めた。その人は、「ビジネスはビジネスだ！　つまり、すべてはまずは〝グリーン・マーケティング〟

であり、肯定的な数字を常に前面に押し出すことが目的だった」と言う。もう一人の懐疑派の人も、報告書の中で「断言されていることすべてについて懐疑的に思う」「この調査に自分の名前が連なっていると思うと、あまり気分がよくない」と告白する。「今だったら、私は違ったやり方をしたでしょう」

後に報告書に背を向けた一人は、「ＧｅＳＩの報告書が公的な政治目的に利用されるのは非常に危険だ」とさえ打ち明けた。ところが、まさにそうなったのだ。なぜなら、「デジタル・テクノロジーが経済を発展させる上にエコロジカルだと信じることは、非常に気分がよくて魅了される」と、責任ある地位にいる、あるデジタル専門家は分析する。[48] その報告書に対抗する独立した調査はほとんど実施されなかった。時間もお金もなかったからだ。「ダビデとゴリアテの戦いのようなものだ。デジタル産業はインターネットの環境保護面の利益についての議論を独り占めした。あらゆる方法を使って、その考え方を広めようとしたし、今もそうしている」と、その専門家は断言する。[49]

力ある勝者が歴史を自分たちの都合のいいように修正することに執着するのは、何千年もの戦争の歴史が証明していることだ。この21世紀において、デジタル企業はそのプロセスをさらに洗練させ、まさに未来を書き直すことを提案しているのだ！　実はデジタル・テクノロジーは汚染する。それも、著しくだ。水とエネルギーの消費、鉱物資源の枯渇への加担からすると、デジタル部門は、先に見たように、英国やフランスのような国の2倍あるいは3倍に相当する環境負荷を発生させる。[50]その原因のひとつは、世界中に出回る計340億個のデジタル機器だ。その重量は合計2億2300万トン、つまりセダンタイプの車1億7900万台に相当する。[51]エネルギー面では、情報通信技術は世界の電力消費の10パーセントを占め、[52]これは原子炉100基分の電力生産に相当する。[53]デジタル分野がひとつの国だと仮定すると、その国は中国とアメリカに次いで電気消費で世界第3位になる。しかも、今日、電力の35パーセントは石炭から生産されている[54]……。現在、デジタル分野は温室効果ガスの総排出量の4パーセント弱だ。[55]

以上が現在の状況である。デジタル分野の汚染については、現状だけでなく、いま進行していることを考慮するべきだろう。インターネットの環境負荷の驚くべき増幅のメカニズムと、何もそれを食い止めることはできそうにないということ、それが本書の全編を貫く筋だ。事実、デジタル分野の電力消費は年率5〜7パーセント増加しており、[56]その結果、2025年には世界の電力消費量の20パーセントを占めるだろうといわれる。[57]二酸化炭素の総排出量に占める情報通信技術の割合は同じく2025年までに2倍になるという予想だ。[58]「デジタル分野の環境への影響がどれほど膨大かということをわれわれは理解していない！」と、GreenITの創立者であるフレデリック・ボルダージュ氏は強調する。[59]おそらく、「その汚染は無色無臭で、工場から排出される黒い煙ではないから」だろう、とNGO「デジタル・フォー・ザ・プラネット」の創立者、イネス・レオナルデュッズィ氏は分析する。[60]また、最近のテクノロジーであるため、その機能の仕方をよく把握できていないためでもあるだろう。ネットの配管面を探ってみることが必要なようだ。

「いいね！」の地理学

2020年秋のモントリオールへの訪問をもう少し詳しく書いておこう。このケベック州の経済的州都はその日、雪の嵐に襲われていた。歩道は完全に雪に隠れ、真っ白で凍るように冷たい雪のために、道行く人の歩調はにぶり、吐く息の音も消されているかのようだ。まるで寒さのせいで重力が強くなったかのように、人々は重い足取りだ。ちょうどその頃、モントリオール旧市街地の高級ホテルでは、デジタル産業の目玉というべき会議のひとつ「デジタル・インフラ・モントリオール」が開催されていた。会議のテーマは、「ハイパースケールのデータセンター」「デジタル・インフラのエネルギー効率」「遠距離の光ファイバー網」「周辺地域におけるIT」「クラウド・プラットフォーム」などといったものだ。こうした言葉は大多数の人にはピンとこないだろう。しかしながら、これらがなければ、何十億もの人々の日常生活は大きく影響を受けるのだ。これらなくして、フェイスブック、ユーチューブ、LinkdInで、毎日何十億もの「いいね！」を送ることはできないのだから。

読者のみなさんは、「いいね！」を送りたくてたまらないだろうし、職場の同僚に気に入られるために、その人のフェイスブックのプロフィールの写真に実際に「いいね！」を送っているだろう。ところが、その愛すべき人の携帯電話に届くのに、「いいね！」はインターネットの7つの層を通っている。第7層が端末（パソコンなど）にあたる。あなたの愛情に満ちた通知はネットの中間層（データリンク層、ネットワーク層、トランスポート層など。図表1を参照）を通り、ネットの最初の物理的な層「物理層」――とりわけ海底ケーブルからなる――に達する。第1と第7の層の間では、あなたの通知は携帯電話事業者の4Gアンテナを通るか、あるいはインターネット・モデムを通る。モデムは、集合住宅の共用部分を通って、歩道の80センチ下に埋められた銅線ケーブルにつながっている。そして、そのケーブルは大きな連絡道（高速道路、川、引き船道、鉄道など）を通って、通信事業者の施設で他の「いいね！」に合流する。それから海を渡ってデータセンターを通過しなければならない。今度はそこから、「いいね！」は第7層までの逆の道をたどって、あなたの好きな人の電話まで到達するのだ。あなたの同僚がわずか10メートル離れたところにいても、あなたの発した信号は実際に何千キロもの旅をする。[61]つまり、「いいね！」の地理学は確かに存在するのである。

Gメールでメールを送る、ＷｈａｔｓＡｐｐでメッセージを送る、フェイスブックで顔文字を送る、ＴｉｋＴｏｋで動画を送る、スナップチャットで子猫の写真を送る、といった触知できない行為を実現するために、われわれは、グリーンピースによると「人類がこれまでに造ったなかで最も巨大であろう」インフラを建設したのだ。[62]そのインフラは資源を使い、エネルギーを消費する。先ほど見たように、既存の研究によるとデジタル・テクノロジーの利益はその損害を上回ることを示す傾向にある。ところが、２０１８年にシンクタンク「ザ・シフト・プロジェクト」

が公表した充実したレポートは次のように暴露している。「現在進行しているデジタル転換は、気候変動を予測するのを助けるよりも、それに加担している」[63]。デジタル・テクノロジーが「デジタル分野の環境負荷の明確な増加」をもたらすリスクは「したがって現実的なものだ」[64]

では、だれを信じたらいいのだろう？　一方では、大学の研究者やNGOが、デジタル産業界の率先した調査の偏向を強調する。それに対して、デジタル産業界は学術界の理論的すぎるアプローチを批判する。「われわれには、（デジタル産業によって）実施された調査を検証するための時間もお金もデータもない」と、あるデジタル問題の研究者は認める。[65]「多くの人々が意見を言うが、研究の数は少ない。結局、だれも何も知らないのだ」と、データセンター専門家のマルク・アクトン氏は言う。[66]ただ、ひとつだけ確かなことがある。「社会がデジタル化されたこの数十年間は、環境負荷が最も増加した数十年間だ」と、「デジタル化と環境白書[67]」の研究者たちが強調する事実だ。

次第に認識されてきたデジタル汚染

デジタル汚染を最初に攻撃した最初の国はスウェーデンだ。１９９０年代初め、ＴＣＯデベロップメントは「責任ある」デジタル機器の世界初の認証を導入した。[68]当時、デジタル機器は秘書の問題だった。秘書たちは画面で目を疲れさせ、電磁波を受けていた。「秘書たちの健康を守るために、コンピュータの製造に一定の基準を遵守するよう求めたのです」と、ストックホルムで会った、TCO社長ソレン・エンホルム氏は回想する。同氏は「当初、情報通信技術産業は、TCOラベルを自分たちの利益に対する障害とみなしていた。しかし、それに対して何十万人という労働者が認証を尊重するよう雇用主に圧力をかけたのです」と回想する。その後、TCOの懸念はIT製品そのものの製造から生じる汚染にまで次第に拡大した。つまり、いくつかの重金属の使用制限、「紛争鉱物」［戦争・紛争などによって武装勢力の資金源となっている鉱物］の禁止、製造過程における労働環境の尊重などだ。

世界の他の地域ではこうした認識はずっと遅く、スウェーデンは一匹狼のようなものだった。2000年代初め、エリック・ウイリアムズ教授が情報通信技術による汚染について本を書いた最初のアメリカ人学者になった。[69]「インテル・グループは私の研究に対して多くの苦情を寄せてきましたが、結局、私に反論することをやめました」と、同教授は言う。[70] ヨーロッパでは、コンサルタントで出版者、研究者のマイケル・オギア氏が2017年にそのテーマで講演を始めたのが初めてだとされる。[71]「たった一人で自由な時間に」実施したと、同氏は振り返る。[72] その後、持続可能なエレクトロニクスについてのシンポジウムでのデジタル汚染に関する報告書、GAFAM[73]の本社前でのNGOの反対運動など、ねばり強い動きが少しずつ形を成していった。特にグリーンピースなどだ。学会では、「そのテーマに取り組む研究者が増えており、メディアに掲載される記事も多くなっている」と、アスタ・フォンデラオ氏は断言する。[74]

しかしながら、このテーマは公的機関レベルではほとんど取り上げられていない。「デジタル・

テクノロジーの汚染は、欧州連合レベルの政治理論の盲点だ」と、欧州議会のある議員秘書は残念がる。[75] 欧州委員会にいたっては、デジタル・テクノロジーがエコロジー転換に貢献するということを断固として支持している。「〝グリーンディール〟(ウルズラ・フォン・デア・ライエンＥＵ委員長が２０１９年に提唱した持続可能なヨーロッパのためのロードマップ)はテクノロジーが苦境を救うという考え方に基づいている。デジタル・テクノロジーの汚染は欧州連合の諸機関にとっては優先順位の最下位にあるようだ」と、欧州議会のある顧問は言う。

そうなると、第一線に立たなくてはならないのは民間部門かもしれない。「グリーンＩＴは企業から起こったテーマだ」と、あるヨーロッパの銀行の企業の社会的責任(ＣＳＲ)担当者は言い、大企業は「このテーマに関してはまだ思春期にいる」とする。ところがヨーロッパのある保険会社の情報部門の責任者は、自社のカーボンアカウンティング(炭素会計)[事業活動が温室効果ガスの排出または削減に寄与したかを算定した集計]において情報通信技術は30パーセントを占めると告白している。[76] このような数字は、経済界で重要な役割を果たす企業の環境保護に関する評価を必然的に損なうだろう。すでに行動を起こすよう促された企業もある。たとえば２０１９年、グーグルでは２０３０年までに二酸化炭素の排出をやめるよう、２０００人の社員が経営陣に書簡を送った。[77] そうした企業は、誤ったイメージが人事戦略を損なうことも認識している。デジタル分野のある起業家は、「今日、倫理的でない会社で働くのを嫌がる学生が多い」と言う。[78] とりわけ、サービス部門の企業の従業員一人につき、ＩＴ関連機器とその管理に年間2万ユーロかかるとわかってからは、経済的議論も活発になっていった。

こうして、「グリーン」で、「持続可能で」、「エコロジカルな」ＩＴについての広報キャンペーンが危険な幻想を広めるのに貢献していると思わせるようなことも多く現れてきた。つい最近まで突飛だと思われた問いを投げかける活動家、起業家、政治家たちの数が増えている。ＩＴそれ自体がグリーンでないなら、「グリーン化のためのＩＴ機器」を語ることはできるのだろうか、という問いだ。人々の日常生活に使用される、インターネットに接続されたモノを製造するための原材料がどのような環境で生産されているかを知れば、その問いはよけいに正当だと思われるだろう。

第2章

スマートフォンの平穏さはどこに？

「警察が電話をかけてきた！　ここで何をしているのか知りたがっている！」シエン[1]が息を切らしてゆるやかな傾斜の野原を駆け下りてきた。彼女の途切れ途切れの息が、離れたところを飛んでいるドローンの鈍い音をかき消していた。近くのグラファイト工場から出る廃棄物の違法投棄場を撮影しているところだった。かれこれ1時間前から、私たちの目の前で、丘を登ってくるトラックがてっぺんに着くと、黒っぽい廃棄物の積荷を下のほうにぶちまけていた。年月とともに、この屋外廃棄物が、混沌とした痛々しい人工的な起伏を形成していた。

私たちのフィクサー[2]「コーディネーター」は心配そうな目で見つめてきた。その様子からすると、すぐに立ち去らなければならないようだ。「30分もすれば、警察に見つかる」とシエンは主張した。鶏西《けいせい》市に近いところにＡｉｒｂｎｂを予約してくれたときの彼女の連絡先を、警察は容易に割り出したのだろう。その住居に「老外」（外人）がいることを疑り深い隣人が地元の警察署に通報したのかもしれない。警察は、私たちが今いる麻山《まさん》区の場所にすぐにやってくるだろう。そうなると、私たちの調査は危うくなる。熱心な警官なら、私たちにつきまとってくるだろう。中国からの強制排除の可能性も真剣に考えなくてはならなくなる。

始まりはすべて順調だった。2日前のことだ。2019年春、私たちはルポルタージュのために黒竜江省《こくりゅうこうしょう》にやってきた。[3] 中国最北部の省だ。ロシア極東の沿海地方の国境まで200キロメートルしか離れていない。この地域は気候が厳しく、経済発展からも取り残された過酷な地方だ。チェルノーゼム[4]［黒土］に松やカバノキが生い茂り、トウモロコシ、小麦、麻の栽培が盛んだ。しかし、黒竜江省を有名にしたものは、その地下にある。石炭、とりわけ、「インターネットに接続された」生活に不可欠な鉱物であるグラファイトの埋蔵量が豊富だ。グラファイトなしではほとんどのスマートフォンやパソコンは機能しないのだ。

ドローンが着陸し、ビデオカメラも片づけた。私たちは車まで走った。まずやるべき重要なことはビデオ録画を暗号化されたハードディスクに保存することだ。所持品検査をされても読み取れない。そして、回転灯のついた車両に対峙することを覚悟する……。あるいは、目立たないように輸送手段を変えるべきか。隣村の大広場に停まったタクシーに救われた。行き先は鶏西市の空港だ。ここから遠ざかれるような最初の飛行機に乗る。数時間後にはプロペラ機が西に400キロメートルのハルピン市の滑走路に着いているだろう。そうすれば、国家安全部の職員が空港ホールで私たちを捕まえることもできない。

グラファイト鉱山の中心部への旅

もし中国当局が私たちの録画を没収したなら、グラファイト開発によって生じた汚染の証拠を絶対に消しただろう。中国はグラファイトの世界生産の70パーセントを占める。この鉱物の粒子は顕微鏡で見るとフレーク状の形をしている。黒く光るフレークは空から降ってくるのではなく、地球の奥深くから掘り出される。監視カメラだらけの、黒竜江省のこの柳毛《りゅうもう》地区は、中国のグラファイト生産の中心地のひとつである。谷の底から見ると、周りの山々のひだに鉱床があることはほとんどわからない。そこに近づくためには、松の森をくねくね曲がる小道の迷路に入らなければならない。木々の間を抜けた後は、小石に覆われた壁を登って、鉱床のひとつを望む高台に出る。

巨大な鉱床の壁に囲まれ、粉塵の煙に包まれた採掘機械は、文字通り山々を取り崩している。そして、白っぽい岩が谷底の荒廃した工場に運ばれる。それらを粉砕して小石にしてから酸に浸し、高温の炉で乾燥させる。[5] 最終製品は傷んだバターの臭いがする灰色の粉状で、25キロの袋詰めにされて老朽化した倉庫に保管される。つなぎの作業服に身を包み、汚れた顔をした作業員たちは布切れで鼻と口をおおっただけの人もあり、人と目を合わせず、口数も少なくせかせかと動いている。せいぜい、無煙炭の煤に似た油っぽい粉だらけの手を見せてくれるくらいだ。彼らは不平は言わないが、労働環境は非常に厳しい。グラファイトの粉塵には、長期的には死をもたらす非常に毒性の強い腐食性のフッ化水素酸が含まれていることを知っているのだろうか？

柳毛地区から車で1時間で、私たちは麻山区に着いた。中国のもうひとつのグラファイト主要産地だ。白っぽく冷たい光に洗われた農地の間に狭い道路が走る。車が停まった。車道の下方に可動式荷台のあるトラックの列が見える。1時間後にシエンが警告を発することになる、その不法投棄場だ。廃棄物の山のすぐ隣の家に住む農夫ウェイさん[6]は畑の真ん中で、「グラファイトなしに救いはない！　この地方全部がその資源で生活しているんだ。次々に穴があけられる！」と、スコップの柄にひじをついて言った。そして、「企業はとてもいい電池を作るんだろ？」と付け加えた。私たちはうなずいた。世界中の何十億個という携帯電話が2グラムにも満たないグラファイトを含み、よい伝導性を保証する。しかし、この産業の人間や環境への影響は非常に大きい。その原因は鉱山や周りの工場の残留物だ。「粉塵は何十キロ四方の大気に広がる。麻山区にはもう緑の葉の繁りも澄んだ水もない。全部、汚染されているんだ。残念なことに、企業はそれを防ぐためにほとんど何もしないんだ」と、ウェイさんは言う。

原則的には、中国では産業活動は厳しい環境基準で規制されている。しかし、グラファイトは黒竜江省の戦略的資源であるために適用されていない。グラファイトの黒い薄片は黒竜江省に毎年12億ユーロをもたらす。省当局はそれを２０３０年までに10倍にしたいと考えている。電子機器向けの世界的需要が高いからだ[7]。このスピードだけを重視した発展は、中国を「グリーンとブルー」に——つまりよりエコロジカルに——するという習近平国家主席の再三の約束とどう折り合いをつけるのだろうか？　まずは外見をつくろうことでだろうか……。いくつかの工場は公式訪問の前に基準に合致させ、要人が北京に帰ると、商売の現実が復活する。つまり、中央政府は地方のビジネスの素行にほとんど影響を及ぼさないのだ。「この国のことわざで言うと、〝山は高く、皇帝は遠い〟」と、ウェイさんは教えてくれた。「企業主は大きな利益を上げる。お金のことしか考えず、われわれが被る汚染なんかは心配もしない。やつらは大きくて、私たちは小さい。とても相手にはならないんだ！　しがない人民は涙を流すしかない」と、締めくくった。

私たちが黒竜江省で訪ねたのは、豊かな大都市とは離れた、見えない無言の中国だった。この機会に、デジタル産業による汚染の主な原因を垣間見ることができた。今日、世界を流通する340億台もの携帯電話、タブレット端末、その他のパソコンを製造するために必要な資源だ。「インターフェース」とか「端末」とも呼ばれるこうした機器は、利用者46億人の世界の情報通信網、そしてそれが提供する無数のサービスへの入口なのだ。アンチョビのピザを頼むにしても、飛行機のチケットを予約したり、テレビの連続ドラマを見たり、出会い系サイトで恋人を見つけたりするにしても、インターネットとITはわれわれ一人一人を現代の領主にした。あるいは、数世紀前の何十人という農奴やその他の奴隷の労働力を作り出すヴァーチャルなアシスタントの大群を人差し指だけで使う支配者にしたのだ。

それはまだ始まりにすぎない。2025年には、（ほとんど）われわれ一人一人は、1日に5000件のデジタル相互作用を生じさせるだろう。[8]　そのIT使用の激増に応えるために、IT

機器のメーカーはより使いやすく、効率がよく、多目的で洗練されたインターフェースをより多く商品化することに挑戦しなければならない。たとえば、今やベーシックなスマートフォンでもカメラ、マイクが3つ、赤外線モーションセンサー、近接センサー、磁気センサー[9]、さらにGPS、Wi-Fi、4GとBluetoothのアンテナが内蔵されている。このすばらしい物を製造するのにかかる原材料のコストはいくらなのか？　それを知るためにはガレージセールを見て回るといい。回転ダイヤル式の1960年代の電話に出くわすだろう。当時、その製造にはアルミニウムや亜鉛など10種類ほどの原材料が使われた。1990年代の大ぶりの電話機も掘り出せるだろうが、こちらはより進化していて、銅、コバルト、鉛などの19種の原材料が追加で含まれる。

それを現在のスマートフォンと比べてみよう。かなり小さくなったサイズにまどわされてはいけない。金、リチウム、マグネシウム、シリシウム、臭素といったより多くの原材料——全部で50種以上（完全なリストは図表2を参照）——が含まれているからだ！　こうした原材料はバッテリー、ボディ、ディスプレイ、そして様々な電子部品を作るために使われ、すべての部品は操作しやすく快適なように設計されている。ネオジムを例にとってみよう。このあまり知られていない金属は、携帯電話がマナーモードに設定されているとき振動させるものだ。ディスプレイにはインジウムが含まれており、それは画面をタッチパネルにするための酸化物（粉末）だ。要するに、われわれはそうした資源をほとんどは1グラム以下、毎日持ち歩いているわけだが、その存在も働きも知らないわりに、それらは生活を大きく変えるのに十分なものだ。

インターネットのほうは、あらゆる電気通信網（ケーブル、ルーター、Ｗｉ－Ｆｉスポット）やデータを保存するセンター――話題の「データセンター」――を必要とする。それらはネットに接続されたモノが互いに通信することを可能にするもので、地球の資源を消費する割合が増えている巨大なインフラである。銅の世界生産量の12・5パーセント、アルミニウムの7パーセント[10]（これらの金属は豊富だ）がＩＣＴに使われている。これらの金属は特殊な化学特質を持つレアメタルのおかげで機能するが、そうした金属は薄型テレビ、コンデンサ、ハードディスク、集積回路、光ファイバー、半導体などにも使われている。ＩＣＴはこれらの金属の世界生産のかなりの部分を飲み込む。パラジウムの15パーセント、銀の23パーセント、タンタルの40パーセント、アンチモンの41パーセント、ベリリウムの42パーセント、ルテニウムの66パーセント、ガリウムの70パーセント、ゲルマニウムの87パーセント、テルビウムの88パーセントといった具合だ（図表3のリストを参照）。

これらの金属を手のひらに収まるスマートフォンに集めることは、当然ながらエネルギーを食う非常に複雑な工学だ。スマートフォンの製造は、そのライフサイクルにおける環境負荷の半分近くを占め[11]、スマホの総エネルギー消費量の80パーセントを占める[12]。つまり、世界の何十という国々の地中深くを探索せずにＩＴ革命を語ることはできないのだ。チリ、ボリビア、コンゴ民主共和国、カザフスタン、ロシア、オーストラリアといった、ますます〝接続された〟世界の資源を生産する国々だ。「デジタル化というものは、非常に具象的なものだ！」と、あるエンジニアは、その事実を口に出すのがすまなそうに言った。[13] われわれがそう感じるのは、ヴァーチャル界が現実の世界で膨大な影響を生じるのにもかかわらず、経済の「非物質化」を語るのはそぐわないと思うからだ。

より少なく生産して、より多く稼ぐ

ところが、デジタルの教祖の言葉を鵜呑《うの》みにする何十億人という人々にとっては、われわれの経済や生活様式の「非物質化」は資源なくしては不可能だと断言することは、まったくの邪説とみなされるだろう。「ヴァーチャル」であるはずのデジタル・テクノロジーの出現は、反対に、資源の消費を少なくする、あるいは単にある程度の資源利用なしですませられることを可能にするのではなかっただろうか？　このメッセージは、交易のグローバル化によって生じる資源の需要過多を知る人にとっては非常に魅惑的である。2008年にニューヨーク・タイムズに掲載された論説で、進化生物学者のジャレド・ダイヤモンド氏[14]はこう述べた。「もしインドと中国が西洋の生活様式に追いつくことになれば、自然資源の世界消費は3倍になるだろう[15]」。それはとても受け入れられないことだと同氏は考えた。2019年、経済協力開発機構（OECD）は、2060年の世界的資源消費についての興味深い研究で、ダイヤモンド氏の予言を追認した。その研究によると、2060年の世界の資源消費は2011年の2・5倍になる可能性があるとし、年間79ギガトンから167ギガトンになると予測している。[16]
そういうシナリオを変えるために、「循環経済」「プロセス効率」「資源生産性の向上」といった魅力的な表現が次々と現れた。[17] その意図は資源の消費と富の生産を切り離すことだ。「より少なく生産して、より多く稼ぐ」などと、人々はカフェで語り合った。このいき方は「エコモダニズム」信奉者にも称賛された。2015年に国際的な研究者グループが「技術楽観主義」のマニフェストを公表し、農業におけるテクノロジーの進展によって、「一人当たりの農地面積の平均使用は、5000年前よりずっと少なく」、1960年に比べて半分になると主張した。[18]
インターネットがルールを変えた。つまり、ネットはもはや単に製造工程を向上させ、原材料の流れを減少させるのを可能にするだけではなく、資源の過剰消費問題の解消を提案する。企業や役所などで、税金、給与明細書、書簡や請求書などの「非物質的管理」――つまり、物理的な情報の媒体をデジタル化する――、あるいは会議の代わりに「ヴァーチャルな人間同士の交流」を何かにつけて人が言うようになって以来、資源の枯渇リスクから解放された世界というユートピアは現実になった。北ヨーロッパのバルト海に面した小さな国で、この大きな現象がどういうものかを探ってみた。

すべてをデジタル化することに賭けた国、エストニア

古い要塞の街、エストニアの首都タリンを見渡すとき、ギーク[19]［コンピュータやインターネットにマ

ニアックな技術や知識を有する人」の王国にやってきたと思わせるものは何もない。赤い瓦屋根のゴシック様式の建物や石畳の小さな通りは、3Dソフトを使ってモデリングされたようには見えない……。同様に、街を取り囲む中世風の防衛塔の足元を果敢に探検していると、サイバー攻撃よりも矢に射られる可能性が高いように思える。だが、私たちが2020年夏にルポルタージュをした、人口130万人のこの小さな共和国は、世界でもっともデジタル化を果たした「非物質化」した国という栄誉を得ている。

ここでは行政サービスの99パーセントはオンラインだ。結婚、離婚や銀行で大きな取引をする以外はすべて遠隔で行える。「デジタル市民」は、電子身分証明書で税金を払ったり、スタートアップを設立したり、市立図書館に登録したり、公共交通機関を利用したり、投票すらもできる。「X-Road」と名づけられたインターネットのプラットフォームが国のサービス管理の集約システムとして機能する。住民にとっては——誕生からの死亡までの！——簡略化を意味する。なぜなら、e-行政（電子行政）は、亡くなった人の最後の請求書の支払いを自動化するサービス「e-死亡」すら発展させようとしているからだ。「e-エストニア」の評判は高いために、同国のエンジニアたちは、デジタル化を進める多くの国々に助言しているほどだ。

何十年ものソ連体制を経た民主主義への渇望から、透明性が高く世界的に評判の高い電子国家という選択が説明できるかもしれない。しかも、エストニアは多数のエンジニアを育成しており（1957年の人工衛星スプートニクの電子システムはタリンで設計された）、デジタル・テクノロジーが文化的に受け入れられやすいのかもしれない。あるいは、すべてをデジタル化することへの傾倒は、エストニア人の以前の農民世代が被ってきた土地への隷属を断ち切りたいという意思によって説明できるのだろうか？「e–行政を含むわれわれの哲学は常に、利用が簡単なシステムやインフラをつくるということにあります。というのは、エストニアの農民にとって人生は決して容易ではなかったのですから！」と、エストニアの高級官僚は説明してくれた。[20] エストニアの国旗の黒い帯が土地であると同時に、国の辛い過去を表すものだから、その説明は説得力がある……。

こうして、エストニアは「地球上で最もデジタル化された社会[21]」と自負する。公共サービス「e-Residency」［エストニアの国民でも居住者でもないが、デジタルＩＤと電子サービスへのアクセスが付与される資格］の局長は、将来的には「可能なものすべてを自動化する方向にもっていく[22]」とし、データに導かれた国家や、さらには市民の要望を先回りして政策の方向づけを先取りすることをも標榜する。[23] こうしたデジタル化への方向転換による利益は議論の余地がない。エストニアの国民一人あたりの国内総生産（ＧＤＰ）は２つの隣国より高い。また行政は効率が高いので、オペレーションコストが他よりも低い。しかも、環境保護面の利点もある！ 電子政府は毎月、エッフェル塔数個に匹敵する高さの書類の山や、何キロメートルという輸送、エネルギーを節約する。こうして「わが国は年間でＧＤＰの２パーセント相当を節約している」と、エストニアのトーマス・ヘンドリク・イルヴェス元大統領は自慢した。[24]

エストニアではすべては簡略化のもとに行われている。デジタル化したライフスタイルはスムーズで穏やかなようだ。デジタル化が機能している状態を維持するための物質的インフラ、エネルギーのインフラやその他のソフトウェアは、目にも触れないし、話題に上ることもない。このことに関する私たちの質問には、まるで場違いなテーマであるかのように、あいまいな答えしか返ってこない。目指す目標のために、到達するための手段はかすんでしまうのか……。絵画を作っているマティエール（材料）や、画家の仕事を可能にする画材商のことを知らずに、大きさの均衡や光の使い方、シュルレアリズムや具象が評価される大家の絵に少し似ているかもしれない。[25]デジタル化の場合と同様に、私たちは結局のところ、初歩的だが重要な問いを退けている。「どうやって?」という問いだ。それは、おそらく「なぜ」という問いよりもはるかに貴重な問いだろう。なぜなら、考え方やコンセプトに酔う前に、平凡ながらもマティエールを生産しなければならないからだ。それと同じ問いが、タブレット端末やスマートフォンの消費者に絶えず投げかけられる――彼らは知りたくなくても……。

◉　まずは、理論家から見てみよう。インターネットの先駆者たちは、絶対自由主義の理想から、ネットを完全な表現の自由の空間とみなした。絶対自由主義者はそこで、国家の消失を主張するリバタリアン（自由至上主義）――ジョン・ペリー・バーロウなど――と接した。国家によるインターネット支配に反対するバーロウは、１９９６年に有名なサイバースペース独立宣言を唱えた。「所有、表現、アイデンティティー、運動、背景の法的概念はわれわれには適用されない。その法的概念は物質に基づいているが、ここには物質はない」と書いた。バーロウによると、政治的解放が開花するのは、物質的な世界の束縛から解放された電子世界なのだ。そして、「われわれのアイデンティティーには肉体がない。（中略）だから、われわれの世界では物理的束縛を伴う秩序は存在し得ない」と主張した。[26]

この物質からの解放というユートピアはビジネス界でも共感が得られた。知識経済[27]（あるいは「非物質型経済」）は資源でなく、知識、創造性、想像力に依拠している。つまり、それは無限に持続する成長の同義語にもなりうる。[28]こうした表現は歴史の方向性とも一致する。１９８０年代初めのアメリカの最も豊かな企業１００社は、「何かを取り出すために土地を掘る、あるいは自然資源（原油あるいは鉄鉱石）を何か触知できるものに変化させる」企業だったと、アメリカのマネジメントの大御所、セス・ゴーディン氏は言う。[29]今日、「（そのうちの）わずか32社のみが、手を触れることのできるもの（飛行機、車、食品など）を製造している。残りの68社は主に「アイデア」や健康サービス、あるいは「発明コストに比べて生産コストがきわめて低い」商品を作っていると、アメリカの物理学者で後にジャーナリストになったクリス・アンダーソン氏は主張する。[30]

この認知資本主義［知識経済］の必然的帰結ともいえる、新たな経済モデルは、「サービス経済化」として現れたため、モノの販売はサービス販売や体験へのアクセスの陰に隠れてかすむようになる。それはSpotifyやDeezerといったストリーミング・プラットフォームの特徴でもある。こうした会社はCDを売るのでなく、音楽を売る。この論理を一般化すると、無数の商売は消費者に電球よりも光を、車よりもモビリティを、複写機よりもプリントサービスを提案する。このようにして、モノとそれに内在する価値とはますます切り離されるようになった。それはプラトンを想起させる二元論でもある。プラトンは『パイドン』のなかで、肉体――物質からできているので卑しい――は真理の追求の障害になるとした。そのため、プラトンは魂――崇高である――を好んだ。21世紀に話を戻すと、モノの物質的価値よりも知的な価値を重視することにより、特許、ブランド、アルゴリズム、デザイン、あるいは触知できる媒体の組織方法を分離することにより、エンジニアや仲買人は日々、エクセル表やパワーポイントのプレゼンテーションを使って、プラトンの教えを市場経済に置きかえているのだ。

◉ 次に、広告業者だ。デジタルにヴァーチャルという属性を与えることによって、マーケティングの語彙を根づかせた。人は自分たちの用いる言葉の真価を見定めることすらせずに、航空券を「非物質化」し、楽しみのために「ホログラム」「ヴァーチャル・リアリティ」、「拡張現実」のヘッドギアを被る。しかし、一番あいまいな言葉は「クラウド」だろう。文書などを保管する、ヴァーチャルなスペースだ[31]。「クラウドは軽やかな、綿のようなものだ」

と、環境に配慮したＩＴの専門家は言う。[32] 正確な言葉をどうやって見つけたらいいだろう？「アップルのような企業の株式市場での時価総額を見るだけで、マーケティング力の大きさがわかるできるでしょう」と、フレデリック・ボルダージュ氏は論じる。[33]

◉ 最後に、デジタルの物質性を消すために創造性を発揮する、電子製品のデザイナーたちだ。消費者がデジタル界と最初に――しばしば唯一――接触するのはスマートフォンだろう。ピュアなイメージを広める美しいオブジェだ。どうして美しいものが汚いものでありうるだろうか？　こうした商品の完璧な美しさは、本能的に汚染の概念とは相容れない。

アップル社の販売した製品の洗練されたデザインは、このあいまいさに大いに貢献した。アップル社の共同創業者であるスティーヴ・ジョブズにとって、洗練性の追求は、シンプルさと飾り気のなさに導く哲学、仏教の禅にインスピレーションを得ている。[34] この追求の美的帰結は、ピュアな形と装飾を最小限にした寺院だ。「スティーヴ・ジョブズは仏教の信者ではなかったが、アップルのデザインを考えるにあたっても、禅のシンプルさに大いにインスパイアされた」と、瞑想を実践する投資専門家のエリック・リネール氏は言う。[35] 同氏自身も禅宗が「審美的にすばらしい」と思っているそうだ。[36] １９７７年のアップル社の最初の広告パンフレットには「究極の洗練はシンプルさだ」と宣言されていなかっただろうか？　スティーヴ・ジョブズの影響で、「複雑になる一方のテクノロジーの世界で、シンプル化することが流行になった。ところが、このデジタル界では、すべてが良く、すべてが完璧で、すべてが固定されている。いやな感覚はない。だが、それが危険なのだ。実生活はそうではないのだから」と、リネール氏は付け加えた[37]。つまり、スティーヴ・ジョブズの洗練化と美的調和の追求は、何十億人という消費者に、デジタル化が地球に無害であるという幻想を与えるのに貢献したのだ[38]。

しかし、5000年の間に次々と現れた「非物質化」の試みは、違う歴史を物語っている。普通は文字を非物質化とはとらえないだろうが、メソポタミア人は彼ら自身の非物質化の道具を初めて発明したのだ。「文書というものは、求めに応じてアクセスでき、いつでも閲覧できるという性質がある。文書のおかげで、一人の人間の命令が物理的にそこにいなくても正確に伝えられるようになった」と、テクノロジーのある専門家は分析する[39]。しかも、古代の社会はより複雑になり、商品になる産物の価値を指す指標の代わりを貨幣が務めた。「こうして、財や物、食料品はそのものとしては存在しなくなり、お金の価値との関係においてのみ存在するようになった。そのため、交渉の対象であるモノの物理的存在なしでも〝商談〟が行われるようになった[40]」。やがて、為替手形になり、「今では、商業を促進するために、お金そのものすら非物質化されるようになった。為替手形は15世紀には貿易の基本ツールになり、経済界における非物質化の最初の段階を代表するものだった……」と、その専門家は続ける[41]。最終的に、現代のテクノロジーのもとでは、「人間は、自分の代わりに思考することを機械に委託しようとしている。いわば、自分の思考を非物質化しているのだ[42]」(それが計算機だ)。自分の言葉(電話)、自分の姿(ヴィジュアルサポート)も非物質化している。

つまり、非物質化はITが出現するずっと前にルーツを持つ。動物を金属に、金属を紙に、そして紙をデジタル媒体に置き換えることによって進んできた。こうした変化のたびに、資源を使わなくなったわけではないが、より有利な性質を持つ別のものを付け加えてきた。現在の電子機器を作るのに必要な膨大な物質を考慮すると、今進んでいるデジタル化はそのメカニズムを踏襲しているにすぎない。現実には、環境に配慮したIT専門家が言うように、「非物質化とは、ちがうやり方で物質化すること[43]」なのだ。

電子狩りの時代

インターフェースの構築に加えて、デジタル化による物質の損害をさらに大きくするのは、インターフェースの行く末だ。2019年に中国がとったセンセーショナルな決定はその一例である。アメリカとの貿易戦争の最中、自国の情報のセキュリティにとりつかれた中国は、自国のあらゆる行政機関と企業は3年以内に、Dell、HP、あるいはマイクロソフトなど米国メーカーのコンピュータやソフトウェアを中国製品にするべしと宣言した[44]。この件は、二大超大国の間で進んでいる「デジタル分離」をはっきりと表している。中国は外国のテクノロジーにもはや頼らず、ＩＴの自給自足を確立するという目標を追求していた。十分に作動するのに、中国高官が宣言したために使えなくなった２０００万～３０００万台の電子製品はどうなるのか？　その初歩的な疑問はだれも発しなかったようだ。再調整されるのか、あるいは慎重に扱うべき情報の詰まったサーバーは破砕機にかけられるのだろうか？　中国南部の広東省の貴嶼鎮《きしょちん》のような違法ゴミ捨て場行きになるのだろうか？

それを知るのは非常に難しいが、ひとつだけ確かなことは、中国の決定はＩＴ機器のひとつのジェネレーションを唐突で過激なやり方で丸ごと排除するのに等しいことだ。歴史上、支配者の正当な思想に合わない政敵狩りの話は無数にあるが、今では電子狩りの時代になったわけだ。出身国が望ましくないと判断された何百万台というコンピュータが突然作動をやめるのだから。この現象は中国に限ったことではない。スパイ活動を恐れたアメリカは２０２０年の終わり、自国に設置された中国企業製のすべての通信機器や監視カメラを「捨てるか取り替える」ために20億ドルを拠出した。[45]同じ理由で、ヨーロッパのいくつかの国はファーウェイ・グループの製造した何千もの５Ｇアンテナを国土から一掃すると発表した。[46]

こうした「電子狩り」は、「計画的陳腐化」つまり製品の時代遅れ感を加速させる戦略としてよく知られた現象の最も突出した形である。計画的陳腐化は「物質的」でもありうる。たとえば、スマートフォンの構成物――よくあるのはバッテリー――が作動しなくなり、それがスマホの他の部分に密着しているために交換できないといったことだ。そうなるとスマホ全体が廃棄物になる。また、「文化的」陳腐化もありうる。新たなテクノロジーにより以前のテクノロジーがあまり好ましくなくなり、最終的には不要になるケースだ。こうして、2025年には企業の80パーセントが、「クラウド」サービスを提供する外部業者によるデータ保管のほうを好むようになって、自前のデータセンターを閉鎖することになるだろう。この移行は当然ながら、世界中の何百万台というサーバーを一掃することにつながるだろう。[47] 計画的陳腐化は「ソフトウェア」についてもありうる。より新しいプログラムと互換性がなくなるために、電子機器が作動しなくなる場合だ。たとえば、2020年にソノス（Sonos）は2011〜2015年に販売されたスマートスピーカーは、ソフトウェアが更新されないために正しく作動しなくなると発表した。[48]「ちゃんと作動するスピーカーをゴミに代えてしまう。ひんしゅくものだ！」と、計画的陳腐化に反対するフランスの市民団体HOPのある活動家は怒りの声を上げた。[49]

こうした問題の主な責任はソフトウェア制作会社にある。実際、インターフェースにインストールされるアプリケーションやプログラムは重くなる一方である。エネルギーを食う過剰な機能を持つ複雑なソフトウェア、「ブロートウェア（肥大化したソフトウェア）」と呼ばれるものもある。こうした変化はGreenITというNGOによって暴露された。「ウェブページの重さは1995年から2015年の間に115倍になった[50]」と。テキストを入力するために必要なCPUパワーは2〜3年ごとに倍になる。[51] ますます複雑になるLOC［プログラミング言語で書かれたソースコードの行数］はますます長くならざるをえないから、コンピュータは大変だ……したがって、よりパフォーマンスの高い製品に買い替えるように消費者を仕向ける。

このことから、パソコンの寿命はここ30年間で、11年からたったの4年になった理由が説明できる。当然、ホモ・サピエンスはホモ・デトリタス［デトリタスは生物の死骸、排泄物などの意味］になる——毎年、5000のエッフェル塔に相当する電子廃棄物を生産する。[53] 人新生［地質時代のひとつとしてドイツの大気科学者クルッツェンが提唱した時代。人類が農業・産業革命により地球に環境変化をもたらした時代とされる］という言葉は、気候温暖化や海洋の酸性化だけを指すのではない。2017年、驚くべき事実が学者たちによって発見された。つまり、人間は、その活動により208種の新たな鉱物を生むという地質学上の力を持っているということだ。それらの新たな鉱物は、鉱山の残留物や、集積回路やバッテリーといった埋められた電子廃棄物の悪化から生まれたものが多い。[54] われわれの消費習慣——特にデジタル機器の消費——は地殻の構成物すら変えてしまうのだ。30世紀の地質学者たちは、ニアライト［ヒ素、塩素、鉄、鉛などを含む三斜晶系鉱物］、デビリン［デビル石］、ハイドロマグネサイト［水苦土石］といったエキゾチックな鉱物を考古学の発掘現場から掘り出すとき、われわれが今日、古代ローマやエジプトの遺跡を発掘するときにするように、われわれの生活様式を再現することができるのだろう。

それだけではない。われわれは廃棄物の性質の歴史的変化を目にしているのだ。「あらゆるもののインターネット」——第7章で詳しく述べる——を満喫する社会では、あらゆる物、あらゆる肉体が「接続され」、「インテリジェント」になる。住居から野生動物まで、松林から自動車まですべてだ。ということは、寿命の尽きた何千億というモノや生き物——センサーを付けた——が電子廃棄物に変わる。マイクロチップを埋め込まれたダルメシアンがパテの消化不良で死んでも、それは電子廃棄物になる。「接続された」ナラの木が鋸《のこぎり》で切られたもの、マイクロチップを埋め込まれた牛の処理場から出たものも、同様に電子廃棄物になるだろう。乱暴な言い方を許してもらえば、脳にインプラントを入れたり、人工臓器を持った死者たちは電子廃棄物となり、そのために、認可を受けた回収機関や競争力のあるリサイクル部門や、効率のよい循環経済が必要になるだろう。動物性、植物性、鉱物性の物質が混ざったハイブリッドな廃棄物の集積については、回収、修理、再利用、リサイクルという4つの基本的なルールが適用されるだろう。未来の世代の創造性の大部分は、もはや革命的な製品を生み出すことではなく、すでに存在するものすべてを永続させることになるだろう。

だが、われわれの子どもたちはモノを修理したり、つくろったりする権利のみを持つようになるのだろうか？　その問いは馬鹿らしく思えるだろうが、残念ながら正当なものなのだ。何年か前から、電気製品の持ち主が修理する基本的な自由を断固として拒否するメーカーが増えている。というのも、たとえばスマートフォンを売ることで、そのメーカーは2つの区別される権利を譲渡しているからだ。そのひとつはスマートフォンの実質的な所有権、もうひとつは機能を可能にするOS（アンドロイドなど）を利用するライセンスだ。消費者は購入した製品の所有者ではあるが、ソフトウェアの利用ライセンスの所有者にすぎず、OSをいじくる権利はない。ジョン・ディア氏の創立したアメリカ企業は、顧客が買ったトラクターを修理することを禁じることもできる。同氏が完全な所有権を持ち続けるソフトウェアを悪化させるかもしれないからだ![55] 2020年にアップルは、iPhone12のカメラユニットの取り換えを認可された修理業者だけに認めることで、同じような戦略を打ち出した。[56] どんな製品でも、そこに搭載されたソフトウェアがあるために、「売り手はだれが、いつ、いくらで修理するかをコントロールすることができ、しばしば修理できないために、新しいものを買わざるをえない」と、電子製品の修理支援サービスを提供するカリフォルニアの会社アイフィクスイットの創業者カイル・ウィーンズ氏は憤慨する。[57]

買い手に対抗する論理はモンサントが長年主張してきたものと似ている。アメリカの化学企業モンサントは、ラウンドアップ(強力な除草剤)に耐性のある種を植えるライセンスをアメリカ先住民の農民に許可したが、種は売らない。種の所有者ではないために、農民たちは毎年、自分たちで種を作る代わりに、モンサントから新たな種を買わなければならない。[58] もし、どんなものであれ、その所有権があらゆる種類の特許によって自動的に制限され、実質的に自分の電子製品を好きなように使用できないなら、われわれはみんな彼らのようになるだろう。

別の形のIT は可能だ

このように、スマートフォンのボディやコネクテッドカー、パソコンのキーボードの中に隠された中身は、今後数十年間にわたり大きな対立の種になるだろう。企業のほうは、自分たちの製品への消費者の依存を強めるために、あらゆる戦術を使うだろう。他方では、よりよく組織された消費者のネットワークが、自分たちを取り囲む製品のコントロールを取り戻して支配しようとするだろう。この後者の動きはすでに「Ｍａｋｅｒ」という現象を中心に組織され始めている。ドイツとアメリカで25年前に生まれたこの運動は、世界中の何千という「ファブラボ」[59]として広がっている。そのスローガンは、「モノがどう動くかを知りたいなら、自分でそれを作ってみよう！」というものだ。このコミュニティ空間に加えて、ボランティアの助けを借りて自分で小型の電子機器を修理する「修理《リペア》カフェ」が今では何千軒とある。これは２００９年にマーティン・ポストマ氏——私たちは２０２０年に彼女に会った——の発案からアムステルダムで生まれた世界的現象だ。元ジャーナリストの同氏は、リペア・カフェのおかげで世界で毎年３５０トン節減される電子廃棄物が、「修理できる製品は望まれる製品だ、と消費者が認識するターニングポイント」へ導くと自負する。「コーヒーメーカーや携帯電話の奴隷でいることはやめたいと考える人はどんどん増えている」と言う。[60]

端末の物質的負荷を制限するための解決策はますます数多く知られるようになり、オンラインで公表された多数のマニュアルを閲覧できる。[61] SwappaやBack Marketといった中古品売買のプラットフォームで電子機器を売買したり、家電製品の部品を売りつつ修理指導を提案するSparekaのサイトに行ったり、スマートフォンを買う代わりに協同組合Commownで長期間レンタルしたり、プライベートと仕事用の両方を携帯電話1台でまかなったりすることだ。こうした具体的な動きが示すのは、消費者もハイテク企業とともに、デジタル汚染の共同責任者であり、汚染を減らすために行動することができるということだ。政府も、修理と製品の再使用の経済を促進できるだろう。たとえば、法的保証期間を延長したり、10年間は新たなソフトウェアのインターフェースとの互換性を命じたり、企業に自社販売製品の部品供給を強制したり[62]……。特筆すべき進歩としては、フランスは２０２１年に電子製品や家電の「修理しやすさ指数」の表示を義務づけた。その指数は、商品の耐久性を消費者によりよく知らせることを可能にする点数だ[63]。

一方で、電子廃棄物の収集は非常に大きなチャレンジになりそうだ。現在、その20パーセントしか回収・リサイクルされていないからだ[64]。私たちは２０２０年にアムステルダムで取材した際、ヨースト・グ・クライヴル氏に出会った。２０１２年から市民団体「クロージング・ザ・ループ[65]」のトップにいるこの40代の男性は、とてつもないプロジェクトを進めている。「われわれがアフリカの電子廃棄場に送り込んだ古い電話と同じ数の電話をヨーロッパに逆輸入して」リサイクルするというものだ。まさに、われわれの使用済みの携帯電話の流れを反転し、電子製品の移動を逆方向に向けることだ。可能性は甚大であり、彼は毎年、２００万台の携帯電話をアフリカからヨーロッパに送ることができるようになるだろうと考える。もちろん、すでに確立されているインドや中国のリサイクル網と隣り合わせで活動し、アフリカの劣悪な行政手続きに立ち向かい、「携帯の中身から金属を抜いてセメントや石鹸にすり替える」といった仲介人の詐欺に遭わないように、ルワンダやザンビアやナイジェリアで古い携帯電話を回収し、継続できる経済モデルを確立しなければならないのだが……。グ・クライヴル氏は、代償制度を確立することでビジネスモデルを見つけたと考える。「たとえばサムスンなどの会社がスマートフォンを売る場合、アフリカから電話を返送させるコストを払うことを約束する」。彼の提案はすでに企業（KPMG、INGバンク、アクセンチュア）や、オランダの行政機関（アムステルダムやユトレヒト、フローニンゲンの各市）に広まっている——何千台という仕事用の電話を職員のために購入する予定だ。この事業は、そうした企業や機関が〝環境に責任のある〟という評価を高めるし、グ・クライヴル氏は電話の回収事業で採算がとれるようにできるわけだ[66]。

さらに、「フェアフォン」の携帯電話を大いに買うべきだろう。これは「倫理的」といわれるスマートフォンのなかで、２０１３年に商品化された最初の商標だ。オランダ国籍のフェアフォンはアムステルダムのエイハーヴェン港湾地区に本社を構えた。私たちは２０２０年の冬に訪問したのだが、そこは何十人ものエンジニアや営業担当者がリラックスした雰囲気のなかで、あらゆる言語を話しながら動きまわる巨大なフロアだった。ここで製造される電話が世界で最もエコロジカルなものだとしたら、それはまず、電話に使われる金属が「倫理的」なやり方で採掘されるよう努めているからだ。また、携帯電話の寿命がなるべく長くなるように作られていることもある。「われわれの電話の使用者には7～8年は使ってもらいたい」と、フェアフォンのあるメンバーは言った[67]。そのためには、部品を別々に分解したり、組み立てたりできる——したがって取り替えできる――「モジュール方式」の電話を作らなければならない。「特にバッテリーと画面がそうです。スピーカー、カメラなども交換できるようにしなければならない……。正直なところ、モジュール方式というのは大変なのです」と、ある技師はため息をついた。

それだけではない。携帯電話の修理センターを新たに開設し、新バージョンのアンドロイドが電話の古いチップと互換性を持てるように奮闘する。[68]「くじけるのは毎日のことですよ」と先の技師は認めるが、「ホームオートメーションの企業で働くことはできません。それだと、まるでモンサントで働くみたいじゃないですか！」と言う。もうひとつの限界は、この会社が売ろうとしているフェアフォン第3世代、数十万台は、世界で毎年販売される携帯電話15億台のうちのほんのわずかにすぎないことだ。それでも、われわれが自分たちの所有物――そして自分たちの未来――の主人に戻るために、毎日尽力する活動家や企業の数は増えている！　こうしたイニシアティブは、ＩＴの物質的影響は想像以上に大きなものだということが、地味ながらも、ある指標によって暴露されようとしているのだから、よけいに欠かせないものなのだ。

第3章

「非物質」の暗黒物質

これまでは端末機器の出所を探求してきたが、実際にはほんのうわべにしか触れていない。インターネットの環境負荷は空間的にも時間的にもさらに広がっている。それを白日の下にさらすには、多くの人は想像さえしない多方面の世界に入ってみる必要がある。

宇宙物理学者はそれをよく知っている。たとえば、肉眼では宇宙のわずかの部分――およそ3000の星――しか見えない。ところが、天の川だけでも少なくとも1000億の星があり、宇宙には1000億の銀河があり、それらすべては全体の20パーセントほどにすぎず、残りはおそらくわれわれのほとんど知らない未知の物質、「暗黒物質」でできているという。わずかに、ガンマ線、紫外線、赤外線、さらには重力波などが観察のスペクトルを少しは広げてくれる。本書でも、ITによって生じる、多くは目に見えない汚染の広がりを理解するために、あまり知られていないツールを使いながら、同じことをやってみよう。

非物質の暗黒物質を探る時がやってきた。

物質の思いがけない仕組み、MIPS

ヴッパータール研究所[1]（ドイツ）の研究者イェンス・トイブラー氏は今でも信じられない思いでいる。同氏は数年前、ノルトライン＝ヴェストファーレン州ヴッパータール市の同研究所で開催された学術会議に参加した。そこで、「結婚指輪と……その指輪の環境負荷に相当する大きなリュックサックを肩にかついだ男性の姿を前に立ち尽くした。その姿が目に焼き付いているのです」[2]。ヴッパータール研究所は、1990年代に研究者が開発した、現代人の消費様式の物質的影響の画期的な計算法で知られる。それは、「サービス単位あたりの物質集約度（MIPS）」[3]と呼ばれ、ひとつの製品あるいはサービスを作り出すのに必要な資源量を意味する。[4]

企業は、環境負荷を測定するのにとりわけ二酸化炭素排出量に興味を持つ。気候温暖化とのたたかいが環境保護の優先課題のトップにくるのだから当然だろう。2019年に提案された欧州連合の「グリーンディール」を例にとると、温室効果ガスの排出を2050年までに実質ゼロにすることを第一に挙げている。一方で、中国は最近、2060年までにカーボン・ニュートラルを実現すると発表した。中国のエコロジー転換の指針となる施策だ。ところが、この方法は、化学物質廃棄による水質への影響といった他の汚染を目立たなくする。消費財の二酸化炭素排出量だけを問題にすることは「非常に限定されたアプローチの仕方だ」と、経営学教授でIOT（モノのインターネット）の専門家であるカリーヌ・サミュエル氏は言う。[5] それに対し、１９９０年代以降、ＭＩＰＳは別のアプローチをもたらした。それは、モノから発生する物質（二酸化炭素の排出）による環境悪化に関心を示す代わりに、モノの生産に関わる物質の影響に注目することだ。モノから出るものではなく、モノに入るものを見る、という完全に逆の観点から生まれた。

具体的には、ＭＩＰＳでは、衣服、オレンジジュースの瓶、絨毯《じゅうたん》、スマートフォンなどの製造、使用、リサイクルの間に利用・移動された資源全体が評価される。持続可能な資源（植物性）、そうでない資源（鉱物）、農業活動によって生じる土地の動き、使われる水や化学製品など、すべてが考慮される。[6] Ｔシャツを例にとると、インドの縫製工場での製造には電気がいるし、電気は石炭によって作られる、石炭を採掘するのに松林を伐採する……ＴシャツのＭＩＰＳは、使用される綿、そして縫製工場を建てるためのレンガ、作業台を照らす（電球の）タングステンのフィラメント、少量の石炭、樹木の一片などを正確な割合で含むのだ。つまり、「まるで車のトランスミッションのレバーを動かすと、座席の下であらゆる歯車が動き出すようなものだ」と、イェンス・トイブラー氏は説明してくれた。

そのイメージを頭に浮かべると、「物質のバタフライ効果」［些細なことが様々な要因を引き起こし次第に大きな現象に変化すること］と言ってもいいだろう。なぜなら、蝶《ちょう》の１回の羽ばたきで地球の反対側に嵐が起きるというたとえと同じように、シンプルな服の製造も世界中に散らばる、製造のすべての段階で影響を与えるからだ。したがって、ＭＩＰＳは地球規模の因果関係の連鎖を明らかにする。この方法は「エコリュックサック」、つまり人間の消費行動のひとつひとつを累計した指数、という数字で表される。完璧な方法とは言えない。「MIPSの計算に使われるデータのほとんどは専門家の意見や推測であり」、不正確であることがよくある、とイェンス・トイブラー氏は注釈をつける。とはいえ、その真摯さには驚愕するしかない。たとえば、1枚のTシャツの製造には226キログラム、オレンジジュース1リットルを作るには100キロの資源が必要だ。[7] 新聞1部のMIPSは10キロである。[8] 数グラムの金を含む指輪のMIPSは、イェンス・トイブラー氏が驚いたのも当然で、3トンにも上るのだ！　身の回りのモノはわれわれが思い描くよりずっとかさばる。平均で30倍だ！[9]

サービスや消費行動のMIPSを測ることもできる。車での1キロメートルの走行や1時間のテレビ視聴はそれぞれ1キロと2キロの資源を使う。電話で1分話せば200グラム「かかる」。1本のSMSは0・632キロの「重さ」だ。[10] さらに、多くのウェブサイトで自分の生活様式のMIPSを理解することもできる。このシミュレーションには15分かかる。[11] 居住国、住居の面積、消費する電気の種類、バカンスの行き先などを入力する。私たちはそれをやってみたが、その結果は愉快なものではなかった。私たちのエコ・リュックサックは年間で約38トンだった。[12] ヴッパータール研究所は私たちに厳しい「ダイエット」を勧めてくれた。2030年までにこの数字を17トンにまで下げることだ。

デジタル・テクノロジーの気の遠くなるような指数

多くの商品では、MIPSはけっこう低い数字だ。たとえば、鋼鉄の棒は最終的な重さの「わずか」10倍の資源しか必要としない。しかし、「テクノロジーが関わってくると、MIPSは大きくなる」と、トイブラー氏は説明する。デジタル・テクノロジーは、とりわけ「地下から採掘するのが難しいレアメタル」など多種類の金属を含むためにそうなるのだと同氏は言う。たとえば、2キロの重さのパソコンは22キロの化学物質、240キロの燃料、1・5トンの水を使用する。[13] テレビ1台のMIPSはその重量の200倍から1000倍になる。[14] スマートフォンは1200倍だ（最終製品150グラムに対して183キロの原料を使う）。[15] しかし、最高記録を誇るのはICチップだ。2グラムの集積回路には32キロの資源が必要で、その割合はなんと1万6000倍にもなる。[16]

「消費財を買うことを決めるときに感じる影響と、実際の影響の隔たりに驚くことは多い」と、トイブラー氏は言う。その理由は、最大の犠牲を払うのは製造チェーンの最も上流の地域にあり、その商品を売る店から遠く離れているからだ。おそらくそのため、善良な都会人は、ひよこ豆粉（ベサン）のパスタの栄養的かつエコロジカルな効用をほめたたえ、ヨガ教室に行くのにシェアサイクルの使用を賛美する——携帯電話を18ヶ月ごとに代えながら……。ほほえましいことではあるが、ITは資源の負荷を——知らないうちに——増大させるから危険なのだ。現在機能している何十億台というサーバーやアンテナ、ルーターその他のWi-Fiスポットの量を、

100倍、1000倍、あるいは1万倍になるMIPSで掛け算してみるといい。「非物質化」のテクノロジーは資源を大量に使うだけでなく、これまでにない最大の物質化に向かっているという結論に達するだろう。

ガラス、テキスタイル、自動車、そしてソフトウェアの各産業は、今ではそのMIPSの評価を実施している。しかし、必ずしも褒められた結果ではないので、そうした報告書は実施した側からいつも公表されるとは限らない。だから、消費者に十分に情報を与える助けにはならない。同様に、「MIPSはドイツではよく知られた指数になっているが、ほかのヨーロッパ諸国やアメリカに普及させるまでには至っていない」と、トイブラー氏は認める。それは、とりわけ、「汚染の測定は、まず二酸化炭素の排出量によってなされる」からだ。[17]「テクノロジーの環境保護面の現実[18]」がまだ十分に知られていないために、われわれは日々、莫大な物質的チャレンジを次世代に残しているのだ。

とはいえ、ヴッパータール研究所が「ファクター4」理論を実用化したおかげで、MIPSには行動を起こすための優れた足がかりがあると見るべきだろう。ファクター4とは、資源やエネルギーの消費を4分の1にすることだ。生産時に物質的な負荷を半分に減らしつつ、2倍のものを生産することができるという理論だ。つまり、資源を半分しか消費せずに、物質的な充足感を2倍にすることである。[19]この目標は到達可能だ……。「ヴッパータール研究所の目指す目標は、2050年までに「年間一人あたりの資源消費を」8トンに減らすことだ」と、トイブラー氏は唱える。そのためには、スマートフォンの背面にＭＩＰＳを記載することをメーカーに義務づけることが必要だろう。そうでなければ、地面の下で起きていることはすべて、われわれに全く関係ないものになってしまうからだ。

エコロジストになるには、「低炭素」だけでは十分でないことが読者はおわかりになるだろう。「低資源」も実現しなければならない。奇妙に思えるかもしれないが、人間を取り巻くテクノロジーが控えめで携帯可能で軽いほど、人間の存在の物質的遺産は大きくなるのだ。しかし、モノが小型化した社会の環境負荷を追求するだけにとどまることはできない！　極小で肉眼では見えないものも探る必要がある……。「アップルのことはよく話題になるが、ＩＣチップのメーカーのことは話題にならない。ところが、それが膨大な環境面、社会面での無駄の中心なのだ」と、フェアフォンのエンジニア、アニエス・クルペ氏は残念そうに言った。[20]

ナノワールドによる環境破壊の損害

「このインターロック扉を通ってから、この帯電防止服[21]を着てください。メモ帳は持って入れませんよ。ほこりが出ますからね」と、エンジニアのフランソワ・マルタン氏に命じられた。私たちは驚いた顔を向けた。「紙は繊維を出すんですよ。ここは粒子ゼロの環境ですから、ほこりは集積回路を死に至らせる敵なんです」と、説明された。２０１９年９月のある朝、私たちは原子力・代替エネルギー庁[22]（ＣＥＡ）付属の電子情報技術研究所（ＬＥＴＩ）に入ろうとしていた。

ヴェルコール山地とシャルトルーズ山地にはさまれたグルノーブル郊外にある、ヨーロッパでも卓越した工場だ。ここではエレクトロニクス産業向けの新世代ＩＣチップ――集積回路とも呼ばれる――を開発している。アメリカのエンジニア、ジャック・キルビーが１９５８年に発明して[23]以来、この極小のシリコン板はわれわれの生活を一変させた。集積回路は非常に多くのモノの作動に必要な情報をストックし管理する。つまり、電子製品の頭脳だ。韓国のサムスン、アメリカのインテルやクワルコム、台湾積体電路製造（ＴＳＭＣ）[24]など少数の企業が年間１兆個を製造している。[25]コンピュータ、洗濯機、宇宙ロケット、もちろん携帯電話などに使われる。

ＬＥＴＩの中に入るのは容易ではなかった。ＬＥＴＩに関する知的財産保護のため、私たちはジャーナリストとしての経歴を厳密に調べられた。もうひとつインターロック扉を通って目的地に着いた！　最初の印象は、国際宇宙ステーションに入ったような感じだ。白衣を身につけ、マスクをしてモブキャップを被った何百人というエンジニアが、最新機器の間にチューブが渦巻いて走るごちゃごちゃした場所で週に7日、1日24時間忙しそうに働く。この奇妙な研究所の最終製品は人工孵卵器のようなものに入れられ、「ウェハー」[26]と記されている。円形のウェハースのようなもので、直径はビニール製のLPレコードほどの大きさだ。それを構成する小さな長方形がひとつのＩＣチップに匹敵する。「白い部屋」というＬＥＴＩの別名は、清浄基準が手術室よりもはるかに厳しいことからうなずける。サッカー場の４分の１ほどの広いフロアでは、乱暴な動作もしないし、走らないし、握手もしない。「化粧は許されているが、香水は禁止です」と、電子産業の僧侶か兵士と呼んでもいいような技師が説明してくれた。

なぜ、これほどの用心が必要なのだろうか？　私たちはナノワールドの製造の世界に足を踏み入れているからだ。実際、携帯電話で写真やビデオを撮ったり、録音したり、現在位置を特定したり、センサーを作動させたりする（ついでに電話もできる）ためには、サイズを大きくせずに、ICチップの能力を増強しなければならない。1センチ角の基盤により多くのトランジスタを集積するために、メーカーはマイクロメートル（1ミリの1000分の1、髪の毛の太さに相当）のサイズを放棄し、その1000分の1のナノメートルのサイズに進んだ。このような環境では、少しでもほこりがあると製品の品質に影響が出ることはうなずける。「ICチップをうまく機能させるためには、軍隊式の体制とあらゆる瞬間の注意が必要なのです。白い部屋は6秒おきに換気されています」と、マルタン氏は説明した。[27]

こうした工学の結果は目をみはるほどだ。「今日のあらゆるスマートフォンのコンピュータ機能は、30年前の最高のコンピュータより100倍も性能がいい」と、台湾TSMC社の元エンジニア、ジャン＝ピエール・コランジュ氏は言う。「それが自撮りに役立つというのは、ちょっと残念ですけどね」と付け加えるのを忘れなかった。[28] 先の議論に戻ると、ICチップは最も複雑な電子部品のひとつである。シリコン（ケイ素）、ホウ素、ヒ素といった60種類の原料が必要で、それらはすべて99・9999999パーセント精製されている。トランジスタのエッチングも容易《たやす》くはない。「ICチップによっては200億個のトランジスタを含むものもある。腕時計のなかに200億個の小さなボールベアリングがあると想像してみなさい。すごいことでしょう?」と、コランジュ氏は教えてくれた。ひとつのウェハー上の50のチップに合計1兆個のトランジスタがあるとすれば、「LPレコードの表面積に、天の川の星の数の4倍のトランジスタがある計算になります[29]」

集積回路の製造工程は500あり、そこには世界何十ヶ国に散らばる1万6000社の下請けが関わっている。つまり、グローバル化をひとつの物に象徴させるとしたら、それは間違いなくICチップだろう。「石英はおそらく南アフリカ産だろうし、シリコン板は日本で製造される。フォトリソグラフィーの装置はオランダから、真空ポンプの最大のメーカーはオーストリアにある。ボールベアリングはドイツで製造されている。コスト減のために、ICチップはヴェトナムでパッケージングされているだろう[30]。そして、中国にある台湾の鴻海《ホンハイ》科技集団(フォックスコン)の工場に輸送されて、iPhoneに組み込まれるのだ。こうした製造工程を合理化するために、TSMCグループは過去に、イタリアとスコットランドの大学で開発されたソフトウェアを使っていた[31]」と、コランジュ氏は説明する。こうした物流は「恐ろしく膨大なエネルギーを消費する」と、カリーヌ・サミュエル氏は強調する[32]。

際限のないエネルギー消費

「ウェハー」になるシリコンの採掘と精製、1400度での融解、極端紫外線を照射する機械から発する光エネルギー[33]、シリコン板洗浄までの10工程は、恐ろしくエネルギーを食うプロセスだ。コストを下げるためだけでも、工程のエネルギー集中度を減少しようとすることは合理的なのではないだろうか？「ICチップのメーカーはエネルギー消費を少なくすれば、それだけ収益が上がる」と、ジャン＝ピエール・コランジュ氏は認める。しかし、半導体メーカーは競争のきわめて激しい世界にある。アップルやファーウェイといったグループとひとつでも契約を交わせられれば、1年間の企業活動を継続できる。携帯電話メーカーは何を望むだろうか？　反応がより速く、優れた機能の電話だろう……。「電子機器の広告を見てみるだけで十分だ。常によりよいパフォーマンスを自慢してばかりいるでしょう？」と、コランジュ氏は指摘する。

クライアントの仕様書に制約を受けるTSMCのような会社は、記録的な時間で技術的快挙を重ねるよう強いられているのだ。5または7ナノメートルのトランジスタをエッチングできることで、長く競争についていくことはできない。すでにTSMCは3か2、あるいは1ナノメートルまで達すると宣言しており、こうした状況下では「会社のエネルギー消費が優先課題になることはあり得ない」と、TSMCの元エンジニア、コランジュ氏は言う[34]。それなら、製造のために使われた燃料の合計が最終製品ICチップの重さの何百倍にも達することは驚くべきことではない。要するに、集積回路のほとんどのメーカーは「環境会計を向上させることには無関心だ」と、アニエス・クルペ氏は結論づける[35]。メーカーの味方をする消費者も、メーカーより環境保護に責任感があるとは言えない。「人々はある商品を作るために必要なエネルギーについて心配するだろうか？　答えはノーだ。人々は2年前に買ったｉＰｈｏｎｅを手放して新しいものを買うことしか考えていないのだから、そんなことは気にかけない。科学とノウハウの詰まった製品がゴミ箱行きになるのを見ると、いやな気持ちになる」と、コランジュ氏は嘆く。[36]

このような産業論理の環境面、保健面での影響は、国民一人当たりの電子部品の製造で世界一の国において特に明白だ。[37]中国大陸から１８０キロメートルの台湾にＴＳＭＣ社はあり、１社で集積回路の世界生産の半分以上をまかなう。だが、近年、ＴＳＭＣは様々な環境汚染の非難にも対処しなければならなかった。というのは、「半導体メーカーは液体、個体、気体の廃棄物」を環境に廃棄するからだ、と台湾のある化学者は言う。[38]数字を確定するのは難しいが、たとえばシリコン１キログラムを製造すると、２８０キログラム以上の化学物資が生じるとする人もいる。[39]すべての廃棄物が処理されているわけではなく、日月光半導体製造（ＡＳＥ）の韓国支社やネルカ・テクノロジーといったＴＳＭＣの下請けは２０１３年以降、周囲の川に有害物質を放出したとして操業を一時停止せざるを得なかった。[40]

その上、「製造のすべての工程で脱イオン水（蒸留水よりも純度の高い水）で集積回路を洗浄しなければならないので、非常に大量の水を消費する」と、コランジュ氏は説明する。そのため、ＴＳＭＣは1日に15万６０００トンの水を消費する。そのうち86パーセントの水はリサイクルされるが、コランジュ氏はＴＳＭＣに関係のある最近の出来事を思い出して次のように言った。「２０１７年に干ばつが台湾を襲ったんです。でも、ＴＳＭＣは大量の水が必要だったので、近くの川から工場まで大型トラックで水を運ばなければならなかった。その大型トラックが走っている間は、新竹サイエンスパーク（台湾北西の新竹市にある新竹科学工業園区。いくつかのハイテク工業団地が１４００ヘクタールに広がる）を車で走るのは不可能でした」[41]。もちろん、ＴＳＭＣのエネルギー消費はさらに膨大だ。「作るものが小さな商品であればあるほど、それを製造するために大量のエネルギーを消費する大きな機械が必要になるからだ」とコランジュ氏は強調する。台湾では、ＴＳＭＣの施設全体で2基か3基の原子炉に相当する電力を必要とし、それは電力消費がピークになる時期には、台湾の電力消費の3パーセントに相当するという。しかも、この数字は10年後には2倍になると予想される[42]。台湾の電力の43パーセントが石炭や石油による発電所であることを考えると、「台湾の電子産業のカーボンフットプリントは国の温室効果ガス排出の10パーセントを占める」と、コランジュ氏は解説する[43]。

石油化学産業とセットになったこの大気汚染に反対して、工業都市の高雄市や台中市の通りで何千人もの人がデモを行っている[44]。台湾の活動家リ・ハンリンさんによると、「肺がん罹患率は台北より15倍も高い[45]」。企業（ＴＳＭＣをはじめとして）の取締役会も最近、再生可能エネルギーを使わなければならないという認識が生まれてきた。しかし、なぜ対処にこれほど時間がかかったのだろうか？「マイクロエレクトロニクス産業は先端を走っているという評判がある。その産業が環境や健康面の影響の原因になりうると理解していなかったのかもしれません」と、リ・ハンリンさんは言う[46]。この戦略的産業部門の大企業がすべての反対勢力をつぶさなければだが……。「ＴＳＭＣは台湾にとってあまりに重要な企業になったので、政府は同社のどんな要求にも応えるでしょう」と、リさんは認めた。実際には、台湾企業に見直しを要求しているのは外国のクライアントなのだ。ＴＳＭＣと同じく、ほかの台湾企業も「電気供給を〝グリーン化〟するよう仕入れ先に要求するアップルのようなグループからの強い圧力がかかっている」と、リさんは説明してくれた。しかし、喜ぶのはまだ早い。台湾の半導体メーカーのエネルギー消費は非常に大きいために、石炭発電なしでやっていく用意はできていない。一般の無関心に乗じて、彼らは知覚できない別の汚染――フッ素化ガスの排出――を振りまき続けるだろう。

ＩＴのガスのなかで

２０１９年春。北京から西に３００キロ、人口３４０万人の大同市のホテルの17階から、映画『ブレードランナー』もどきの光景に注目が集まった。呪われた城のような高層ビルが薄暗い空に向かって伸びる。この大都市は、昼と夜の見分けがほとんどつかないような靄《もや》に３日間包まれていた。中国の大都市では、名指しされた仇敵《きゅうてき》は二酸化炭素である。石炭発電所からの煙が風で市街地に運ばれるときは外出しないほうがいい。ところが、二酸化炭素は人類を脅かす唯一のガスではない。デジタル産業やマイクロエレクトロニクス産業に使われる、無色無臭で発火しないほかのガスも気候温暖化に加担する。[47] とりわけ、あまり知られていない約50種のフッ素化ガス［Ｆガス／フロン類］はそうだ。

HFC、SF_6、PFC、NF_3、CF_4[48]といった記号はひとつあるいは複数のフッ素元素からなるガスのことで、冷気を製造するシステムに使用される。それらのフロン類は主に自動車や建物の冷房に使われるが、データ処理センターを冷やすのにも使用される。[49]「マイクロエレクトロニクスには、ガスがつきものだ！」と、先のカリーヌ・サミュエル氏は言う。フロンはその化学的性質から、[50]半導体、集積回路、さらに薄型テレビの製造にまで使われている。フロン類の生産量は非常に少なく、温室効果ガスの総排出量のわずか２パーセントである。そのうちの主なものである「ＨＦＣ」と呼ばれるハイドロフルオロカーボン類は、それに取って代わられたＣＦＣ（クロロフルオロカーボン）とは対照的にオゾン層を破壊しないという大きな利点がある。その意味では、ＨＦＣは環境保護面での進歩である。しかし、ことはそう簡単ではない。

　バス・アイクハウト氏の事務所は、ブリュッセルに夜のとばりがおりるのを観察するのに極上の場所である。ガラス張りの高みから、このオランダ人の欧州議会議員は、長年にわたり、ヨーロッパでフロン類の使用を制限、もしくは禁止させるための激しいたたかいを続けてきた。同氏によると、その理由は、「このタイプのガスは分子ひとつでも二酸化炭素より強力」だからだ。その地球温暖化の威力は［二酸化炭素に比べて］平均２０００倍だ。たとえば、三フッ化窒素（NF_3）は二酸化炭素よりも１万７０００倍の熱を大気中にとどめる。六フッ化硫黄（SF_6）にいたっては、驚くべきことに２万３５００倍になり、世界でこれまで製造された温室効果ガスのなかで最も強力なものだ。「六フッ化硫黄１キログラムは、ロンドンからニューヨークへの飛行の24人分と同じくらい地球を温暖化する」と英国人ジャーナリスト、マット・マクグラス氏は説明する。[51] つまり、気候温暖化とたたかうためには、フロン類の使用を制限する必要がある。ところが、建物や自動車の冷房だけでなく、5Gやアルゴリズムやデータ保存のために使用は急増している。使用制限の規制が世界で増えているとはいえ、オランダ国立公衆衛生環境研究所のフース・ヴェルデルス氏はこう予測する。「現在のビジネス習慣が変わらなければ、フロン類は2050年には温室効果ガス排出の10パーセントを占めるだろう」[52]

フロン類は合成物であるため自然界で分解されることはなく、長く大気中にとどまる。三フッ化窒素は740年、六フッ化硫黄は3200年まで、そして四フッ化炭素にいたっては5万年にもなり、現在知られている温室効果ガスのなかでは最も寿命が長い。[53] 以上のことをまとめると、環境負荷をなくすための切り札ともてはやされるデジタル社会様式は、地球を最も温暖化し、最も変質しない性質を持つ物質を大量に使うのだ。[54] しかも、フロン類の回収や除去の解決策は先進国にしかない。要するに、フロン類は環境保護に対する〝爆弾〟であり、グリーンピースが「これまで聞いたことのある温室効果ガスのなかで最悪である」と言ったのは驚くべきことではない。[55]

フロンの環境への影響はかなり早くから分かっていた。すでに1975年、インドの気象学者ビーラバドラン・ラマナタン氏がHFC（ハイドロフルオロカーボン）の気候温暖化の可能性について警告していた。[56] どうしてその警告は注目されなかったのか？　オゾン層に穴をあけるとして有名なCFCに取って代わったHFCは害がより少なかったからだ。しかし、ワシントンのガバナンス及び持続可能な開発研究所（ＩＧＳＤ）のダーウッド・ザルケ所長によると、「１９７５年にはだれも気候変動など心配しなかった！」から、という理由のほうが大きい。こうしてフロン類の大量使用に門戸が開かれ、２０１６年に国際社会はやっと、その排除のためにルワンダのキガリに集まることになった。「気候変動とのたたかいの緊急性から考えて、ひとつの行動を起こすべきだとすると、それはフロン類だ」と、環境保護活動家でもあり、キガリの交渉で重要な役割を果たしたザルケ所長は言う。[57] 率直な言い方をすれば、地球を守るという大義を十分に認識した上で、何十年も前に決定されたことの悪影響を是正しなければならなかった。コンセンサスを打ち立てることは簡単なことではないし、フロン類を生産する産業にとっては、国際的な規制が厳しくなることはまったく利益にならない。結局、１９７ヶ国が段階的なＨＦＣの禁止に合意した。したがって、「キガリ改正」は大きな成功であった。合意に達するには、いくつかの国に猶予期間を設けねばならなかったのだが……。こうして、ＨＦＣの生産で世界トップの中国は２０２９年から禁止、インドは２０３２年から禁止となった。

ハネウェルは気候問題とのたたかいの救いでもあり、障害でもある

理屈から言うと、すでに代替物が見つかったのだから、ＨＦＣを禁止するのに長い間待つ必要はない。その代替物とはＨＦＯ（ハイドロフルオロオレフィン）で、ソルスティスの商品名のほうでよく知られる、[58] 米化学会社ハネウェルが開発したものだ。データセンターを冷却するのにも

使われる[59]HFOは、HFCより地球温暖効果がずっと低い。しかし、この奇跡的なガスに切り替える前に、ビジネスのルールを尊重しなければならない……。ハネウェルはソルスティスの開発に数億ドルも投資した。[60]よって、同社は投資を回収するために、2030年までの特許を取得し、それまではHFCの20倍の価格[61]で販売する。その価格は正当なものだろうが、発展途上国には手が届かない。したがって、「HFCの使用をやめるには、インドは貧しすぎる」と、ハネウェルの代表者と何度か協議したザルケ所長は抗議する。「もし(HFOの)価格を下げられるなら、(気候温暖化とのたたかいを)加速できると私は主張したのですが、彼らは、HFOを開発するのにたくさんのお金を費やしたので、その見返りを受けるべきだと答えました。どんな投資家でもそう言うでしょう。みんな金儲けをしたいんですね」と、所長は続けた。[62]

ザルケ所長は、インドと中国――両国だけで世界の人口の3分の1を占める――に認められた猶予期間と、ハネウェルの要求する法外な価格の間には因果関係があると言う。ハネウェルは地球温暖化とのたたかいにおける救いであると同時に……障害でもあるのだ！「ハネウェルは、われわれの気候温暖化とたたかう能力を制限する」と、ザルケ所長は非難する。グリーンピースのキャンペーン参謀、パウラ・テホン氏も「発展途上国は(HFCの使用から)何十年も逃れられない」と残念がる。[63]「ハネウェルがアメリカ政府の支援をあてにできる限りは、状況は緩慢にしか変わらないだろう。ハネウェルのような企業は大きな力を持っているので、アメリカ政府の行動すら操れるのだ」と、テホン氏は強調した。気候問題に害が少なく、知的所有権が適用されない、いわゆる「自然冷媒」[64]の使用を禁止することもできるのだ。「このような代替物はアメリカの化学企業にとってはわずかな利益しか生まない。したがって、自然冷媒はアメリカでは禁止されている。当局は使用すると非常に危険だと言うが、実際にはアメリカ企業を保護しているのだ」と、テホン氏は分析する。

アメリカは現在のところ、HFCの使用を禁止していない[65]が、EUは禁止に積極的だ。[66] 2006年以降、フロン類の使用は少しずつ減少している。しかし、ヨーロッパは世界の人口の15分の1でしかない。とはいえ、バス・アイクハウト欧州議員は楽観視しようとする。同議員は、EU規則のために中国のフロン類製造者が欧州市場の要望に追従せざるをえなくなる、つまり気候により害の少ない物質を使った新世代への転換を加速するだろうと考える。それでも大きな障害は残る。キガリ改正が現実に適用されるかどうかを知るにはどうしたらいいのだろう？「フロン類排出の最適な測定法に関して明確な推奨基準は存在しない」と、フース・ヴェルデルス氏は嘆く。[67] 欧州がとりわけ毎年計算をやり直すよう義務付けられていても、世界の他の地域はそうではない。デジタル分野の多くの企業が最も協力的であるとは限らない。ザルケ所長の同僚のクリステン・タドニオ氏によると、アマゾン社の温室効果ガス排出のリストはあいまいなので、冷媒ガスのうちどれだけが同社の車両から生ずるのか、どれだけがデータセンターから生ずるのかを見極めることはできないという。[68] そうした不備のため、科学者たちは大気測定という方法で自ら評価を下すしかない。気候温暖化の問題では常に急がねばならないのだ。ザルケ所長は、フロン類も含めて温室効果ガスとたたかうために行動するには今後10年しかないという。「より強硬なやり方でたたかわないと、気候温暖化の1・5度という上限を超えてしまい、その分の調整のための行動を将来起こすのがさらに困難になるだろう」と同所長は警告する。

このように、電話、タブレット端末、コンピュータには隠されたコストが存在するのだ。それは氷山の隠れた部分だ。なぜなら、そのコストはほとんど計算に入れられていないか、われわれの感覚から逃れるかして、あまり知られていないからだ。日々ネットに接続される何十億個のモノについては、大量のデータが生成され、やり取りされる。そのためにデジタル産業は近年、巨大なインフラを展開している。それはデータセンターだ。

第４章

クラウドを調査する

「この建物は謎だ！」と、暖かそうな分厚いマフラーを巻いた通行人が言う。そして、すぐ近くの、濠《ほり》のようなものと金網に囲まれた12階建ての建物を指さした。「昼でも夜でも、紫色とか、赤色とかの光の筋がガラス張りを通して見えるんですよ。いつか中に入ってみたいですね」。アムステルダムの西郊外にあるサイエンスパーク６１０という場所だ。２０２０年冬、青白い空の下で「赤い建物」――隣のプレハブに住むシリア人難民たちがそう呼ぶ――の黒と灰色の筋に強風が吹きつけている。その色だけがこの建物の特徴かもしれない。建物の中で企《たく》まれていることを示すような窓もロゴもない。守衛所に人影が見えるだけだ。「あまり感じのいい建物じゃないね。ちょっと怖い感じがするよ。どんな企業がデータをストックしているんだろうかね」と、近くの商店主のユップ・ニウス・リムサさんも不審げに言った。２０１７年の操業開始以来、このエクイニクス社のＡＭ４データセンターは、ヨーロッパ大陸の8割の国々と50ミリ秒以下でデータを交換している。荘厳で威嚇的なメタル製の建物だ。一般に「クラウド」と呼ばれるものの一部をなすものである。その「クラウド」は冬空の下で、自身よりも膨大な雲に溶け込んでいる。

データセンターはデジタル時代の工場

われわれのスマートフォンは、どういう使い方をしようが、データセンターにつながっている。飛行機のチケットの予約も、ピザの注文も、友人への電話も、われわれのインターフェースは、イージージェットやピザハットやピエールのインターフェースと直接には交信しない。その2つの端末の間には接続ポイントが存在する。つまり、情報の通過、ストック、処理の場所があるわけで、情報は即座に伝達されるか(電話の会話)、保存・分析される(ペパロニのピザの注文)。したがって、インスタグラムやフェイスブックやWhatsAppに投稿した写真も、われわれの電話の中にあるだけでなく、接続ポイント、より正確に言えば「サーバー」(コンピュータ)――ネットサーフィンをするときにわれわれはそれと通信する――に保存される。同様に、隣人との物々交換プラットフォーム、出会い系サイト、スマートメーター、コネクテッドカーも絶え間なく情報をやり取りしており、そのような接続ポイントのインフラがなければ成り立たないのである。

長い間、すべての企業は永続的なデータを、掃除用具入れの中にあるキャビネットや洗面所の奥にある「物置」にストックしていた。今日でも、世界最大の企業(グーグル、フェイスブック、アップル）は自社内にあるサーバーで管理している。しかし、コストと安全のため、自社のサーバーの管理をエクイニクス、インターシオン、エッジコネックス、サイラスワン、アリババ・クラウド、アマゾン・ウェブサービスといった専門企業に委託するのを好む企業が増えている。そうした良い「宿主」は、顧客のデータを「同居」させるデータセンター、つまりインターネットでつながった「サーバーのホテル」に受け入れているのだ。このような設備全体が「クラウド」を形成する。クラウドとはどんなインターフェースからもアクセスできるデータ保存の外注サービスであり、今日世界中で生成されるデータの3分の1はクラウドを通過している。「あなたは日々の生活で、ごくありふれた必要のために、10ヶ国に散らばったおよそ100のデータセンターを動かしているのです」と、データセンター会社「Ｈｙｄｒｏ66」の営業部長、フレドリック・カリオニエミ氏は私に説明してくれた。[1]「データセンターなしには何も存在しない！　われわれのデジタル生活の中心なのだ」と、「データセンター・マガジン」の編集長、イヴ・グランモンターニュ氏は結論づけた。[2]

だが、その存在についてはあまり知られていない。「この仕事には〝一般公開日〟などはあまりない！」と、カルノ・コンピューティング社の共同創業者で代表者であるポール・ブノワ氏は言う。[3]要するに、営業パンフレットに理解不能な頭字語を連ねるのが好きな、目立たない新興産業だと言えるだろう。そして、データセンターと普通の建物や工場や倉庫を区別するものは何もない。読者の方々もおそらく、それと気づかずに何十というデータセンターの前を通っているだろう。たとえば、パリ中心地のサンティエ地区には、古い産業ビルがデータセンターとなって点在している。そこから少し離れたヴォルテール大通り137番地にある赤レンガの建物には、7000平方メートルの英企業テレハウスのデータ処理センターがある。大都市の中心地には、元ホテル、核シェルター、防空シェルター、郵便物分別所、廃業した自動車工場などに[4]、サーバーを凝集したデータセンターが置かれている。たとえば、ニューヨークでは、ハドソン通り60番地にある23階建ての旧ウェスタン・ユニオン・テレグラフの建物がデータセンターに使われている。ロンドンでは、ドックランズのイースト・ロンドン大学のキャンパスだけで約20のデータセンターを有している。データセンターは建物が大きいため、無味乾燥なプレハブ倉庫となって都市の周辺地区に追いやられる傾向にある。しかし、建築物として街に同化させる努力も多少はされており、プラインヴィル（オレゴン州）にあるフェイスブックの優雅なデータセンター、サンタ・クララ（カリフォルニア州）にあるコアサイト社の建てた未来派の建物などがある[5]。世界で最も美しいデータセンターのコンクールすらある。聖別から外された礼拝堂の身廊の下にある、44・5トンのガラス箱のようなマレノストルム［スーパーコンピュータ］（バルセロナ）が最近選ばれた[6]！

「クラウド」が世界の主要な通信情報ハブ（ワシントン、香港、ヨハネスブルク、サンパウロなど）、とりわけ主要な証券取引所（ロンドン、フランクフルト、ニューヨーク、パリ、アムステルダムなど）に定着するには12年ほどで十分だった。その結果、現在、床面積が500平方メートル以上のデータセンターは世界に300万ヶ所近くある。そのうち、8万5000は中程度の規模で、エクイニクスAM4に相当するような大規模なものは1万弱ある。[7] このコンクリートと鋼鉄の建物のうち、サッカー競技場に相当する大きさの「ハイパースケール・データセンター」は500以上ある（図表4を参照）。ポール・ブノワ氏が言うところの「テクノロジーの怪物、大型客船[8]」には、ケーブル、安全設備、IT設備や電気設備が集約されている。[9] 奇妙なパラドックスだ。経済の第3次産業化がもてはやされればされるほど、データの「ファーム［農場］」やデジタル時代の「工場」「ハブ」、情報の「ルート」「ハイウェイ」が話題になる。こうしたものは、サービス産業によって地位を奪われた農業や工業の残滓《ざんし》であったはずだが……。

だが、どうして、触ることのできない猫の動画や電子メールや位置情報を蓄積するためだけに、コンクリートミキサーをフル回転させる——その大きな環境負荷については後に述べる——のだろうか？　人類はすでに信じられないほど大量のデータを生成しているからだ。それは1日5エクサオクテット[10]［1オクテットは8ビットの情報量を意味する単位で、ほぼ1バイトに相当］にもなり、ITの始まりから2003年までに生成された情報量に匹敵する。それは1000万枚のブルーレイディスクのメモリーをいっぱいにする量であり、ディスクを積み上げれば、エッフェル塔の4倍の高さになる。やがて世界中を席捲《せっけん》するだろう5Gに何千億というモノが接続されれば、「データの量は指数関数的に増え、その流れを止めることはできないだろう」と、フレドリック・カリオニエミ氏は予想する。[11] その証拠に、データセンターの世界市場は年間1240億ユーロ近くに達しており、年間約7パーセントも成長しているのだ。

このような情報の「津波」は具体的にどのように表せるのだろうか？「ウェブ」という言葉はしばしば液体にたとえられる。インターネットを「サーフィン」し、データの「フロー」を作り、ビデオを「ストリーミング」で見る。こうした英語の言葉は情報は流れるものだということを想起させる。この暗喩を頭に入れて洗面所に行ってみよう。蛇口から落ちる水滴をコップいっぱいにためる（私たちもその実験をしてみた。図表5を参照）。1滴が1オクテット——情報量の単位——に相当すると仮定しよう。1000滴（＝1キロオクテットは電子メール1本に相当する）を集めれば、コップ半分の100ミリリットルになる。それを1000回繰り返せば1メガオクテットになり、これはMP3形式の音声データ1分間に相当し、100リットルの水に相当することになる。ギガオクテット（メガオクテットの1000倍）は2時間の映画、つまり雨水をためる巨大な貯水槽に当たる。1テラオクテットになると、フランス国立図書館の蔵書の半分近くを保存でき、オリンピックプールの27個分になる。世界で1日に生産される5エクサオクテットになると、レマン湖の5個分に相当する。年間のデータ生産量47ゼタオクテットは、地中海と黒海を合わせた水量だ。つまり、人類は文字通り、データの海に浸かっているのだ。

そうすると、より基本的な疑問が湧いてくる。どういう目的で、われわれはそんなにも多くのデータを生成するのだろうか？　われわれは皆、漠然とではあるが、位置情報やインターネットの検索履歴、ＳＮＳのインタラクションなどがデータを生じさせることを知っている。[12] だが、だれが、どうやって、どれだけの量のデータを処理しているのだろうか？　われわれは、その問いに答えようと、日常生活のありふれたもの――大都市の歩道に駐輪されたシェアリング・キックボード――が体現するところの膨大なデータについて数週間、調査してみた。

シェアリング・キックボードの思いがけない力

自由にアクセスできる電動キックボードが２０１７年にカリフォルニア州サンタモニカに登場して以来、世界中に急速に普及している。安価で便利な上に遊び心もあり、大都市の車の渋滞を多少なりとも解消する。この現象のリーダーであるＬｉｍｅ、Ｂｉｒｄ、Ｊｕｍｐ、Ｌｙｆｔといった事業者は証券市場で記録的な高値をつけている。投資家が集まっているからだ。あるコンサルタント会社によると、「およそ1ダースほどのシェアリング・キックボードのスタートアップがすでに15億ドルの投資を受けており、２０２５年には世界の市場規模は４００億から５００億ドルに達すると見られる」[13]。ところが、キックボードそのものの耐久性は不十分で、寿命はせいぜい数ヶ月である。製造とメンテナンスのコストを回収するには不十分な寿命だ。つまり、このサービス事業は現時点では利益が上がる事業ではないのだ。それなのに、このサービスは投資ファンドを魅了してやまない。

将来はキックボードがより強固で収益が上がるようになるからかもしれないが……それよりも、事業者が「利用者のモビリティ習慣によって生じる莫大なデータを収集できる」からだ、と市民の自由を擁護する団体は説明する。[14] シェアリング・キックボードのアプリケーションにアカウントを作る際、姓名、電子メールアドレス、住所、電話番号、銀行口座番号、支払履歴などを登録する。[15] しかも、事業者はキックボードに搭載されたセンサーと利用者の携帯電話から送られるデータにより、利用者の移動に関するあらゆる情報を収集することができるのだ。[16] Ｂｉｒｄなどの事業者は、利用者のデータをすでに持っている様々な企業が集めた情報を追加したり、信用調査機関に利用者の支払い能力について問い合わせたりすることもできるのだ！　たわいない日曜日のキックボード散策の代償としては大きすぎる……。だが、そうした情報が大切な顧客を満足させるために不可欠であると認めるとしよう。「そうした情報は事業者の価格政策を改善したり、最も利用の多いルートを特定させてキックボードの配備を最適化したりするのに役立つ……すべてはサービスの質の向上のためです」と、モビリティ企業Ｂｏｌｔの社員が匿名で説明してくれた。

事業者の目論見はキックボードを大きく超えるものだ。最大限のデータを収集することで、事業者はわれわれの移動手段を総合的に理解しようとしている。実際、都市ではモビリティのオファーは様々だ。ある地点から別の地点に行くのに、たとえば相乗りタクシーに乗り、それからシェア・スクーターを使い、最後にバスを使ったりする。事業者の究極の目標は「サービスとしてのモビリティ」という、すべての移動手段を集約する統合ポータルである。「事業者は、キックボードだけでなく、自転車や自動車も含めた複数の移動手段のシステムを提案したいのです[17]」

と、フランスの市民団体「クアドラチュール・ドュ・ネット」[18]のあるメンバーは言う。したがって、キックボードのレンタルは巨大なモビリティ市場に参入するための——移動する人の行動についてできるだけ大量で正確な情報を得るための——手段にすぎないのだ。「人の移動についてのこれほど蓄積された情報をＢｉｒｄのような会社はどうするのだろうか？　たくさんのお金をもうけること！　創業からたった1年しか経っていない企業に20億ドルの価値をつける投資家たちの賭けであるのは確かだ」と、ジオマーケティングのある専門家は分析する。[19]つまり、データは戦略的資産なのだ。われわれの需要に常に適した移動のオファーを将来提案するべきモビリティ企業の〝黒い金《きん》〟なのだ。

しかし、その裏に隠されたものがある……。

キックボードの利用者は、事業者が「調査や商業目的、あるいは別の目的のために、第三者とその情報の一部分を共有することに合意するものとすると、Ｌｉｍｅなどはそれ以上詳しく説明せずに記している。[20]このような表記は「不透明であいまいに書かれている。理解できないようにする必要があるのだろう」と、アメリカ人弁護士モハメド・タジサー氏は分析する。[21]つまり、利用者は事業者が「トラッカー」を使うのを承諾したことになる。トラッカーとは、キックボード利用とはほとんど関係のない、ユーザーに関する情報を収集するプログラムで、事業者自体のために情報を保持するのではなく、商業目的を持つ別の企業に転送されるのだ。一般的には、「アプリケーションで最もよく使われるフェイスブックやグーグルのトラッカーだ」と、エグゾデュス・プライバシーという団体の「ハクティヴィスト」[22]は説明する。たとえば、フェイスブックに接続したことのない電話で、胎教サービスを提供する会社「ベビープラス」のサイトにアクセスすると、フェイスブックは「子どもの名前、性別、授乳法などの情報がフェイスブックに流れることを確認する」[23]。トラッカーが働いたために、その子どもはすでにソーシャル・ネットワークに存在するのだ……。

キックボードに話を戻そう。Appsflyerというトラッカー（キックボード事業者のＢｏｌｔ、Ｂｉｒｄが使用）は利用者のネット検索履歴や、スマートフォンにインストールされているほかのアプリケーションに関心を持つ。Tuneというトラッカー（Ｂｏｌｔが使用）は利用者の位置情報に関心を持つ。Adjustというトラッカー（Ｂｉｒｄ、Ｄｏｔｔ、Ｈｉｖｅが使用）は利用者の様々な購買行動を保存する。Branch（Ｌｉｍｅが使用）は指紋を収集する。そうしたトラッカーのおかげで、利用者の好みに合った広告を送るなど、対象を絞ったマーケティング戦略の展開が可能になるのだ。[24]「ジオフェンス」（たとえば、服の店を通った時に、上着の特別セールのメッセージが送られてくる）、あるいは「セグメンテーション」（あるカテゴリーの人々に特定のメッセージが送られる）も可能になる。

シェアリング・キックボードの事業者は収集した情報を共有しているのか販売しているのかはわからない。ジオマーケティングのある専門家は、事業者の当面の課題は「集めたデータの価格を高めることではなく、まずは膨大な量の情報を集めることだ。何億人という利用者を顧客として持たないと、そのデータをどうすることもできないだろう」[25]とも考える。しかし、警戒する理由はある。なぜなら、「われわれのモビリティに関するデータほど、生活を暴く情報はないからだ。情報のなかでも最もセンシティブな情報のひとつだ」と、モハメド・タジサー氏は説明する。[26]モビリティ情報を分析するだけで、自宅の住所（同じ時間に出発する場所）や、信教（毎週日曜日の朝11時に行く教会）、政治的傾向（参加したデモ）、あるいは病気（予約した専門医）などがかなり容易に推測できる。

匿名性の終焉

２０１４年、アンソニー・トッカーというオーストラリアの研究者が、自由にアクセスできるデータのうちニューヨークのタクシーがストリップクラブの前を往来する情報を使って、そのクラブの常連の住まいを驚くべき正確さで特定することができた。[27]ほぼ同時期に、今度はベルギーの研究者が「個人の95パーセントを特定するには時空間的な4点さえあれば十分」と立証した。[28]データは匿名化されていると反論されるだろうが、身元を暴露するのは容易なのだ。実際、「データを匿名化するのは実際には不可能だ。データを悪用しないための最良の方法は、データを集めないことだ」と、この問題に詳しいカリフォルニア州のエンジニアは言う。[29]ドイツの学者トルステン・シュトルーフェ氏も同意見だ。「匿名のデータなんて、とんでもないジョークだ」[30]

キックボードによって集積されたデータは、他の企業がすでに保持するユーザー情報に加えられる。こうして、データを買いつけてプロフィールを完成させ、一番高い値段で買ってくれる企業に転売する、表に立たない仲買人「データブローカー」のもとに行くわけだ。一人の消費者のプロフィールは最高1500の要素を含み、ひとつずつ売られるか（氏名だけで約30ユーロセント）、まれだが全体でも売られる（平均600ユーロ）。その世界的市場規模はおよそ3000億ユーロだ。サービスの利用規定を承諾することによって、利用者は自分のデータをコントロールできなくなる。したがって、利用者のアイデンティティーの一部は、だれが何に使うかを利用者が全く知らないうちに、世界に無数にあるデータセンターに散らばる可能性がある。つまり、利用者は、自らのあずかり知らない目的のために動く巨大な歯車に組み込まれたことになるのだ。

2018年、有力な市民団体であるアメリカ自由人権協会（ACLU）は、シェアリング・キックボードの事業者が目指す真の目的について警告を発した。「あなたがQRコードをスキャンするとき、キックボードサービスが実際に必要とするよりもずっと多くの個人情報を集める強迫的な情報貯蔵システムの歯車に組み込まれたことを実感することはないでしょう」と、同協会は言う。[31] この問題は真剣に受け止められたため、いくつかの市民団体が最近、位置情報データが監視目的で国によって使用される可能性があると懸念を示した。トランプ政権は、不法移民や活動家の電話から集めたこの種のデータを後に法廷に持ち込むために利用したのではなかったか？[32] LimeやBirdといった企業も、せざるを得ないと感じた場合は、ユーザー情報を当局に伝えたと認めている。[33] われわれのプライバシー保護と同じくらい基本的な自由も弱体化しているのだ……。「中国の社会信用システムは、欧米諸国でわれわれがすでに体験していることを、少しだけあからさまにやっているにすぎない。将来、非常に危険な試練に直面しなければならないだろうが、人々はそれを実感していないように思う」と、リアム・ニューコンブ氏は心配する。[34]
ACLUの警告から1年後、ハンブルク州（ドイツ）のデータ保護コミッショナーが、住民に警告を発した。「われわれのプライバシーの基本は、追跡されることなく公的な空間を移動することができることだ。電動キックボード（のサービス）の新たなオファーにアクセスする人はだれでも、この保障を失うだろう」。そのコミッショナーは、事業者の「サービス提供と引き換えに自分のデータを使う価値があるかどうか考えることが大切だ」と結論づけた。[35] 言い換えると、値段のつけられないものと、一定のコストがかかるものを交換する前によく考えなさいということだ。

多くのシェアリング・キックボード事業者は、この警告に対して「利用者データの保護は、われわれの最優先課題だ」[36] とした。その言葉は真摯なものだろうか？ 判断は難しい。だが、確かなことは、事業者はアプリケーションにトラッカーを設置した上に、いつの日か利用者のまったく知らない企業が利用者についてすべてを知ることのできる自由を合法的に自分のものにしたということだ。2016年に欧州議会で可決されたEU一般データ保護規則[37]（GDPR）で可能になったように、私たちは自分のデータを共有することを拒否して、もっと一般的に言えば、あらゆる瞬間に〝サイバー衛生〟を適用することもできる。「フェイスブックやインスタグラムにはもう載せていないし、広告ブロッカーをインストールしたし、ウィンドウズもＧＰＳも使っていない。自分のＩＰアドレスを匿名化するためにＴｏｒというブラウザで検索している」と、シュトルーフェ教授は数え上げた。[38] だが、それほどの努力ができる人はどれぐらいいるだろうか？[39]

なぜなら、受ける損害は直近の多くの利益に比べると少ないからだ。もし、利用者がシェアリング・キックボードの実際の価格を払わなければならないなら、もっと高くつくからだ。そういうサービスをあなたは受け入れる用意があるだろうか？　事業者のほうは、デジタル産業を発展させるのはもはやコンピュータやソフトウェアの販売ではなく、情報の商品化だと知っている。[40] 企業が「クラウド」の中心に位置すればするほど、その企業は金持ちで強力になる。常により多くの情報を吸い取るためには、「無料」と仮定されるサービスを提供して消費者をおびき寄せなければならない。[41] この経済モデルのチャンピオンである「フェイスブック」は世界で最も効率的な広告代理店になり」、ユーザーについての多くの情報を売っていると、あるジャーナリストはフェイスブックの創業者についての自著の中で言っている。[42] その成功のほどは、アメリカの年間広告費総額２４００億ドルのうち半分以上がネット上のものであることからもわかる。この論理を野菜や映画のチケットの販売や医療行為の請求に使わない手はないだろう。プライバシー保護のオランダの活動家ドゥウェ・シュミット氏は「データを渡す用意がありさえすれば、すべてが無料になる可能性がある」と分析する。[43] われわれは、自分の些細な行動まですべてがこうしたプラットフォームによってデータに代えられることを本当に望んでいるのだろうか？

〝データ領地〟の拡張

データというものは、赤字の商売を金のなる木に変える〝賢者の石〟なのだから、企業は何でもストックする。すぐには有効なデータでなくても、今はまだわからない将来の目的のために有効かもしれない。あるいは、企業がデータの使い道を知っていても、それをお金に変えるための技術的な手段（アルゴリズム、スーパーコンピュータ）をまだ持っていない場合もある。「テック企業界」は「機械学習（マシンラーニング）」「量子コンピューティング」「演繹的推論」、そしてもちろん「ビッグデータ」といった非常にエキサイティングな表現を聞くと、ざわめく。「ビッグデータ」とは、膨大な量のデータのことで、それを分析すれば複雑なシステムを観測でき[44]、消費者の嗜好によりマッチしたコンテンツを推奨したり、消費者の行動を予見したりということまでできる――したがってより多くのお金を稼げるというのだ[45]。

客観的に考えれば、データは、個人、機械、あるいは組織によって作られても、世界を無限に良いものにする能力がある。データのおかげで、がんをよりよく診断できたり、感染症の推移をより精密にモデリングしたり、予測医療の到来を早めたりでき、そのため費用が抑制され、より多くの人々のアクセスが可能になる。ビッグデータを使えば、行政がより効率的になり、NGOが最も貧しい人々に対してより適切な行動を起こさせる。また、地震による損害を受けた町の再建が加速され、児童・生徒のニーズに応じて学校の学習要綱をよりよく調整することができる。宇宙に関して蓄積されたこれまでのデータ量から考慮すると、十分に強力な計算ツールがないためにまだ知識として表現されていないものの、地球以外に生物がいるという証拠をサーバー内に有しているかもしれないと、スウェーデン人学者カール・アンダーソン氏は予想する。「われわれは、われわれの知っていることをまだ知らないのかもしれない[46]」

しかし、データ生成によって約束された〝無料〟は、当然の帰結としてインターネットの消費を増加させる。「〝オープンバー〟［見放題］になった瞬間から、猫の動画を10本目ではやめずに、11本目も見るでしょう」と、フランスのシンクタンク「ザ・シフト・プロジェクト」のメンバーであるユーグ・フェールブッフ氏は言う[47]。つまり、「無料」は「データ激増」と同義語なのだ。われわれが1日に一人につき１５０ギガオクテット近いデータ――1日に16ギガオクテットのｉＰｈｏｎｅ、９台のメモリーをいっぱいにする量――を知らずに作っている理由[48]がよりよく理解できるというものだ。２０１５年に12ゼタオクテット[49]のデータをストックした人類は、２０３５年には、約１８０倍に当たる２１４２ゼタオクテットを生み出すだろう（図表６を参照）。「この数字は途方もないものだ。もしデータ生成の成長率が紙の山で示されたとしたら、その山は宇宙ロケットの発射スピードより速く空に向かって積み上げられるだろう」と、フレデリック・カリオニエミ氏は表現した[50]。

そのデータの大海原に比べると、シェアリング・キックボードでかき集められたデータはほんのわずかにすぎない――せいぜい数百台のサーバーをいっぱいにするくらいだ[51]。しかし、これは文脈のなかに置いてみる必要があるだろう。世界中のあらゆる種類のデータを自動的に収集することは、「データセンターの需要を急増させる」と、Ｂｏｌｔの専門家は分析する。その結果、クラウドの事業者が世界のメモリーをストックするため、五大陸に「ビジネスパーク」が急増している。パリの北の９つの市の連合都市圏「プレーヌ・コミューン」にはすでに47のデータセンターがあるが、さらにサッカー競技場「スタッド・ド・フランス」の芝生の5倍に当たる４万平方メートルのデータセンターを誘致しようとしている。[52]データ貯蔵に特化した「クラウドシティ」は中国にも拡大している。世界最大のデータセンターは、北京から車で1時間のところにある河北省廊坊《ろうぼう》市にあり、60万平方メートルの面積――サッカー場１１０個に相当――を持つ。[53]このデータセンターの急激な発展に伴うため、この業界は、次のクラウドを納める最適な場所を見つけるために、地球を細かく区分する「場所選択者」である不動産代理店に依頼する。できれば洪水リスク地域や農地、住宅地から離れていて、かつ事故のリスクを抑えるために航路や線路から離れていながらも、最高の人材を集めるために国際空港から車で1時間以内の場所がいい。配電網がしっかりしていて、税制が有利で、土地の価格が安く、建物を18ヶ月以内で建てられるような優秀な建設業者がいるところ……。

「東海岸のシリコンバレー」が森を保存したいとき

そういう要望をすべて叶えるのは難しい！　したがって、データセンターが人口の密集した都市部にはみ出すのは珍しいことではない。〝データの領地〟の拡張によって生じた対立が世界中でアッシュバーンほど激しいところはないだろう。私たちはそこを２０２１年春に訪れた。ワシントンから北西におよそ50キロメートルの、ヴァージニア州にあるアッシュバーンは、地味なビジネス地区といくつかのショッピングセンターに彩られた人口５万人の静かな町であるだけではない。世界のインターネット・トラフィックの７割が通過する「東海岸のシリコンバレー」なのだ。世界でもごく初期のインターネット相互接続点[54]が１９９２年にそこに設置されたことから、ＡＯＬ、ベライゾン、テロスといったアメリカ企業などＩＴ経済の大企業が集中する現象を招いたのだろう。[55]その後を追うように、57のデータセンターがアッシュバーンに集中し、まもなく専門メディアから「データセンターの世界的首都[56]」と呼ばれるようになった。

経済的効果はめざましい。アッシュバーンを含むラウドン郡に住む人の家計収入の中央値はアメリカで最も高い。[57]「ハブ」は拡大していく……。金持ちになったが、大きな建物に囲まれたアッシュバーンの住民は、「非物質」の都市計画のとばっちりを受けた。データセンターは騒音がして醜い……。「この４ヶ月間で私のもとに寄せられた不満のトップが何かわかりますか？　渋滞でも高速道路の料金所でもなく、データセンターの美観なんです[58]」と、ある地元議員は言う。環境保護問題も表面に出てきた。「周りにはほとんど緑がないんですよ。もうたくさんだと思う。残っている自然を破壊する必要はないです」と、住民の一人、ブライアン・カーさんは不満げだ。[59]２０１８年、ラウドン郡は43ヘクタールの森をつぶしてコンパス社のトゥルー・ノースデータセンターの建設を許可していたのだ。[60]

2019年にはラウドン郡の建設可能区域の拡張計画が新たな対立を招いた。住民の一部は、今度は農地がデータセンターの犠牲になる番だと心配した。[61] だが、「2200万ドルの税収を鼻先にぶら下げられた地元議員は、「データセンターの」環境への影響に熱心になれるだろうか？」と、あるオブザーバーは懐疑的だ。[62] 実際、ラウドン郡は大急ぎで新たな都市開発を承認しようとしていた。「たったの7年間で、緑が大幅に減ったことを確認するしかないですね。これが続けば、ラウドン郡はデータセンター郡になってしまいます」と、先のブライアン・カーさんは嘆く。[63]「クラウド」が増大するのに応じて生まれる対立の増加を、アッシュバーンの例は予見している。アメリカだけでも、ニューヨーク、ニューアーク（ニュージャージー州）、ヘイマーケット（ヴァージニア州）、チャンドラー[64]（アリゾナ州）、クインシー（ワシントン州）などの都市圏で対立が報じられている。しかし、他をはるかにしのぐある勇壮なたたかいがある。活動家とユタ州のある政治家が、国家安全保障局（NSA）最大のデータセンターに反対した件だ。

NSAに水をやるまいとした男

グーグルはわれわれのデータを商業目的のためだけに集めているのではない。検索履歴をNSAにも提供している。アメリカの情報機関のひとつであるNSAは、私たちの電子メールや通話の内容、駐車場の領収書から旅行のルート、本の購買の情報も集めている。[65] その監視データの大きさは、世界の電子情報のどれぐらいの割合を占めるのだろうか？　それはだれにもわからないが、ヒントになりそうなものはある。２０１３年にＮＳＡが、ユタ州北部のブラフデール周辺部の州兵訓練施設の敷地に特大のデータセンターを開設したとき、それは当時、世界で3番目に大きいデータセンターだった。アメリカ国会図書館の中身に匹敵する情報を毎分ストックできるマシンだったのだ。

なぜ、ブラフデールに造ったのか？　愛国精神のある熟練労働力（したがってＮＳＡの活動に反対する懸念がほとんどない）があること、そしてデータセンターを冷却するのに必要な水が非常に安価だったためだ。[66]中規模のデータセンターは冷却装置のために年間60万立方メートルほどの水――オリンピックプール１６０個分あるいは3つの病院に必要な水量――を消費する。[67]ところが、ユタ州はアメリカで2番目に乾燥した州なのだが……。この不整合性に、地元日刊紙の「ザ・ソルトレイク・トリビューン」の記者ネイト・カーライル氏が眉をひそめた。水はどこから取られるのか？　水不足にならないのか？　水争いに発展しないのだろうか？そこで、ネイト・カーライル氏はブラフデールにあるＮＳＡの水消費について公に調査を始めた。彼の申請は、「その情報があれば、ＮＳＡが収集・保存する情報量が推量できるかもしれない」という理由で、最初はＮＳＡから拒否された。透明性を示したいＮＳＡは2ヶ月後には譲歩し、データセンターが毎月10万から20万立方メートルの水を消費することがわかった。[68]しかし、ブラフデール市が必要とする水を汲み取るジョーダン川をひからびさせるほどではない。

水なくしては全般的な監視はできないと言うのだ。このことが公表されると、信じられないようなたたかいが起きた。

それに触発された、アメリカ合衆国憲法の保護を標榜するNGO「テンス・アメンドメント・センター（修正第10条センター）」は、この問題に飛びついた。当時はエドワード・スノーデンの警告が暴露されたことで市民の自由の擁護者たちが敏感になっていた。彼らはNSAの活動を妨害しようとした。そのNGOの代表者マイケル・ボールディン氏は、調査の結果、ボルティモアにあるNSAの別のデータセンターが何年か前に、その地の電力網の飽和状態を引き起こしたことを発見した[69]。「NSAが資源を必要としていることがわかったので、私たちは〝その供給をストップさせたらどうか〟と考えた」と、マイケル・ボールディンとともに活動していたマイケル・マハーリー氏は当時を振り返る[70]。いかに天下のNSAとはいえ、その総合監視施設は、それを牛耳り支配する隠れた資源に常に依存しているのだ……。ボルティモアの電気と同様、水はブラフデールのデータセンターを束縛する要素なのだ。貴重な水なしには、「NSAは自らのインフラを機能させることができなかった」と、マハーリー氏は続け、こう結論づけた。「水は明らかに情報機関NSAのアキレス腱だ」

マイケル・ボールディン氏は法律を盾にNSAを攻撃しようとした。州は連邦政府に物質的援助をする義務はない、という合衆国憲法修正第10条を根拠にした。そして、2007年にネヴァダ州で起きた前例を盾にとった。その前例とは、ユッカ山のふもとの放射性廃棄物貯蔵施設開設に反対するために、ネヴァダ州は施設の建設のために不可欠な［地下水の］帯水層への連邦政府のアクセスを拒み、結果的にオバマ政権にその計画を断念させた。[71] さらにボールディン氏はアメリカ中の市民運動に支持された。「多くの人々は、NSAがそこまで監視することにショックを受けた。活動家がそうした監視の現実を攻撃するのを、みんな喜んだ」と、マイケル・マハーリー氏は回想する。[72] そこで、ボールディン氏は法律の草案を練り、16の州がそれから着想を得た。ジョージア、テキサス、コロラドなどに施設を広げるNSAがこれ以上拡大するのを断念させるために、連邦政府へのあらゆる支援を拒否するためのものだ。カリフォルニア州とミシガン州はその法案を可決した。果たしてユタ州はNSAへの水供給を拒否するのだろうか？

ここに、驚くべき政治家が登場してきた。ユタ州下院議員で共和党員のマーク・ロバーツ氏だ。彼は連邦政府に対する自分の選挙区の特権に執着する、修正第10条の擁護者だ。[73] 彼は自分の信念を隠さない。「連邦政府が圧倒的な力を持ち、制御できなくなると、州は（その前に）立ちはだからねばならない」と主張する。[74] ブラフデールの問題によって持論を実行に移す機会を与えられ、ロバーツ氏は2014年、「監視活動を行う（中略）あらゆる連邦機関に（中略）物質的援助や扶助を」全く供給しないことをユタ州に許可する法律[75]を成立させようとした。要するに、「あなたがたが世界中の市民やアメリカ市民をスパイしたいなら、それでもいい。だが、われわれはそれを助けない」ということだと、ロバーツ氏はメディアに説明している。[76] ロバーツ氏の頭のなかには、「水がない＝NSAもない」という非常にシンプルな方程式があるのだ。

法案を成立させるロバーツ氏の試みは失敗したが、翌年に新たな法案を提出した。[77]この荒唐無稽でやや奇想天外な試みに、彼の周囲の人々は熱狂した。「私の頭がおかしいと以前は信じていなかった人でも、今ならそう信じるだろう！」と、彼は地元のラジオ局で皮肉った。[78]ＮＳＡは息をひそめ、ロバーツ氏は再び法案成立に失敗した。彼の熱意に反対する人たちは暴力的になることなしに、主流になっていった。彼はまもなく、自分の担った勢いが味方の陣営も含めて弱っていくのを知り、さじを投げた。「党幹部が党員の人生をめちゃくちゃにすることもできる。あのたたかいを続ければ、自分にとってよくないことになるだろうと感じたのだろう。それでも私は彼に感謝しています！あんなふうに行動するには度胸がいりますからね」と、当時、ロバーツ氏と親しかったマイケル・マハーリー氏は言う。[79]市民の運動も息切れがして消滅した。「人々は、ＮＳＡがするべきことを受け入れたのでしょうね」と、マハーリー氏は残念そうに言った。そうしているうちに、ブラフデールはデータ収集の十字路として次第に確立されていった。フェイスブックも、ＮＳＡのデータセンターから20キロメートルのイーグル・マウンテンに巨大なデータセンターを２０２１年に建設した。[80]

監視して汚染する

すべてが失われたわけではない。ＮＳＡの水の消費を注視すると、当然、環境への影響も気になるからだ。ブラフデールのデータセンター問題は、大量監視と環境保護のあいだの思いがけない——すばらしい——関連を浮かび上がらせた。[81] この関連に市民が関心を持つなら、市民の自由の名においてだけでなく、地球の保護のために国の監視に反対する大きな力が生まれることも可能だ。個人の自由を擁護する人たちは、「事実上の」環境保護活動家だと宣言することになる。「大量監視に反対し、［地球温暖化の］2℃を救おう」とか、「監視することは汚染すること」といったスローガンがデモの横断幕や壁に書かれるようになるかもしれない。[82] プライバシー尊重を規定する、世界人権宣言第12条、アメリカ合衆国憲法修正第４条、欧州人権条約第８条は、重要な環境保護条項を内在させるものであり、各国政府がそこから新たな社会契約の基礎をくみ取るものだという解釈を表明する人も出るだろう。[83]

しかし、そうした現象は日の目を見ることはないかもしれない。事実、独裁政権でも、民主主義政権でも、正反対の手段を使って同じ理想の探求に反対する可能性があるからだ。これは、「環境保護のための監視」、つまり、地球を救うために人々の汚染行為を監視する、というコンセプトだ。自然を守るためには、自然のなかにいる人間を監視しなければならない。もっと短い言葉の別のコンセプトである「グリーン監視」[84]（環境に責任を持つ監視）は形を成しつつある。この分野は、最大規模の情報機関が25年来、中心になっている。たとえばＮＳＡは、二酸化炭素排出を少なくする太陽光発電や屋根緑化、電気自動車の使用、年間20万リットル近い水を節約するバイオトイレを自慢するのが上手だ。[85] 英国の有名な情報機関ＭＩ６も事務所からの二酸化炭素排出が減ったと２０１４年に自画自賛した。[86]

より多くのデータをストックすることの正当化に流される危険性がここに隠されている。これから見ていくように、われわれの「インターネットに接続された生活」に不可欠な電力の膨大な需要によってデジタル産業の成長が妨げられるのでなければだが……。

第5章

ものすごい電気の無駄づかい

すべてが加速する。毎分、130万人がフェイスブックにアクセスし、410万件のグーグル検索が実行され、470万本の動画がユーチューブで視聴され、110万ドルがオンラインショッピングに費やされる[1]（図表7を参照）。だが、この流れはデジタル産業で言うところの「ブラックアウト」――データセンターの故障――によって止まることがある。電力供給の不足、冷却システムにおける水漏れ、バグなどだ。こうしたトラブルを口にするだけで、私たちの話し相手は気分が悪くなったり、激しい不安にかられたりするようだ。「災禍」「地獄」「大惨事」といった言葉が飛び出す。なぜなら、2012年、アマゾン・ウェブサービスのデータセンターが非常な悪天候に見舞われ、インスタグラムとピンタレストに6時間アクセスできなかったということがあったからだ[2]。2016年には、グーグルのサービスの故障でインターネット・トラフィックが2分のあいだ40パーセント下がった[3]。2019年にはGメールが半日間、影響を受けた[4]。アンケート調査によると、ＩＴ企業の3分の1は前年に「ブラックアウト」を経験したと認めている。[5] 故障が悪夢に変わることもある。２０１７年に、英国航空のデータセンターの大規模な故障で４００便が欠航し、7万５０００人の旅客がロンドンのヒースロー空港で足止めを食った。「問題を解決するのに２日間かかった。世界でも悪い場所に飛行機が足止めされて……航空会社に何億ドルものコストがかかった。影響は甚大だった」と、データセンターの専門家、マーク・アクトン氏は回想する。[6]

クラウドへの嵐

業界の人たちがまず思い出す故障といえば、世界最大のクラウドサービス会社のひとつであるＯＶＨ[7]を２０１７年に襲ったものである。そのエピソードはあまりにもひどかったので、今でもささやかれ、同社の経営陣の脳裏に焼きついている。その騒ぎの渦中、陣頭指揮にあたったエンジニアは匿名でこう回想した。「ＯＶＨに入社してまだ2ヶ月だったのだが、その事故が突然、降って湧いたんです。初めての戦いですよ」。２０１７年11月9日の朝、工業プロセスの改善とメンテナンスを担当していた彼はフランス北部のルーベにいた。そのとき、ストラスブールにある同社の２つのデータセンターの電気の供給が止まった。原因は「工事の機械が電線にぶつかった」ためだ。そのデータセンターには2台の緊急用発電機があったので、故障はすぐに解消されるはずだった。しかし、原因は不明だが、発電機は作動しなかった。サーバーへの電気供給はなくなり、恐怖の言葉が電話口に響いた。「〝まずい、ストラスブールがだめになった〟。こんな言葉を聞くと、もういけませんよね」。本社は大騒ぎになったが、透明性で対応した。「４つの電気供給網の全部が仕分け室に電気を送られなくなりました。私たちは全員、問題に取り組んでいます」と、オクターヴ・クラバ社長がＳＮＳ上で発表し、同時に危機対応班が急いで作られた。「問題を分析し、世界中のわが社の施設の状態や最近のメンテナンス状況をチェックしました」と、そのエンジニアは語った。

ところが、思いもかけないことが起きた。今度はルーベにある２つ目のデータセンターが反応しなくなったのだ。「問題の原因は光学機器のソフトウェアのバグです。（中略）つまり、互いに無関係な２つの独立した事故が起きたのです」と、同社は説明した。通常、データセンターが故障する蓋然性は非常に低い。しかも、２つの事故が重なるのは非常に稀だ。私たちの情報源であるエンジニアは、その信じられない事態を同僚とこう言い合ったそうだ。「同じように重要な２つの装置で、２時間の間隔で２つの故障が続いた……今晩は宝くじでもやればいいかもしれないな」。19ヶ国に27のデータセンターを持ち、１３０万人の顧客を抱える、ヨーロッパのクラウドビジネス第１位のＯＶＨだけに状況は深刻だ。フランスの大手企業14社、[8] 世界トップ５００社のうち20社が自社のウェブサイトのためにＯＶＨのクラウドサービスを利用している。大規模な故障は何万ものウェブサイトに影響する。「多くの企業が電子メールや自らのサイトにアクセスできなくて立ち往生した。仏国鉄のサイトで切符を予約できず、ニュース専門局のＢＦＭＴＶや多くの市のサイトにもアクセスできなかった」と、かのエンジニアは言う。ＯＶＨはこれほど大きな危機をどうやって乗り越えたのだろうか？

この事件の話を続ける前に、インターネットは、「サービスの継続性」という絶対不可侵の神聖なる掟《おきて》のもとで発展しているということを理解しなければならない。ウェブは途切れなく機能しなければならないし、「いつでも使え」なければならない。[9] 人命や国の安全保障がかかっているならば、医療や軍事のデータに常にアクセスできないといけないのは明白だ。しかし、休みなくネットサーフィンする何十億人という利用者を満足させなければならないことも容易いことではない。ネットは眠ることはなく、ネットを使うときに待ち時間があるのはもう許せないのだ。「１９９０年代末には、ウェブサイトのトップページが開くのに８秒かかった。今は、０・８秒でトップページ全体が見えないと、人は３つ目のモニター［１台のパソコンに３つのモニターを使う場合］を見るんですよ」と、データセンター研究所所長フィリップ・リュース氏は言う。[10] 要するに、われわれは「現在」の論理から「瞬間」の論理に移行したのだ。[11] この「即時性」という暴君は、リアルタイムであらゆる障害物を分析するコネクテッドカーや、マイクロ秒で取引するロボット・トレーダーや、毎分何百万ユーロの売上を上げるｅコマースのサイトに支配された世界では増幅するばかりなのだ。

データセンターを止めることができないのは、そういう理由からだ。「大雑把《おおざっぱ》に言うと、データセンターが約束するのは〝常にオン〟ということだ。あなたは常にオンになっているということ。〝邪魔をしないでくれ《ドント・ディスターブ》〟モードは存在しない」と、フィリップ・リュース氏は結論づける。[12] 常に競争が激しくなる業界なので、クラウドサービスの多くの企業は自社のインフラが99・995パーセントの時間、機能することを約束している。つまり、年間わずか24分間使用できないというだけだ。「何度もブラックアウトを経験する企業は、この業界から撤退する」と、リュース氏は断言する。[13] こうした企業のエンジニアにかかるプレッシャーが多大だと付け加えるのは無用だろう。その証拠に、英国のこうしたエンジニアの間でCIOという頭文字でささやかれているユーモアがある。このCIOはデータセンターの「chief information officer（情報システム担当チーフ）」という意味ではない。「carrier is over（キャリアは終わった）」という意味なのだ。

わずか数秒のロスが出たという理由で何百人、あるいは何千人の社員を解雇する用意がある企業が栄える体制の持続力について問いを発することもできる。だが、ここではOVHに話を戻そう。2017年11月9日、二重の故障を直すのに必死なエンジニアたちの頭のなかにはこういう思いがあった。一連のサービス切断は同社の評判を落とし、地位の失墜、あるいは倒産すら引き起こすだろう。ネットワークをできるだけ早くに復旧しなければならない。手がすいている技術者全員とその他の社員は緊急に呼び出された。ネットワークは何時間かして復旧したが、停電は続いていた。数日間は、「10人で1日24時間対処しました。疲れきるまで12時間交代で……。パニックとアドレナリンが混ざったような感じでした。ブレーンストーミングがあちこちで行われた。今日の真実は明日の真実ではないですからね」と、私たちの情報源は言った。任務は続いた。

交換部品を積んだトラックがやってきて、ストラスブールとルーベの間を技術者を運ぶためにプライベートジェットが2機チャーターされた。最後の修理の夜が明けた11月13日の朝、ＯＶＨの社長はついに勝利を宣言した。「すべてのサーバーがネットワークに復旧した」

　このエピソードは４日間「永遠に続くかのように」思えたという。企業にとっては大地震だ。多くの顧客にとっても損害は大きかった。失ったデータもあっただろう。だが、ＯＶＨは対応のよさを証明し、この危機からあらゆる教訓を得ると約束した。特にオクターヴ・クラバ社長はコミュニケーションを重視することを選んだ。[14]「インターネットはただ単にウェブページだけではない、その裏には大きなシステムがあり、人が働いているのだということが人々に伝わっただろう……クラバ氏は非物質的なものを人間的なものにするのに成功した」と、私たちの情報源はコメントした。ＯＶＨは結果的にうまく処理し、顧客の喪失は免れ、世界的クラスのクラウドサービスの地位は傷つかなかった。しかし、同社の社長は数多くのツイートを発表したが、二重の故障の真の原因は明かさなかった。企業の発展が絶対的使命であるために、インフラの安全性よりも顧客の「サービス継続性」の要求を満足させることを優先させたのかもしれない。

「初めてＯＶＨのサーバーの前に立った時（故障の2ヶ月前）、〝おやおや、ここはすごく遅れている〟と思ったものです」と情報源の元エンジニアは回想する。「ツールのメンテナンス不足は明らかで、いくつかの基本的な作業も放置されていた……。客室数ゼロから数年で２００室になったホテルを想像してごらんなさい。それがスタートアップの雰囲気なんです！　オーバーヒートは近いと認識していました」。クラウドサービス企業のために弁明すれば、インターネットのアーキテクチャーをあらゆる意味で常に逼迫《ひっぱく》させている責任はわれわれ利用者全員にあるのだ。その元エンジニアはこう言う。「利用者はウェブがどう機能しているかはまったく気にかけませんよね。インターネットが常により速く動くことを期待している甘やかされた子どもにすぎないんです。結局、みんながこの論理に縛られている[15]」

何が何でもネットの継続性

完全な可用性を目指すために、クラウドサービス会社は様々な予防措置を講じている。

◉ まず、エネルギー供給網の「重複性」を実践する。「電気供給が2つ、発電機も2つ、その上、停電と発電機作動の間の継続を保障するために市立図書館ほどの大きさの鉛蓄電池で埋まった部屋がある」と、カルノ・コンピューティング社のポール・ブノワ氏は解説する。[16]こうした体制にはしばしば膨大なロジスティクスが必要だ。たとえば、ニューヨークの中心地にあるいくつかのデータセンターの屋根には、「冷房のための冷水塔（中略）水道がとまったときのための貯水槽、通りからディーゼル発電機を持ち上げるためのクレーンなどの付属物がひしめいている。地下も、発電機に使う数十万リットルの燃料の貯蔵層につながる管に覆われている」と、データセンターに関する世界的な調査を実施した2人の研究者は描写する。[17] つまり、「性能の高いデータセンターほど、平方メートル当たりのコストが高い建物はない」と、フィリップ・リュース氏は結論づけた。[18]

◉ それればかりでなく、クラウドサービス業者はデータセンターそのものも二重にする。しかも、その2つが地殻構造の異なる場所に建てられるように留意するのだ！ 地震が起きたからといって、料理をインスタグラムにアップしたり、Ｔｉｎｄｅｒ上での出会いを遅らせたりするわけにはいかない……。２０１０年頃にグーグルのエンジニアが行った講演会では、Ｇメールは6重に複製され、チャットビデオ１本は通常、世界各地の少なくとも7つのデータセンターに保存されると説明があった。[19] 検証はできないが、大きな金融機関はデータセンターを15回も重複させているという噂もある。クラウドサービス産業は「幽霊データセンター」で満ちている。この業界の企業の設備の30パーセントまでは「電源は入っているが、待ちの状態で、何もしていない」と、マルク・アクトン氏は言う。[20]

◉ 最後に、クラウドサービス企業はトラフィックのピークに備えてインフラを「必要以上に大型にしている」。その結果、「ルーターがキャパシティの60パーセント作動すれば、それが最大ということだ」と、ＩＴ研究者のアンヌ＝セシル・オルジュリ氏は言う。[21] こうした過度の設備の必然的な帰結は、途方もない電力の浪費だ。「ニューヨーク・タイムズ」の調査によると、ほとんど使われていないデータセンターは消費する電力の90パーセントを無駄にしているとする。[22] もちろん、技術者のボーナスが、企業の電力消費を下げることよりも、設備の超可用性に応じて支給され続ける限りは何も変わらない。「この現象は、私たち一人一人が警告を発する決心をすれば逆の方向にもっていくことができるのだろうが、現実には私の娘はＴｉｋＴｏｋにくだらないことばかり載せている」と、フィリップ・リュース氏は残念そうに言う。[23] 要するに、エンジニアのポール・ブノワ氏が分析するように、「環境コストが高くなるのは、すべてに、いつでも、すぐにアクセスできることから来ている」

したがって「そんな〝がらくた〟を機能させるために必要なギガワットがどれだけか想像もつかないだろう！」と研究者のトマ・エルンスト氏は吐き捨てるように言うのも当然だ。[24] 事実、データセンターがひとつの都市において最も電力消費の多いカテゴリーに入ることは今ではわかっている。２０１９年末にパリで開催されたデータセンター・ワールド見本市（クラウド業界の最大の見本市のひとつ）での講演会で、ある企業の幹部が驚愕すべき発言をした。「データセンターはグラン・パリ［拡大パリ首都圏］の電力の3分の1を使用することがわかった」[25]。２０１７年からイル・ド・フランス地域圏［パリ首都圏］に進出したアマゾン・ウェブサービスは、「フランスで、数百万人の都市の需要に相当する１５５メガワットの電力契約を交わしたはずだ」と、匿名希望のある専門家は明かした。今日、クラウドサービス業界は世界の電力消費量の2パーセントを消費しているが、[26]クラウドサービスの成長のスピードからすると、2030年には今の4倍か5倍になるだろう。[27]言い方を変えれば、データセンターは「21世紀の電力消費で最重要な分野のひとつになるだろう」とセシル・ディゲ氏とファニー・ロペーズ氏は結論づける。[28]したがって、「クラウド」を経済発展のテコにした都市にとっては、データセンターが将来エネルギー問題の脅威になったとしても驚くべきではない。

切迫するアムステルダム

「アムステルダムとハーレマーメールの電力の10パーセントはデータセンターに使用されている。非常に高い数字だ！　われわれはどこに住みたいのか？　この現象に対して自分たちのコントロールを取り戻すにはどうしたらいいのか？」2020年の冬、アムステルダム中央駅の「グラン・カフェ・レストラン」の長椅子にもたれたマリエット・セデ氏は――バーカウンターにとまったオウムのおしゃべりだけが時おり話の腰を折っていた――アムステルダムに隣接する人口15万人のハーレマーメール市の都市整備の責任者であるだけではない。彼女はクラウドサービス業者とやり合う、世界の市議のパイオニアの一人でもある。ダブリン、ロンドン、フランクフルトとともに、アムステルダムとその周辺部は、ヨーロッパ最大のデータセンター中心地のひとつである。[29]アムステルダム都市圏はアメリカとヨーロッパ大陸を結ぶ光ケーブルのルート上にあるので、理想的な場所である。豊富な水はデータセンターを冷却するのにも好都合だ。電力も豊富、ネット接続状態も優れ、自治体も積極的だ。つまり、「クラウド」の天国なのだ。すでに30年来、クラウドサービス業者はより多くの電力供給を求めつつ、この〝北のヴェネツィア〟に集まってきた。

しかし、2015年以降、データセンターの増加に伴う電力供給のキャパシティについての懸念が浮上してきた。「当時、60メガワット規模のデータセンターがハーレマーメールに設置される計画が持ち上がった。その電力消費は人口12万人の町の需要に相当する」と、アリアンダー社〔オランダの大手電力・ガス会社〕のエンジニア、ポール・ヴァン・エンゲレン氏は回想する[30]。電力は十分にあるが、クラウドサービス業者が要求する1年の期限で新しい変電所を設置するには人的・技術的手段が不十分だった。技術者たちは「まった」をかけた。「われわれは初めてわが社のシステムの限界を認識し、配電されるまで数年待つようにクライアントに頼んだ[31]」。その数年間のうちに、アリアンダー社のエンジニアたちは資材と人材の不足を認識するようになった。アムステルダム都市圏の配電システムは明らかに不安定になった。新聞ではデータセンターの専門家たちが警告を発し[32]、会合でも、マルコ・ホーゲボーニングらの技術者が「市がより多くの電力を供給できないから、わが社のデータセンターは拡張することができない[33]」といった発言をするようになった。

2019年になると、こうした状況に特にハーレマーメール市は懸念を抱くようになった。同市にはすでに20ほどのデータセンターがあり、ほかに6つの建設計画があった。それに付随する街の景観変化に対し、街が醜くなると不満を抱く住民の訴えが起きた。市議会に初めて当選したマリエット・セデ氏はその問題に取り組んだ。彼女は市民が無個性な倉庫に囲まれるのを望まなかった。さらに、電力需要の高まりによって、周辺の花栽培の温室や病院や消防署の電力使用との確執が起きることも恐れた。また、データセンターの拡張に伴う1000ヘクタールの太陽光発電所をどこに設置したものかと自問した。「それは2000個のサッカー競技場に相当します！膨大です！　そうなると、うちの市はどうなるんでしょうか？」と疑問を投げかける。

データセンターのための土地整備はどうするのか？　将来的な電力消費はどれほどになるのか？　そのための配電網をどうするのか？　こうした疑問に答えは出ない……。政治家たちはクラウドサービス業の年間二ケタ成長についていけなくなっていると、セデ氏は感じている。停電が頻繁になるリスクも現実的な問題だ。彼女の意見には市を超えて賛同が集まるようになり、6月、アムステルダム市から密かに連絡があった。話し合いがなされ、ともに行動することが決められ、共同宣言が練り上げられた。2019年7月12日、クラウドサービス業界にとっては青天の霹靂《へきれき》だった。「われわれは終日、電話やノートパソコンでオンラインの状態でいたい」と認めた上で、アムステルダムとハーレマーメールにおいて空間は「稀である」とし、この2つの市は世界で初めて新たなデータセンターの建設のモラトリアムを宣言した。[34]

この突然の決定に衝撃が走った。だれもが驚いた。このモラトリアムは、2つの市が制御された都市開発戦略を策定する時間を考慮して2020年6月まで延長された。ハーレマーメールでは、データセンターの建設は2030年までは再開できるが、それ以降は「(そのために)使用可能な空間はない」と、同市は言い渡した。[35]「私たちばかりではないですよ。フランクフルト、デンマークのユトランド半島、ロンドン、パリ、ダブリンでも同じ問題が起きています」と、オランダのロビイスト、ステイン・グローブ氏は認める。[36]業界では、ほかの自治体も配電の飽和を避けるために同じような決定をするかもしれないという「アムステルダム効果[37]」を恐れた。有利な税制につられてデータセンターが急増しているダブリンが次の〝熱い〟都市になるのだろうか？　2020年、TikTokの親会社である中国の字節跳動科技(バイトダンス)社は、10代の若者が歌に合わせて体を左右に動かすビデオをストックするためのデータセンターをダブリンに建てると発表した。[38]この発表はグーグル、アップル、マイクロソフト、フェイスブックがそこにデータセンターを建設した後だった。「これらのデータセンターは市民よりも多くのエネルギーを消費することになる！」と、データセンターのエネルギーについてアドバイスするコンサルタント会社のオリヴィエ・ラベ氏は言う。[39]アイルランドの送電会社エイルグリッドの調査によると、2028年にはデータセンターは国の消費電力の29パーセントを消費するという。[40]それほどの消費電力の増加をまかなうために、アイルランド政府は野心的なグリーンエネルギー生産計画を展開するとし、2030年には再生可能エネルギーが国の「エネルギーミックス」の70パーセントを占める予定だ。しかし、現在のところアイルランドの電力の58パーセントは化石燃料から生産されており、パトリック・ブレズニハン氏とパトリック・ブロディー氏の両学者は「データセンター設置を促進することは持続可能性からはほど遠い」という論説を新聞に寄せた。[41]

インターネットを常時機能させるための電力の由来、それはセンシティブなテーマだ。世界の電力生産の主な資源は石炭だ。アメリカで最も自然の残る地方のひとつで、その資源への依存が与える影響を調べてみよう。

石炭なしに自撮りはない

2021年5月のある暑い日、バルティモアとアメリカ西部を結ぶ州間高速道路70号線に入りつつ、私たちは壮大で険しい山々の国に足を踏み入れるとは想像してもいなかった。カナダのニューファンドランド島からアラバマ州まで2000キロメートルと長く延びるアパラチア山脈は、ところどころに生気のない平野と狭い谷があり、アメリカンオーク（アカガシワ）とアカシア、モクレンとポプラ、松、ブナがあちこちに見られる。森が車道に迫っている。植物が生い茂っているところでは、森が道を覆い隠してはいないかとジープのバックミラーで確認したくなるほどだった。ここでは、1キロ走るたびに主人である自然が人間に与える一時的な恩恵あるいは許可をもらっているように思えた。

700キロメートル走ると、ヴァージニア州のほぼ西端にあるハーレイ村に着いた。19世紀後半から、鋼鉄生産や州の電力に不可欠な石炭[42]がこの村の周辺の山から採掘されていた。この地で「黒いダイヤ」と呼ばれる石炭は長年にわたってアパラチア山脈南部に富をもたらし、竪坑《たてこう》とボタ山と鉱夫住宅を伴いつつ雇用を創出した。20世紀半ばにはこの地方の1万2000の炭鉱で70万人が働いていた。その後、採掘の機械化とエネルギー資源の多様化によりアメリカの石炭産業は衰退し、今では就業者は全国でわずか5万2000人だ。[43] したがって、以前は人が集まっていたハーレイとその周辺から、多くの人が去っていった。非就労者は退職者、あるいは食料引換券か麻薬取引で生活していると言われる。アヘン類の消費が激増した。ここでは携帯電話のネットワークすら機能しない。アメリカンドリームはアパラチア山脈の谷間を見捨てたようだ。

しかし、瀕死のアメリカ石炭産業はまだあきらめたわけではない。アパラチア山脈地帯はアメリカで生産される640トンの石炭[44]の4分の1以上をいまでも占める。78パーセントが坑内掘り、残りは露天掘りだ。ハーレイ村の「第二露天坑」は、山の稜線上にある巨大な抜け道のようなものだが、私たちはスティーヴ・ハントさんのトラックの前部座席に乗ってそこに踏み込んだ。「ここでまだ活動を維持しているのは石炭だけだ」と、若い機械工のハントさんは言う。彼の家は炭鉱の下に寄り添うようにして建っており、彼は周囲を案内することにこだわった。「この資源がなかったら、俺たちは何をしたらいいんだ?」と言う。この場所に入ることは禁止されているが、ハントさんは気にしない。石ころだらけの道を抜けて、サッカー場数十個分くらいの大きな山塊のいびつな起伏を進んだ。ウェルモア石炭会社の工事機械に囲まれたその炭鉱の南斜面は今も活動している。

私たちがここに来たのは偶然ではない。世界で最もデータセンターの集中しているアッシュバーンはアパラチア山脈の多くの炭鉱――とりわけ第二露天坑――を資源とした電気を2008年まで使っていたようなのだ。事実、ヴァージニア州はアメリカの電力会社ドミニオン・エナジーほか数社から電力を買っており、ドミニオンはアッシュバーンに集中するクラウドサービス業者にはなくてはならない供給者として有名だ。同社は自社のアルタヴィスタ発電所のために、少し前まで第二露天坑の石炭を仕入れていた。ハーレイ村の東およそ300キロのところにあるその発電所[45]はアメリカの東海岸に配電している。

これは重要なことだが、第二露天坑の石炭は「山頂除去」という採掘方法を取っていた。このことは、グーグルマップで炭鉱の衛星画像を分析した環境保護団体「アパラチアン・ヴォイシーズ」の活動家エリン・サヴェイジ氏が教えてくれた[46]。具体的には、ツインスター・マイニング社(当時、第二露天坑を運営していた)は石炭を掘るために爆薬を使って山を平らにしていたため[47]、第二露天坑は「30メートル低くなった」とスティーヴ・ハントさんはいびつになった風景を見つめながら言った。「山頂除去」の影響はハーレーだけに限らない。「ドミニオンが2008年から2014年の間にヴァージニア州内で購入し燃焼させた石炭の多くは、その方法で採掘されたと請け合ってもいい」とエリン・サヴェイジ氏は強調した。

この山頂除去法は、坑道を地下に掘って採掘する坑内掘りよりも低コストであるため、1970年代から採用する鉱業会社が増えた。前日にローリー郡で会った市民団体「コールリヴァー・マウンテンウォッチ」の活動家ジュニア・ウォークさんの計算によると、ウエストヴァージニア州で使われた爆発物の出力を年間で合計すると、広島に落とされた原子爆弾「リトルボーイ」の13個分に相当するという。[48] 山頂除去法は現在、アメリカの電力生産の3パーセントで使われているといわれる。[49] アパラチア山脈に属する数百の山がこの数十年で、黒いダイヤを生産するために山頂を削られているのだから、その結果は目にも明らかだ。[50] デューク大学（ノースカロライナ州）の研究者たちによると、山頂除去法はウエストヴァージニア州の最も活発な炭鉱地区を「掘削前よりも40パーセントほど低くするのに」貢献したという。[51]

アパラチア山脈内の露天掘り炭鉱の環境に与える影響を評価する研究がいくつか実施された。[52] それらの研究をまとめたアメリカ合衆国環境保護庁（ＥＰＡ）の結論によると、炭鉱開発が行われた地区周辺の生物多様性は大きく低下し、土壌移動のためにいくつかの小川が消失し、周辺の小川に高濃度のセレンが検出されるというものだ。[53]「水質への影響は30年続く可能性がある」と、デューク大学の研究者は警告する。[54] さらに、石炭産業がもたらした、水の流れの地形学上の影響については、「何千年も続く可能性がある」とする。[55] 鉱業会社は、採掘をやめたら炭鉱を浄化して木を植える義務がある。しかし、石炭産業の斜陽で、「多くの企業は倒産に追いやられる。そうすると、旧炭鉱を整備する資金を持たない可能性があり、炭鉱はそのまま放置されるだろう」と、エリン・サヴェイジ氏は予測する。[56] つまり、「クラウド」の環境負荷は、地球が形成した山々のなかでも最古の部類に入るアパラチア山脈の起伏にこれからも長くとどまるだろう。

現在はどうなのだろう？　ドミニオン社は今でも「山頂除去」で石炭を掘っているのだろう

か？　それを確認するのは非常に難しい。まず、同社の電力生産に占める石炭の割合はかなり下がった。２００５年は50パーセントだったが、現在は12パーセントだ。[57]　そして、「エネルギー会社は、発電所の燃料になる石炭の正確な出所を明らかにすることを義務づけられていない。したがって、それについての情報は不明瞭だ」と、サヴェイジ氏は残念がる。しかし、調査を続ければ少しは明らかになるかもしれない。ハーレーから北東に車で6時間行くと、やはりドミニオンの運営するマウント・ストーム石炭発電所がウエストヴァージニア州の平原に立ち現れる。ここで使われる石炭は、車で30分のところにある、メッティキ・コール社が経営する処理工場から来ている。私たちは、環境保護団体「アッパー・ポトマック・リバーキーパー」の職員、ブレント・ウォールズさんとそこに行ってみた。

森の木々の間に石炭の洗浄のための大きな建物が数棟見える。建物の間は石炭が運ばれる橋でつながっている。その工場に向かうトラックの列をさかのぼって10分ほど行くと、露天掘りの巨大な炭鉱があるが、その中には入れない。石炭精製で出る廃棄物はメッティキ・コール社の工場から3キロほどの廃棄場に何十年も前から積み上げられている。私たちはそこに近づいた。ブレント・ウォールズさんは車のトランクからカメラ付きのドローンを取り出した。ドローンは高く舞い上がった。空から見ると、目をみはるような地形だ。周囲数キロメートルにわたる高さ２００メートルの山地に、工事車両が行き来する道路が縦横に走る。[58]　バックボーンマウンテンと名づけられたこの巨大な丘はアパラチア山脈の中央部にある。

「当時は、この山は谷だったんだ！」と、２０１７年にここに家を買ったある住民は自信ありげに言う。この80代の男性は、自分の言葉によってメッティキ・コール社との関係が悪化するのを恐れて、ただ「ジェームズ」とだけ名乗った。訴訟が持ち上がりそうだからだ。１ヶ月前、彼と妻のウェンディは家のある丘のてっぺん部分をメッティキ・コール社が削る予定だと隣人から聞いた。「やつらは木を全部抜いて、30ヘクタールにわたって深さ50メートルまでの土を掘り出すつもりだ」と、ジェームズさんは丘の頂上を見ながら言った。「その土は、メッティキがもう必要としなくなった時にバックボーンマウンテンを覆って木を植えるのに使うんだ」。それはいつ行われるのだろうか？　ジェームズさんはまったく知らないが、「ここらへんには農業も野生の動植物もまったくなくなるだろう。シカもクマも、コヨーテも野生の七面鳥もいなくなる！　あいつらはめちゃくちゃにしていくんだ……それが真実だよ」と叫ぶように言った。

　廃棄場や旧炭鉱を再整備するために山頂を削って持ってくるのは、なにもバックボーンマウンテンに限ったことではない。ハーレイでも、第二露天坑の一部を再整備するのに同じような手法がとられると住民たちが教えてくれた。メッティキ・コール社の石炭を使うマウント・ストーム発電所が生産する電力は、ドミニオンの別の多数の発電施設（ガス、太陽光発電、バイオマスなど）による電力に追加される。そして、およそ20の州――アッシュバーンのあるヴァージニア州もそのひとつ[59]――に散らばった７００万の顧客に供給される。われわれのデジタル生活様式が、私たちの眺めることのできた野生的な風景に決定的な影響を及ぼすのは確実だと思われる。

GAFAMはドミニオン・エナジーの前にひざまずくのか？

どうすればIT企業はこうした環境負荷を軽減できるのだろうか？　その答えは、少なくとも部分的にはドミニオン・エナジー社のやり方にかかっている。同社は2021年の純利益が30億ドル以上に上る大企業であるばかりではない。地方の政界では避けて通ることのできない有力者なのだ。ヴァージニア州の政治資金の透明性を求める活動家のジョッシュ・スタンフィールドさんは、そういう会社は「自分たちの望むことを、共和党、民主党にかかわりなく議員にさせるのです」[60]と言う。ドミニオンは公にはエネルギー転換を実現するのに腐心しているのだが、舞台裏ではそれを遅らせようと画策している。よって、同社は政治的な同盟者に気を配り、たとえば火力発電所の閉鎖を遅らせるための重要な修正案を議員らに供給し、[61]同盟議員に気前のよさを見せるすべを知っている。1997年から2018年の間にドミニオンはヴァージニア州のあらゆる派閥の議員に計1110万ドルを提供した。[62]そして2020年にも、2018年の3・5倍にあたる130万ドルを献金した。[63]同州史上最大の政治の寄付者の地位を誇れるほどだ。[64]ドミニオン支持者のなかでもヴァージニア州下院議員の共和党のテリー・キルゴア氏は「最も熱狂的なドミニオン擁護者の一人で、彼は死ぬまで石炭産業を支持するだろう」と、ジョッシュ・スタンフィールドさんはため息をつく。[65]2020年、キルゴア氏はドミニオンの石炭発電所ひとつの閉鎖を延期する修正案を可決させようとして、結局失敗した。[66]偶然の一致か、キルゴア議員は1997年以降ドミニオンから計23万891ドルの政治献金を受け取っている。[67]ところが、同社のロビー活動は期待された効果をすべて生んでいるわけではなく、この5年間で生産電力に占める石炭の割合を大きく減少せざるを得なかった。この減少を相殺するために、同社はますます天然ガスに頼るようになり、今では同社のエネルギーミックスの4割強を占める。確かに天然ガスは二酸化炭素の排出量が石炭の半分だが、1世紀のスパンで見ると二酸化炭素の20倍の温室効果があるメタンガスを排出する。[68]その結果、「気候変動への（ドミニオンのエネルギー政策の）影響はひどくなる恐れがある」と、環境保護団体「シエラ・クラブ」のために活動するアメリカ人弁護士は懸念を示した。[69]

ドミニオン社は無言で抵抗したために、ついに2019年にはアップル、アマゾン・ウェブサービス、アドビ、マイクロソフトなどの大企業が共同で同社に書簡を出し、「電力供給者によって繰り返される、化石燃料による高価な発電所計画をもって（われわれの）エネルギー要望に応える意図についての懸念」を表明した。[70]世界で最も強力な企業のドミニオンに対する無力さの表れか？　自分たちの責任を他者に負わせようとしているのか？　とにかく、こうした状況によって、グリーンピースが2017年に公表した報告書で、いくつかのIT大企業が自分たちのデータの一部をヴァージニア州のデータセンターに保存したことを批判した[71]理由が部分的であれ説明できる。アマゾン・ウェブサービスは使用する電力の30パーセントが石炭由来だ。オンライン動画配信サービスのネットフリックスも同様。世界のインターネットのトラフィックの15パーセントが、ネットフリックスに占められていることからすると、石炭が30パーセントというのは驚くべき数字だ！　しかも、アドビの「エネルギーミックス」の23パーセント、オラクル社の同36パーセント、ＬｉｎｋｅｄＩｎの23パーセントもやはり「石炭由来」なのだ。ツイッターでは21パーセント程度だ。次にツイートされるときは、この数字を思い出してもらいたい。

最近の法律で決まったように[72]、ヴァージニア州のエネルギーミックスが、２０４５年か２０５０年に１００パーセント再生可能エネルギーで賄われるまでは、デジタル経済の大企業は自分たちの二酸化炭素排出を「グリーンエネルギー・クレジット」で相殺することができる。１９９８年にアメリカで、２００１年にはヨーロッパで創設されたこのシステムは、太陽光発電や風力発電で生産された電気は、いったん配電網に流されると、火力発電や原子力発電由来の電気とは区別できないという発想からスタートした。だが、グリーンな電力会社は——専門の仲介者を通して——再生可能エネルギー資源に自らの電力消費をヴァーチャルにつなげることを望む企業に証書［グリーン電力証書］を売ることができる。これを蓄積すれば、たとえばネットフリックスのような企業にカーボン・ニュートラルに達成したと宣言できる可能性を与えるのだ[73]。実際には、ネットフリックスは石炭由来の電力を消費する。だが、紙の上の計算では、同社の環境負荷を相殺することができる。それは純然たる「グリーンウォッシング」であるが、データセンターの世界で直言を辞さない数少ない人であるフィリップ・リュース氏によると、「知的かつ道徳的詐欺[74]」なのだ。再生可能エネルギーのクレジット制は、それを買うことによってグリーンエネルギーの発展を経済的に支援するのだから、意図としては良い。しかし、そのクレジットは少なくとも十分に高価でなければならないだろう！　アメリカではクレジットは1メガワット時当たりおよそ0・7ドルで売られる。真剣にグリーン電力への転換を支援するにはあまりに低い価格だ。実際、その問題で権威を持つある組織は、このクレジット制があってもなくても、再生可能エネルギーの発展には何の影響も与えないとしている。[75]その一方で、「安価なグリーン」は、ネットフリックスのような多数の企業がエネルギー転換を遅らせるための絶好の手段であることは明らかである。

それでも、今日の世界の電力の35パーセントは石炭火力発電によるものだから、こうした欧米のＩＴ企業は大体においてその他の地域よりもましなのだろう。だが、化石燃料の利用に慣れたＩＴ産業全体――世界で生産される電力の10パーセントを消費する[76]――が温室効果ガス排出の3・7パーセントを占める[77]（この数字は２０２５年までに倍になるかもしれないが[78]）ことの説明になる。それゆえ、われわれの〝デジタル行為〟が――たとえごく平凡なものでも――二酸化炭素排出を生じさせると私たちは認識しなければならない。電子メール1通は最低0・5グラム、添付ファイルがあれば20グラムの二酸化炭素を生じさせる。これは電球を1時間使う時の二酸化炭素排出量に匹敵する。[79]そして、世界中で毎日、３１９０億通の電子メールが送られているのだ。[80]とはいえ、電子メールの二酸化炭素排出量は、データトラフィックの60パーセントを占めるオンライン動画に比べると微々たるものだ。[81]あるデータセンター事業者は、この数字をわれわれ個人のレベルに置き換えて示してくれた。そのため、韓国歌手ＰＳＹの世界的ヒット「江南スタイル」のミュージックビデオ――年間およそ17億回視聴された――を例に挙げ、この17億回の視聴は、イッシー・レ・ムリノー［パリ郊外の市］、カンペール［ブルターニュ地方の都市］、トロワといった小都市［いずれも人口６万人強］の年間電力消費量に匹敵する２９７ギガワット時に相当するとした[82]。

こうした非物質化のマイナス面はＩＴ大企業の評判を落とし始めた。だが、それに対抗する準備も進んでいる。ＧＡＦＡＭがよりグリーンなインターネットのカギを見つけたと思ったのは、ヨーロッパの北極圏、広大なラップランドの平野の真ん中だった。

第6章
北極圏における
たたかい

「ここでは雲《クラウド》が地面についている！　今、ここで何十億という演算が行われている最中ですよ。そう思うだけで不思議な気がします！」スウェーデンのデータセンターサービス会社Ｈｙｄｒｏ66の営業部長であるフレデリック・カリオニエミ氏は、非常に満足そうに言った。警備員の注意深い監視の目を通り、くもりひとつないガラスがはめ込まれたインターロック扉を抜けて入った、木製の巨大な建物の中は、５００平方メートルのデータセンターだ。文字通り「雲《クラウド》」の中に入ったわけだ……。最初に押し寄せてきた感覚は聴覚だ。機械から、つつかれた10億匹の働きバチのような甲高い雑音が発している。次に視覚。サーバーが収納された（キャビネットの）メタルの扉が緑色の光の下に並んでいる。サーバーから発する熱波に冷たい風が続く。壁に取り付けられた大きな換気装置から内部に入ってくる外気だ。このうなりを上げるホールの外では、すでに粉雪に埋まった風景を大量の雪がさらに覆っていく。ここはスウェーデンのラップランド地方にあるブーデンだ。

よりクリーンなデータのためのテクノロジー

2020年冬に私たちがスカンジナヴィア半島の北端にまで足を延ばしたのは、インターネットが熱を発するからだ。データセンターの機器のなかには温度が60度に達するものもあるが、最適な労働環境のためには室温は20度から27度程度でなければならない。冷却システムはエネルギーを食うので、「データセンターの消費する電力の半分に達する可能性がある」と、情報科学のある教授は説明してくれた。[1] どうすればエネルギーをより少なく消費できるか？ 温室効果ガスを排出しない電力をどうやって手に入れればいいのか？ この2点は、体面を大切にするIT大企業を動かす実存主義的な問いだ。イメージは非常に重要だからだ……。エネルギーの大量消費に名を連ねることは論外だし、気候温暖化に連なるのはもってのほかだ。2012年にグリーンピースが「あなたの会社のクラウドは、どういうふうにクリーンなのか？」[2] と書かれた横断幕がシアトルのアマゾン本社建物の正面に掲げられた事件はよい思い出ではない……。その2年後にもグリーンピースは、アップル、グーグル、アマゾンに使用電力のグリーン化を要求する強いスローガンを掲げてシリコンバレーの上空に飛行船を飛ばした。[3] GAFAMの名声を傷つけるリスクは内部から生じることもあった。2019年以降、何千人というアマゾンの社員は2030年までに二酸化炭素排出をゼロにするよう経営陣に要求するデモを行った[4]――メディアもそれを盛んに報じた。それに加えて、経済的問題も重要になってきた。「エネルギーはデータセンターの最大の支出項目だ。われわれの顧客に送る請求書の30パーセントを占める」と、オランダのデータセンター事業者インタークシオンの幹部は言う。[5]

すべてを再生可能エネルギーに転換することの環境保護面の利点は議論されるべきだろうが、[6]はたしてIT企業はそんなことを心配しているだろうか？　できる限り「グリーン」であることを誇示する競争が始まった。GAFAMの各本社は新たなイメージ戦略のシンボルになった。カリフォルニア州のクパチーノにあるアップルパークは、9000本の木を植えた人工的な森を擁しているだけでなく、ソーラーパネルに覆われていて、アップルのティモシー・クック最高経営責任者は「地球上で最もグリーンな建物」[7]と称している。ピュアなイメージを完璧なものにするため、カリフォルニアのいくつかのIT企業の本社の芝生は、乾燥期になると緑にペイントされるという……。企業活動を全体的に脱炭素化するため、IT企業はおよそ10年前から太陽光発電や風力発電の会社と膨大な数の電力供給契約を交わしている。アップルとアマゾンは中国、アメリカ、日本で再生可能な発電所建設に自ら乗り出してすらいるのだ。[8]それに続いてデジタル業界全体が再生可能エネルギーに連なることを求めている。「エキニックス、コンパス、サイラスワン、バンテージといったクラウドサービスの大手はカリフォルニアの大企業を顧客に持っており、電力の転換を図るよう顧客に要求されている。クラウド大手はそれに応えるという選択肢しかない」と、ハイドロ・ケベックの幹部、クリスティアン・デジャン氏は言う。[9]この変化はあらゆる種類の「グリーンウォッシング」への道をしばしば開く……。たとえば、パリ北部の郊外サンドニ市にあるデータセンターを2015年に訪問した専門家のジャーナリストが報じているようなことだ。「建物の屋根にはソーラーパネルが設置されている。そこで生産された電気は何に使われるのかと聞くと、〝データセンターの電力消費量から考えると、コーヒーメーカーに電気を供給するくらいでしょう〟という答えだった」[10]

公式な発表のウラでグリーンエネルギー・クレジットを購入する……関係者がどれぐらい真摯なのかを正確に知るのは困難だ。確かなことは、こうした態度の変化が現実だとしても、デジタル業界が信じ込ませたがっているような夢のような話ではないのは確かだ。「グーグルは最近、使用する電力は100パーセント再生可能エネルギーだと宣言したが、それがまったく不可能なのは明らかだ」と、先のジャーナリストは断言した。[11]「多くの不誠実、まやかし、さらには悪意までいろいろある。〝グリーンな〟データセンターは存在しない」と、データセンター研究所のフィリップ・リュース氏はインタヴューで明かした。[12]データセンターの排熱を市営プール、オフィス、農業用温室、さらには一般家庭にまで再利用するという有力なやり方はある。オランダのロビイスト、ステイン・グローブ氏は「オランダでは、この排熱で100万世帯の暖房をまかなえる可能性がある」と言う。[13]この発案はメディアには受けたが、供給する側と需要の場所の距離があまり離れないようにするのは容易なことではない。また、そのための設備を増やすことはデータセンターの役割でもない。「データセンターはウマゴヤシを乾かすためにあるのではない。役割を間違っては困る」と、リュース氏は皮肉る。[14] データセンターの排熱に期待することは、危険な状況に陥る可能性もある。オランダのマリエット・セデ氏はこう言う。「クラウド業者がある日、インドに拠点を移すと言ったらどうなるの？　暖房のインフラがなくなるわけでしょう！　データセンターが（市のための）暖房を供給してくれると思うのはお人好しすぎる！[15]」

とにかく、そうしたイニシアティブは、デジタル産業の膨大な電力消費をどう制御するかという根本的な問題をまったく解決しない。そのため、問題の根本から対処するために、「エネルギーパフォーマンス」「最適化」「パフォーマンス計数[16]」といった言葉が近年、クラウドサービス会社の耳に甘くささやかれるようになった。「エネルギー効率の分野で一番努力している産業のひとつはデータセンター業界だ[17]」という話が聞こえてくるほどだ。ハイパースケールのデータセンター（何千台ものサーバーを収納できる大規模なインフラ）における集中化はすでにデータ保存の最適化を実現している。スイスやオランダでは、データセンターを液体に浸けて冷却する工夫をしている。[18] もっと過激なものでは、マイクロソフトがスコットランド北部のオークニー諸島の沖合で新世代データセンターを海中に設置する実験を行っており、将来は海底に設置されるかもしれない。[19] 楽観的なのか、思い上がっているのか、デジタル産業は今現在のテクノロジーの効率性にこだわらなくてもいいのだ。現在のテクノロジーはずっと効率的な技術革新に取って代わられるからだ。その証拠に、まもなく、量子物理学の進展によって、データセンターのボリュームは1冊の本に相当する量に減らせるようになる。ＤＮＡへの保存テクノロジーなら、情報データすべてをコード化して自動車のトランクほどのスペースに収められるのだ。[20] より楽観的な未来を想像すると、データセンターから人間はいなくなる。データセンターは完全に自動化され、故障した部品を交換するのにサーバーの列をよじ登ることのできるロボットが作業するようになるだろう。人間がいないのなら、ロボットの作業環境は35度まで上げることができ、冷却の必要を少なくし、よってエネルギー消費を減らすことができる。[21] ひょっとしたら、データセンターを宇宙に飛ばすようになるかもしれない。真空状態なら機器の寿命は長くなるだろうし、環境保護面でも有利かもしれない……。「ともかく通信技術は人工衛星でパフォーマンスが上がった！」と、ITコンサルタント会社の社長は指摘した。[22]

とはいえ、こうしたテクノロジーの未来の約束をもってしても、世界で最も有名な企業のひとつであるフェイスブックが何年か前に前代未聞の危機に直面するのを防ぐことはできなかった。

超冷たいデータセンター

地球に話を戻そう。2010年、データ保存を外注していた、世界最大のSNS、フェイスブックが、オレゴン州プラインヴィルに面積1・3ヘクタールの自前のデータセンターを建設すると発表した。[23]「(サーバー)ファーム」はテクノロジーの粋であり、フェイスブックは省エネを約束していたのだが……。かなり早くに専門メディアは、そのデータセンターは主に石炭火力発電所から電気をまかなうと暴露した。[24] その記事をきっかけに、フェイスブックの化石燃料利用に反対するグリーンピースのキャンペーンが世界中に広がった。フェイスブックのエネルギー政策を批判するグリーンピースの報告書が相次いで公表され、SNS上ではグリーンピースの請願書を広めるネットユーザーのグループすらできた。世界最大規模の企業の評判にかかわるリスクは想像できるだろう。「フェイスブック側は何も言わなかったが、当時の経営陣はグリーンピースのことを気に病んでいた」と、あるオブザーバーは言う。[25] したがって、スケールの大きな発表をして早期に行動を起こさねばならなかった。

2009年以来、スウェーデンのある業界団体——後に「ノード・ポール」という名で知られるようになる——はIT大企業のサーバーファームをスウェーデンに誘致しようとしていた。マッツ・エングマン氏の率いる実業家代表団はすでに、IT企業のトップたちに会うためにシリコンバレーを訪問していた。その中にフェイスブックもある。フェイスブックは発展し続けていたので、常により多くのデータ——とりわけ、ヨーロッパ、アフリカ、中東のネットユーザーのデータ——をストックする必要がある。新たなデータセンターを旧大陸に設置する必要があった。しかも、プラットフォームへの8億の「ネットワーカー［個人や仕事のネットワークを作り維持する人］」の接続速度（〝遅延〟ともいう）をなるべく速くしたい。エングマン氏は、スウェーデンがその要求に応える新たな場所になるかもしれないと考えた。この国は実際、政治的に非常に安定している。最後の戦争は1814年の隣国ノルウェーとの戦争だ。地震もほとんどない。同氏は、国の最北にあるルレオ市が特に可能性を秘めていると考えた。電気インフラも信頼性が高い。スウェーデンで最長の川のひとつ、ルーレ川の「グリーン」と評判の高い水力発電によって競争力の高い価格で電力を提供できる。しかも、その地の気温はほぼ年中、恐ろしく低い——最低気温はマイナス41度だ。こうした地理条件はデータセンターを自然に冷却するので、クラウド事業者のエネルギー消費量とコストを削減できる。つまり、エングマン氏は「寒さ」——無料の寒さ——を提案するのだ。[26] スウェーデンの北極圏では、ビジネスの「気候」が文字通りＧＡＦＡＭにぴったりなのだ。

エングマン氏の論拠を知ると、フェイスブックの代表者は「その土地が気に入った！」と叫んだことだろう。フェイスブックは２０１０年９月にスウェーデンの業界団体に連絡を取った。同社はインフラを拡大しようとしたばかりでなく、あるストーリーを宣伝しようとしたのだ。気候を「救う」ために、世界で最も住みにくい地域のひとつに「１００パーセントグリーンな」データセンターを建設するという大胆な試みに挑む責任ある企業というストーリーだ。フェイスブックに当初は40ヶ所が提案された。そして22ヶ所に絞られ、さらに８ヶ所、最終的に２ヶ所になった。エングマン氏は、トーマス・ファーロング、ジェイ・パリク、ダリン・ダスカロリスの命を受けたとされる弁護士や建築家の一団が国中を駆け回っているのを知った。３人はフェイスブックの幹部であり、場所探しの結果を直接マーク・ザッカーバーグＣＥＯに報告した。交渉が始まったが、あまりにも秘密裡に行われたので、「プロジェクト・ゴールド」という暗号名が付いたほどだ。フェイスブックの要求は前代未聞の厳しさである上に、プロジェクトの規模も並外れていた。すべてが桁外れだった……。しかし、フェイスブックがラップランドに拠点を持つという計画は非常に魅力的だったので、「私たちは誘致するためにでもする覚悟だった」と、エングマン氏は振り返る。[27] 補助金や課税免除も誘致オファーに含まれており、フェイスブックのためにスウェーデン王自らが主宰するレセプションの可能性もささやかれていた。

噂が国内で広がっていった。「何か重大なことが進行しているとは思っていたが、それが何かはよくわかっていなかった」と、地元のクラウド事業会社の幹部、ニクラス・エステルベルィ氏は回想する。[28] そして、２０１１年10月にニュースが舞い込んだ。フェイスブックは、猫の動画やバカンスの写真を保存するために、北極圏から１００キロメートルの地点にあるルレオを選んだと公表したのだ。建設工事は市北部の工業地帯ですぐに始まった。２年間のうちに、１２０の企業が３ヘクタール近い建物をなるべく目立たないように建てることを任され、何百社というアメリカの下請け企業もこれに加わった。建設機械が絶え間なく行き交った。建設費5億ユーロの工事は大した問題もなく進んだ。[29] ２０１３年3月、工事がほぼ終わりかけた頃、２５００人の住民がルレオの凍結した湖に集まり、歓迎の印に巨大な親指（フェイスブックの「いいね！」にならって）の形を作った。[30] データセンターが稼働し始めたのは同年6月12日だ。マッツ・エングマン氏はその日のことをよく覚えている。その日はスウェーデンと外国との間のインターネットトラフィックがわずか1分で2倍になったのだ。

それ以来、フェイスブックが所有するネットワーク――メッセージアプリのＷｈａｔｓＡｐｐ

やインスタグラムをはじめとして——にヨーロッパ人が作るデータはすべて北極圏に集中している。[31]もちろん、数知れない「友人」も忘れてはいけない。ジョン、レベッカ、エンリコ、そして、フェイスブックにアカウントを持っているヨーロッパの人たちは「大陸ヨーロッパ」からおよそ2000キロメートルのところに宿を借りているのだ。遠いと同時に近い。ネットワークのメンバーすべてにアクセスするのに30ミリ秒——まばたきの3分の1の時間——だけで十分だからだ。

非物質の美しさ

2020年の冬。凍るように寒く雪の降る朝、私たちはストックホルム駅からルレオに向かう560番列車に乗り込むことにした。時間を長引かせることを選んだのだ。車窓の枠にラップランド地方の風景が何時間も流れていく。右側はボスニア湾の丸みを帯びた輪郭。左側には、変化のない広大な平野、氷に覆われた動かない川や松林が続き、妥協の余地のない物理の掟に支配されている。ピンとこないかもしれないが、SNSが叱責や悪口で熱くなればなるほど、その所在地として選ばれたスウェーデンの風景は静かで無表情に見えるのだ。ストックホルムから北に500キロのクラムフォシュ市を過ぎると、垂れこめた雲に割れ目ができて、光が差してきた。複線が単線になる。時折、列車が停まって、針葉樹の原木を運ぶ機関車が轟音を上げて通り過ぎるのを待つ。列車の乗客が少しずつ降りていく。太陽が沈み始めた。まもなく、最後の柔らかな黄色がかった光が平原を照らす。「このへんに何をしに来たのですか」と、ある乗客が私たちにたずねた。私たちがなるべく合理的な説明を試みると、その人は目を丸くして私たちを見つめ返した。私たちの旅の目的はどうも理解を超えるらしい。出発してからすでに900キロメートルの時点にいる。最後の日の光がルレオの町に差そうとするとき、ローカル列車は停まった。

「フェイスブックの何十億人という利用者のアカウントに投稿された写真は、その人たちの携帯電話の中にあるのではなく、マイナス30度の私の生まれた町のこの事務所から300メートル離れた場所にあることを、周りの人たちにどう説明すればいいのでしょうか」と、ニクラス・エステルベルィ氏はつぶやく。彼はデジタル産業の退職者なのだが、SNSのデータセンターのことを口にすると、陶酔感ととまどいの混じった気分に沈んでしまうようだ。「自分を取り囲む世界の複雑さをまだちゃんと理解できないんですよ」と、彼はある種の感慨とユーモアを込めて言った。[32] データセンターを訪れた人は、「それを巨大で圧倒的だと表現する。まるで、ポータブルパソコンのキーボードの下に入り込んで、その内部を散歩しているような感じなのでしょう」と、研究者カール・アンデション氏は表現する。[33] データセンターの訪問を許されることは稀なことだ。私たちの立場ではしょせん無理だろうと思っていたので、実はプレス担当に申し込むことすらしなかったのだ……。

噛みつくような寒さだ。私たちは粉雪が厚く積もった道に思い切って足を踏み出し、周囲を歩き回ることで満足した。高さはおよそ30メートル、長さはサッカー場を3つ並べたほどの明るい緑の巨大な倉庫が静かに私たちの前に現れた。世界で最も人気のある企業の一部がここにあることを示すものは何もない。あるのは建物の近くに立っている、有名なロゴのついた目立たない3つの旗だけだ。防犯カメラと防護フェンスが独特の雰囲気を醸し出している。もちろん、私たちの身元と訪問目的をたずねる、子どものような顔をした30代とおぼしき警備員もだ。「写真を撮ってもいいですか」と私たちはたずねた。「それを邪魔することは私にはできないでしょうよ！」と、イライラした様子の警備員は答えた。私たちが15分ほどかけて建物をじっくりと見て回っていると、セキュリティ指令所の窓ガラスごしに2人目の警備員が無線電話で話している。車に乗ったパトロールがだんだん近くにやってくる。そろそろこの場を離れるほうがいいだろう。

データセンターは計画通りに機能しているのだろうか？　フェイスブックはこんな住みにくい土地で期待した人材を確保することができたのだろうか？　同じ工業団地に同社が追加で建てた2つのデータセンターはどうなのだろうか？　ルレオのバーで出会った数人のアメリカ人（おそらくフェイスブックの社員だろう）はあまり話したがらないようだ……。「フェイスブックがこんなに秘密主義だとは思わなかった。まったく偏執的だ」と、カール・アンデション氏は驚いていた。[34]インターネット上では、フェイスブックはどこでも見られるのに、触知できる世界ではどこにも見えない。味気ない建物と最小限の広報、そして衝立の役目をする子会社ピナクル・スウェーデンABの陰で動くことによって、フェイスブックはひょっとしたら、「ルレオの住民がもうフェイスブックに関心を示さず」に忘れるという賭けに勝ったのかもしれない、とニクラス・エステルベルィ氏は分析する。[35]研究者アスタ・フォンデラウ氏はフェイスブックの物理的存在を意図的に見えなくするという戦略の動機を次のように分析した。「データの流れと収益に悪影響を及ぼすような（中略）あらゆる摩擦や抵抗を最小限にする目的だ[36]」

この「摩擦のない利益」というマーケティング戦略は目新しいものではない。もともとは、アメリカの研究者ジェフリー・ウィンターズ氏が１９９６年に「ゾーン・キャピタリズム」と呼んだものだ。つまり、「ビジネスに有利な雰囲気を作り出すために集中的な努力がなされる」、しばしば隔離された特殊な経済ゾーンである[37]。石油会社にも有効だ。彼らは多くのアフリカ諸国の政治経済にしばしば関わっているにもかかわらず、その産業活動は消されている。たとえば赤道ギニアのケースのように、そこで行われている地質学上必要な採掘や精製は大陸とは離れたオフショアのプラットフォームに移されている。その利点とは、生産のテンポを遅らせるような反対運動を制限できることである[38]。同じ目的で、ＧＡＦＡＭは物質的なものから切り離されたいのだ。こうして、世界中におよそ15ヶ所のデータセンターを所有するグーグルは、建設計画がすでに認可されている場合でなければ自社名とデータセンターが結びつかないように、しばしばペーパー会社を利用する[39]。アメリカでは、グーグルは自社のデータセンターのある市町村に厳しい秘密保持条項を要求する。その施設の水や電気の消費についての住民の議論を回避するためだ[40]。ノースカロライナ州のメイデンという町に４・６ヘクタールという巨大なデータセンターを有するアップル社も同様だ。近く操業するという発表が２００９年にあるまでは、グーグル・アースにも掲載されなかったのだ[41]！　アマゾンはというと、ウィキリークスで漏れた文書によれば、ヴァデータ社とかヴァンダレー・インダストリーズといった名前の企業の陰で秘密裡にデータセンターを増やしていたことがわかっている。[42]

この数十年のうちに、インターネットの〝耐え難い軽さ〟は、労組を実存主義的挑戦に導くだろう。労組の誕生は目に見える生産の場——工場——における労働力の集中に歴史的に結びついている。「存在しない」とみなされる工場に、どうやってストライキのピケを張ることができるだろうか？　オンラインに移った労働空間へのアクセスを阻止できる方法があるだろうか？　高尚なるデジタルツールを味方につけることによって、労働争議はサイバー空間を包囲できるのだろうか？　少なくともアメリカの大学の学者タング・ホイ・ヒュー氏はそう考えている。彼は「電子の問題には電子で反対」しなければならないと言う。[43] そうなると、未来の労働組合主義は、デジタル資本主義のウェブサイトへのアクセスを阻止したり、問題になりそうな情報を漏らすようなサイバー攻撃を行うアーティストや「ハクティヴィスト」に指導されるようになるかもしれない。そうした新たな形の対立が出現するまでは、「ネット大企業は非物質性の美しさを維持したがるのだ」と、フォンデラウ氏は分析する。それは、「自社のインフラの環境や自然資源への影響を過小評価するやり方」でもあるからだ。[44]

不和を生じさせるダム

460キロメートルにおよぶルーレ川——地元のクラウドサービス業者たちは「金の液体」

と呼ぶ――に造られた15ヶ所の水力発電ダムは、豊富かつ安価で脱炭素の電力を生産し、この地方に建てられた数十ヶ所のデータセンター――そのうちフェイスブックのデータセンターはスウェーデンで生産された電力の1〜2パーセントを消費する――に供給する。ルレオ市を出てヴオレリム村にいたる130キロメートルの道のりは、曲がりくねった道路が松林の薄暗い影に取り囲まれている。道路と何度も交差するルーレ川は堆積する氷に閉じ込められ、雪崩のように大きな雪片が降り注ぐ空と見分けがつかない。目的地では、ローランド・ボーマンさんが駐車場で私たちを待っていた。60歳をとうに過ぎたこの男性に面会を取りつけるのは容易ではなかった。口数の少ない内向的な人だ……。彼はそこから西へ数キロ車で進んだとき、高さ80メートルの壁に郷愁的なまなざしを向けた。その地方に水力の電気を供給するために1960年代に建設されたレッシ・ダムだ。その上流は6キロメートルにわたって谷が水没している。下流側には、運命を変えられたルーレ川の支流「小ルーレ川」がある。

ヴオレリムのレストランで、湯気ののぼるティーカップを前に手を組み、体を固くしているローランド・ボーマンさんは、レッシ・ダムができる前の川の写真を見せてくれた。全長15キロメートルの激流が松とカバノキの林の間を流れ、しかも、そこはスウェーデンでも鮭の繁殖でよく知られていた。「天国だったよ!」と、当時、川のすぐそばに住んでいたボーマンさんは回想する。ヴオレリムの3000人の生活は小ルーレ川を中心に営まれていた……子どもたちの生活もだ。「少しでも自由な時間があると、私は仲間と自転車にまたがって川に行って泳いだり、岩の上で日光浴をしたり、魚釣りをしたものだ。ある意味では、この川は魂を持っていた」。しかし、スウェーデンの経済発展に伴い、政府は国中に水力発電インフラの建設に乗り出した。ルーレ川は国の電力需要の10パーセントを供給するという膨大な潜在能力を持っていた。レッシ・ダムを含む、いくつかのダム建設[45]が決められた。

3年間にわたって、そのコンクリートと石の壁を建設するために何百人という労働者とトラックが忙しく働いた。1967年の夏、電力会社ヴァッテンフォールAB社が運営するレッシ・ダムの水力発電所は運転準備が整った。その時のことをボーマンさんははっきりと覚えている。「私は12歳でした。いつものように釣りをするために仲間と川に行ったんです」。しかし、何かがちがっていた。上流側では水位が急に何十メートルにもなっていた。7キロメートルのトンネルによって水流の一部はルーレ川に戻されていた。下流側では、小ルーレ川は干上がっていた。ボーマンさんは鮭のつがいが最後の水流を見送るのを観察する時間はなかった。小石と藻がボコボコと泡立った後は小さな谷に完全な静寂が訪れた。「川はなくなった」とだけ、ボーマンさんはのどを詰まらせながら言った。15キロメートルにわたって枯渇した小ルーレ川は、人間の手で干された西ヨーロッパ最大の川だ。

「大人たちは川を失ったことにすぐには気づかなかった。告訴もデモも何もなかった。そして、小ルーレ川は永久に行ってしまったと認めないわけにはいかなかった」と、ボーマンさんは話してくれた。言いようのない悲しみと哀悼の思いが長いあいだ残った。水の喪だ。「私たちはそれを受け入れるために沈黙のうちに閉じこもった。つらすぎたんだ。川のことはタブーになった。そんなふうに20年が過ぎた」。私たちは思わずたずねた。「20年の沈黙ですか？」答えは、「その通りです。20年の沈黙です」。人々の舌がほぐれるには、１９８０年代まで待たねばならなかった。水力発電所の「環境への影響をだれも調査すらしなかったが」、ダムは「環境の殺戮」[46]、すばらしい生物多様性を打ちのめしたと言われるようになった。ボーマンさんは自分の子どもたちに、愛された存在があまりにも早くいなくなってしまった思い出を語るように、消えた川のことを話すという。5年前からボーマンさんは講演会を開き、メディアや国会議員の訪問を受けるようになった。昔の写真を投稿するためのフェイスブックのページも開設された[47]。

もちろん、フェイスブックがレッシ・ダムの建設に責任があるわけではないし、自然はもう長いことダムと共存してきたと言う人もいるだろう。しかし、フェイスブックの存在は、同社が二重に利益――自社のエネルギー需要と、環境に責任を持つ企業としてのイメージ――を得ているエネルギーインフラの存在の継続に貢献しているのだ。ところが、スウェーデンのある活動家は「水力発電のダムはほかのどんなグリーンな電気よりもずっと大きな影響を生物多様性に与える」と主張する[48]。ボーマンさんはフェイスブックに対して相反する感情を抱く。「フェイスブックは大好きなんですよ。そこで自分の感情を表現できますからね！」と口の重いボーマンさんは言う。しかし、フェイスブックのことを話すと、悔しい気持ちも湧いてくるようだ。「フェイスブックは自分たちのデータセンターの電力がどこから来るか知らないと思うんです。ヴォレリムで起きていることは、ルレオとは遠く離れていますからね……つまり、ここではエネルギーは川なんです！　私たちは死んだ川のことを話しているのです」

北極圏のラスベガス

フェイスブックがここにデータセンターを設置したことが経済的な呼び水となって、スカンジナヴィア半島は数年のうちにアマゾン・ウェブサービス、グーグル、エティックス・エヴリウェア、マイクロソフトといった企業にとって〝約束の地〟となった。[49] 常に先取り精神に富むアメリカ・ノルウェー企業コロス社は、２０１７年に、世界最大のコロケーションのデータセンターをノルウェー最北のバランゲンに建設すると発表して大きな話題となった。[50] 私たちはルレアを後にした。私たちの「スノーピアサー」[51] 列車は、弱い散光を受ける巨大な平原を通って北極に向けて走る。北極圏のラインを越えた。鉄鉱の町キルナを抜けたあと、列車はノルウェーの地に入り、山腹をくねるように走り、底知れぬ濃い色の海水が足元を洗う最初のフィヨルドを見下ろした。

世界は美しい。

「コロスですって？　ここでその名を知らない人に会うことはないでしょうね。すごい騒ぎになったから！」と、あるノルウェー人女性は興奮気味に言った。私たちはバランゲンの隣町のナルビクに旅装を解いたところだ。この地のデータセンターはまだ建設も始まっていなかったのに、コロス社は１０００万ドルでカナダのハイブ・ブロックチェーン社に買収されたからだ。そのカナダ企業はデータセンターの建設計画を未来の暗号資産（仮想通貨）の「マイニング[52]（採掘）」に転換した。莫大なエネルギーを食う急成長産業だ。暗号資産のなかで最も知名度のあるビットコインだけでも、世界の電力生産の5パーセント――デンマークが必要とする総電力量に相当する――を飲み込んでいる[53]。だが、こうした観点はほとんど重視されていない。なぜなら、「すばやく稼げるお金！」が約束されているからだ、と地元のジャーナリストは言う[54]。非常に投機的とみなされたこの事業に対して批判が集中した。その間、当局は暗号資産企業への税制優遇措置のいくつかを廃止した。それ以来、ハイブ・ブロックチェーン社は沈黙している。莫大な価格で買い上げた土地には、トナカイの群れが歩きまわっており、だれもこの計画の実現を信じていない。このスキャンダルでは損をした人ばかりではない。コロス社のオーナーたちは「コンセプトを打ち出しただけで、莫大なお金を手に入れた！　世界中がバランゲンに注目したが、実際には何もなかったのだ。アイデアだけしかなかった」と、バランゲン市の元職員のクヌート・アイナル・ハンセン氏は悟りきったようにつぶやいた。企業の弁護をするとしたら、みんなが〝人魚の歌〟に踊らされたのだと言ってもよいだろう。「お金の競争、北極圏のラスベガスだった！　データのカジノだ！」と、驚くほどの率直さでハンセン氏は言い切った。「あの計画の約束に私たちみんな、目がくらんだんですよ」

バランゲンは、存在しないものが消えてしまった世界唯一の場所かもしれない。何もないところから無が現れた。「この件は、クラウドサービス業者が北極圏にデータセンターを設置することの困難さを象徴している」と、ハンセン氏は分析する。一方で、アジアとヨーロッパを北極経由で結ぶ超高速光ケーブル（第9章と第10章で述べる）により、北欧諸国はデータ保存の「自然な」ゾーンとみなされる。[55] 他方では、デジタル主権の必要性を唱える国が近年増えていることから、クラウドの地理学は急変している。実際、多くの国々が自分たちの情報の流れをよりよく管理しようとしている。つまり、大国の新たなパラダイムは今日、自国の地位を広く世界中に拡大するよりも、自国でそれを強固にすることにある。ロシアは2015年以降、自国民の個人情報を国内にとどめることを強制している。[56] 欧州連合のデータインフラ・プロジェクト「ガイアX」も、アメリカのプラットフォームが提供するサービスに頼らずに、ヨーロッパ大陸に独立したクラウドを根付かせることを目指す。

同じような課題がアフリカにも突きつけられる。アフリカは「世界の人口の17パーセントを擁しながらも、世界のデータの1パーセントしか生成していない」と、エンジニアリングのカップ・アンジュレック社の専門家は言う。[57] 中継地はヨハネスブルク、ダカール、アクラ、カサブランカ（私たちは2020年冬に訪問した）など大陸に散らばる。「ヨーロッパとアフリカのサハラ砂漠以南の中間にあるモロッコは戦略的位置にあり、ヨーロッパ企業がアフリカのクライアントのデータを保管し、数ミリ秒の遅延を節約することを可能にする」と、同社の別の同僚は言う。[58] スピードの要求はここでも出てきた……。データセンターの専門家の多くは、極地に避難したデータが地理的に遠くなって伝送に時間がかかることはインターネットのエコシステムにとっては受け入れがたいと考える。将来は、ハイパースケールのデータセンターよりも、ユーザーのより近くに点在する小規模なデータセンター網「エッジ」が主流になるだろう。この「短い情報サイクル」はある意味で、保存よりも大きいとされるデータ転送のためのエネルギー消費を減らすという利点もある。[59]

もし、ネット利用者が1秒よけいに待つことができるとしたら、ケーブルの地理的配置、データセンター、発電所、ITのハブなど、世界はどれほど様変わりするか想像してみるといいだろう！　〝即時性の地理学〟や私たちの忍耐のなさは確かにある。その一方で、われわれは常に（ばからしいほどの）パフォーマンスと即時性の追求をデジタル企業に強いている。スウェーデンのボーデン市のＨｙｄｒｏ66のサーバーの通路を歩きながら、フレデリック・カリオニエミ氏は、データをスウェーデンのラップランドに移転することでフェイスブックのひとつの「いいね！」によって生じる汚染を１万５０００分の１にすることができると推定した。話がうますぎるし、数字は検証不可能なのだが、常にデータがより多く生み出されている事実とバランスを取って扱わないといけない。「サーバーは以前よりパフォーマンスが高い。しかし、データの増加のほうがさらに上を行く」と、ケベック州の大手電力供給会社のある管理職は心配する。[60]　それはデータセンターの電力消費が年間15パーセント増加することを意味する。[61]　反対に、その2つの傾向［データセンターの効率向上とデータ増加］はバランスが取れているという人もいる。「（データ保存の）集中化のパラダイムは効率的だ。われわれはネットワークをよりよく管理することができるようになった。将来はこの路線を維持するだろう」と、デジタルインフラのある専門家は言う。[62]

デジタル・ダイエットに導く解決策

もう少し具体的な方法で、各人がストックするデータを少なくするために、無数の解決策が推奨されている――すでに適用されているものもある。最も注目を集めたイニシアティブのひとつは、2020年にエストニア人のアネリ・オーヴリル氏に率いられた少人数の活動家が始めた「ワールド・デジタル・クリーンアップ・デイ」[63]だ。第1回目は2020年4月に実施され、世界86ヶ国で数十万人のネットユーザーが参加した。することは簡単だ。参加者はその1日で、環境負荷を削減するために、様々な保存スペース（メールボックス、グーグルドライブ、ドロップボックスなど）を掃除するというものだ。「不要なメール、古い写真、携帯電話に保存された動画」など何でもいいと、2020年夏にタリンで出会ったアネリ・オーヴリル氏は例を挙げてくれた。同氏の主な標的のひとつはアップルの端末（iPhone、iPad、マックブックなど）に連携しているデータ保存プラットフォーム「iCloud」だ。「エストニアでは、人々はiCloudをゴミ箱のように使って、保存した中身を忘れてしまう。ワールド・デジタル・クリーンアップ・デイに参加した人たちの多くは、そのサービスが引き起こすエネルギーへの影響を認識すらしていない」と、説明してくれた。[64]この活動によって得られる環境保護面の利益を正確に計算することは難しいが、オーヴリル氏にとっては、その効率は違う方法で評価されるべきだと言う。「一番大事なのはセーブできたギガバイト数ではなく、この運動で得られる考え方の変化なのです」と、同氏は強調した。[65]

一般的に言うと、われわれ一人一人は、椅子から立ち上がることなく、本来は罪がないのだが恐るべき結果を招く行為を繰り返すことができる。Ｗｉ－Ｆｉを使って動画を１本見ると、４Ｇを使うのに比べるとエネルギー消費は23分の１になる。[66] インターネットのモデムは大型冷蔵庫と同じ電力を消費するので、外出するときにはモデムのスイッチを切る、グーグルで１回検索すると電球を１、２分間点灯するのと同じ電気を使うのでグーグルを使わずにウェブに接続する、映画を高画質でなく低画質で見ればエネルギー消費が４分の１から10分の１になることなどだ。たとえば、７０００万人のネット利用者が見る動画のクオリティを落とせば、毎月大気に排出される二酸化炭素の量が３５０万トン少なくなり、それはアメリカの石炭生産の６パーセントにあたる！[67] プライベートを尊重するサービスを利用することもデータの生産、ひいてはエネルギーを食うデータ保存を制限できる。そのためには、Signal[68]やOlvid[69]といったメッセージサービスを利用する、ProtonMail[70]でメールアドレスを作る、E-Foundationのクラウドサービス――数ユーロ払ったり、寄付をしたりする[71]――を使う、などができる。検索には、ユーザーの検索を保存しないアメリカの検索エンジン、DuckDuckGo[72]を使ってもいいだろう。こうしたアドバイスが無数にあることは、インターネットをよりクリーンで節度あるものにするために、私たち一人ひとりが具体的かつシンプルに行動できることを示している。

こうした小さな行為をしたとしても、より体系的で深い疑問を避けて通ることはできない。

◉ まず、インターネットが常に無料性を推し進めることは望ましいことなのだろうか？ネットは公開と普遍性の理想のもとに構築されたものであるから、この問いはばかげていると思われるかもしれない。その神聖な原則を見直すことなしに、実際に消費されるデータ量に応じた価格の定額制を強いる方法を模索することもできるだろう。[73]大多数の人には最低限のアクセスが保証され、消費に応じて段階的に高くなる会費を大口消費者は負担する。この価格方針により、データ消費を各人が自制することを促す。

◉ この問い直しは自動的にもうひとつの問い直し――ウェブの中立性――に導く。すべてのウェブユーザーに同じ価値があるとみなさず、ある人々は優先権があるとみなす（たとえばＴｉｋＴｏｋのアプリよりも、オンライン病院に帯域幅を確保する）。しかし、この論理は、身元に関わりなくあらゆるコンテンツの発信者と受信者に保証されたウェブへのアクセスの平等という基本的な原則に矛盾する。しかも、この論理は、インターネットが将来は限定された、あるいは稀な手段となり、今からすぐにでもアクセスを合理化しなければならないということを前提としている。[74]この議論は非常に興味深いけれども、インターネットが将来のデータの「津波」に耐えうる技術革新をエンジニアが達成しようとしているならば、判断は難しい。

◉ より急進的な考え方として、インターネットの一部あるいは全部をなしで済ますことを推奨する人もいる。19世紀に英国で織機を使用する企業に反対した「ラッダイト」と呼ばれた職人と同じように、「反デジタル化」の市民運動――匿名ではあるが――が生まれてきている。常にネットにつながれた将来を称賛するデジタルの女神に背を向けて、ネットを排除した住みやすい未来を望むよう人々に要求する。[75] 少なくとも、「スロー・ウェブ」運動は、容量や速さを減少させることを奨励する。

データセンターの循環経済によってもデジタル・ダイエットはできるだろう。歴史はその方向に向かっている。寿命がきたサーバーに含まれるデータは実際、非常にデリケートなデータなので、コストがどれだけかかろうが、サーバーを破壊しなければならない。オランダのあるリサイクル業者は、いくつかの大銀行や政府機関がサーバーを破壊する倉庫まで運ぶのに武装した警備員を付けたと語った。クライアントのデータが完全に破壊されたことを証明するために、サーバーの破壊を録画する企業もある。[76]「データセンターの循環経済は絶対に必要だが、まだ十分ではない。いつか、〝節制〟と呼ばれるひどい代物にわれわれは入っていかなくてはならない時代が来るだろう」と、フィリップ・リュース氏はおだやかに言った。[77]

以上の観点は、まずは「グリーン」な電力源に転換し、次にデータ保存技術を向上させ、そしてわれわれのデータ消費を減少させる、というデータ累積に対応するための産業界の示す優先項目のヒエラルキーを一変させる。その反対に、まずわれわれは〝デジタル肥満〟の原因そのものを攻撃し、それから電気のネットワークや生産プロセスを最適化しなければならないだろう。そうしなければ、産業界は、データの急増と環境面の責任、計算能力の向上、川から得た脱炭素電力をいっしょくたにしゃべり続けるだろう。

とはいえ、実際には、ほとんどの人はまだ心の準備ができていない。われわれのデジタル使用の大変動が進もうとしているだけに……。われわれは実際、気の遠くなるようなモノのインターネットの世界を選ぼうとしている。目と耳のインターネット、身体のインターネット、「すべてのインターネット」ですら。すべてがインターネットでつながれた未来は、北極のおかげで実現できたエネルギーの節約を無に帰してしまうだろう。

第7章

デジタルの世界の拡大

2017年、世界で最も早くインターネットサービスを開始した企業のひとつ、アメリカ・オンライン（AOL）の創業者スティーヴ・ケースは、大きな反響を呼んだ本を出版した。『サードウェーブ　世界経済を変える「第三の波」が来る』[1]だ。インターネットの第一波の時期は、ネット企業（AOL、IBM、マイクロソフトなど）がコンピュータ同士をつなぐインフラを確立した、と著者は説明する。第2波は、グーグルやフェイスブックといった企業が検索エンジンや、ネットユーザー間を結ぶSNSをつくり上げた。そこで、スティーヴ・ケースは、センサーを埋め込まれたものすべて――モノも生き物も――をつなげる第3の波の到来を予測している。それは、「あらゆるもののインターネット[2]（Internet of Everything）」と呼ばれるようになるだろうと、著者は言う。ほぼ同時期に、アメリカの『ワイアード』誌の創業者でやはりテクノロジー予言者、ケヴィン・ケリー氏が「未来を決める12のテクノロジー力」を論じた書籍[3]で、似たような予言をした。この著者によると、未来はあらゆる表面がモニターになり、個人に応じた電子サービスが人々のわずかな欲望をも先取りし、消費者や市民は完全に監視され、さらに、「あらゆる人間と機械をグローバル・マトリックス」でつなぎ、「ホロス」と名づけられる超個体《スーパー・オーガニズム》になる。2025年には人間たちはホロスの「上」や「中」にはおらず、ホロスそのものになるという。そのようなすべてをインターネットに接続することは「すでに始まっている」と、ケリー氏は言う。[4]それは「モノのインターネット（IOT）」と呼ばれるもので、これはマサチューセッツ工科大学の研究者たちによって1999年に命名された。モノがRFIDチップ[5]などの付加物を通して情報をキャッチし、伝達することである。携帯電話、タブレット端末、温度計、時計、照明システム、エアコンなど、IOTの発展は目覚ましく、世界で200億個のモノが接続されている。「あらゆるもののインターネット」はこの論理をさらに完成させ、一歩進めたものだ。接続された眼鏡を例に挙げてみよう。眼鏡は「私たちの身体のごく近くにあり、（中略）身体の一部だ。眼鏡が存在と情報を完全に合致させるなら、情報社会の究極的な達成になるだろう」と、あるエッセイストは言う。[6]ある種の医療用アプリケーションは人間の存在の最も深い部分から発信されるデータをすでに分析することができる。「私の娘は糖尿病なのだが、彼女の血糖値が低くなりすぎると、私の携帯電話に警告が来る。つまり、あらゆる瞬間に、娘の身体のデータを受け取っている。これが、〝あらゆるもののインターネット〟の始まりだ」と、フレドリック・カリオニエミ氏は説明してくれた。[7]将来は、森や動物すべてにICチップが埋め込まれ、よりよく監視し保護できるようになるだろう。人間は思考を読むことのできるヘッドギアを身につけ、インテリジェントなコンタクトレンズのおかげで暗闇でも移動できるようになり……すでに「身体のインターネット」という言葉も使われている。[8] 2030年に人類全体が情報ハイウェイに接続された500億、1000億、いや5000億のモノと共存するとき、われわれの子孫はわれわれのことをまるでアウストラロピテクスのようにみなすかもしれない。[9] しかし、植物や動物とITを相互接続することは、作り出される膨大な量のデータが超効率的なネットワークで伝送されるという条件のもとでしか起こり得ない。

そのようなネットワークはすでに少しずつ普及している。それは5Gだ。

解放されたマシンのための高周波

2021年春、まぶしい陽光がモナコに降り注いでいた。フォンヴィエイユ港に停泊するヨットの船体、海に面した高級アパートの窓、モンテカルロを目指して疾走する車のボンネットがその陽光を受けて輝いている。モナコ公国は領土の狭さ（2平方キロメートル）の割には大きな繁栄を常に享受してきた。大富豪を魅了するタックスヘイブンだからだ。しかも、最近モナコは、4Gに代わるべき携帯電話ネットワークの第5世代移動通信システム（5G）が全土をカバーした最初の国の仲間入りをした。2019年7月9日は、モナコの歴史にとって重大な日と記憶されるだろう。2年間と3000万ユーロをかけて、およそ40基の5Gアンテナが設置された。モナコ・テレコムの大株主グザヴィエ・ニエル氏と、技術提供したファーウェイの社長レン・ジェンフェイ（任正非）氏はそのお祝いのためにモナコの最高級ホテルにやってきた。ファーウェイを支援するために、習近平国家主席自らも数週間前に公式訪問をしたばかりだ。

5Gがモナコ政府の優先課題となったのは、4Gに比べて10倍の量のデータを10分の1の時間で送ることができるからだ。具体的に言うと、2時間の映画をダウンロードするのに10秒もかからない――4Gでは永遠かと思われるような7分も待たなければならなかった。[10] だが、電子メールを送ったり、バカンスの写真を見たりといったきわめて平凡な使用にそんな高速通信が必要なのだろうか？　どうしても必要なのではないから、「今日、5G契約プランを持っているのは、私どもの顧客の5パーセントだけです」と、モナコ・テレコムのマルタン・ペロネ社長は言う。[11] だが、これは時間の問題かもしれない……。5Gを大々的に展開した韓国では、携帯電話契約者の20パーセントにあたる1300万人がすでに5Gを利用している。[12] さらなる高速性を提供するというだけで、購買の条件反射に従う消費者の好奇心をかき立てるのに十分なのだ。[13] そして、このテクノロジーはおそらく携帯電話使用の革命に先行しているのだろう。ヴァーチャルリアリティ・ゲーム、ペリスコープやユーチューブLiveといったアプリケーションへの動画のライブ配信など、帯域幅を多く消費する新たなネット消費様式が5Gに伴って盛んになるのだろう。近年の動きはこの方向に向いている。「3Gが出てきたときには、〝3センチの画面でサッカーの試合を見るなんて、絶対に無理！〟と言われていた。それが間違っていたことがよくわかる」と、「環境のために行動する」団体のある活動家は言う。[14]

この新世代通信システムの最も目に見える利益を得るのは、とりわけモナコの企業だ。先のペロネ氏によると、5Gが光ファイバーに比べて設置が容易で、遅延が減少することにより、ドローン、船舶、病院、自動車といった非常に多様なインフラやモノが遠隔操作できるようになるからだ。超高速のインターネットは、すでに「スマート公国」と呼ばれているモナコの経済を活性化するだろう。フランスの公的機関の報告書でも、「(5Gの導入は)エネルギー、保健、メディア、運輸、産業といった様々な分野で使用の可能性が広がるだろう」と確認している。[15]より膨大なデータをより効率的に管理することによって、交通やエネルギー供給網を最適化し、第4次産業革命後の高度に接続される未来の工場においてロボットの自立性を向上させることが世界的に可能になるだろう。うまく利用すれば、このテクノロジーはすばらしい社会的・人間的進歩を導き、人々は大いに満足するだろう。だが、その未来とはいつなのか? 短期的視点からみると、懐疑的な産業分野もある……。「2019年末、通信業者オランジュの技術者がやってきて、5G展開を必要とするのはどんな分野かと私の意見を聞いてきた。彼は困っていて、〝現在、どこに市場があるのかわからない〟と繰り返し言っていた。まったくはっきりしないんだ」と、ルヴァン大学の研究者は語ってくれた。[16]

なぜ順序が逆になったのか、地政学によって説明できるだろう……。5Gを国家的優先課題とみなした最初の国のひとつは中国だ。[17]ファーウェイのおかげで、中国政府はこの分野の技術で優位に立ち、アメリカやヨーロッパを押しのけて自国に何十万基という5Gアンテナを設置した。欧米では、中国の目覚ましい発展は欧米支配の終焉を告げるものという考えにおびえた。2020年末、アンゲラ・メルケル独首相は、ドイツがデジタル革命の最前線から遅れることを懸念し、「われわれは最後になる」と言って、スピードアップを呼びかけた。[18] それより3年前、メルケル首相はすでに、この分野で「ドイツがまもなく発展途上国の仲間入りをする」のではないかと心配していた。[19] そのような状況では、5Gの環境面の影響は長い間、二の次にされてきた。5G展開は、パワーアップしても電波の及ぶ範囲が限定されるため、アンテナをより多く設置することが必要になる。「英国にはすでに3Gと4Gのアンテナが2万6000本ある。5Gの電波の届く範囲は2分の1になるので、イングランドだけでも今の2倍のアンテナが必要になる」と、Green ITのコンサルタントは予言する。[20]

5G──ほとんど知られていない環境負荷の問題

長さ数十センチの5Gのアンテナ──ガリウム、[21] スカンジウムなどのレアメタルが使われている[22]──は、バス停、街灯、広告パネルなどに100メートルおきに設置されるようになる。[23] このアンテナはどのようにリサイクルされるのだろうか？　それに、データ伝送のためには、アンテナを追加の光ファイバー網につながなければならない。アメリカでは、国内の25の大都市をカバーするには、220万キロメートル（地球の外周の55倍）の光ファイバーを敷設する必要があるだろうと、高速ファイバー協会は見積もっている。[24] 2026年に世界人口の6割が5Gにアクセスするようになれば、この数字はいったい何倍になるのだろうか？[25]しかも、５Gを利用するには、たいてい携帯電話を買い替えなければならない。５Gに対応した2億７８００万台の電話が２０２０年に世界全体で売られたといわれる。[26]この台数は不良なスマートフォンを買い替えるという実際の必要性を反映しているのだろうか。あるいは、ネットをよりよく享受できるという謳い文句に動かされた快適さを得るための買い物なのだろうか？　結果的に、５G導入の環境負荷はどれほどになるのだろうか？　だれも正確には知らないと言うしかない。「環境への影響に関する研究はない」と、ある欧州議会議員はつぶやく。[27]むしろ５G展開を支配する「用心の不在の原則」なのではないかと勘繰りたくなるほどだ……。情報がないために、非合理的な不安も出てくる。何らの証拠もなく、５Gのアンテナは健康に害のある電磁波を発するのではないかといったことだ。[28]その後遅れて影響の研究が散見されるようになった。ヨーロッパ各地で市町村はモラトリアムを決定し、議論を起こすために市民の委員会が作られたが、当局はこれを公にしていない。

しかし、通信業者は５Gの環境への確実な利益を強調している。同量のデータに対するエネルギー消費で言うと、５Gでは前世代よりも10倍エネルギー効率がよいと業者らは言う。しかし、忘れられているのは５Gが人々のインターネットとデータの消費を爆発的に増加させることだ。実際、５Gは人がより少なく消費するのでなく、より多く消費するために商品化されていることは万人の認めるところだ。その具体的影響は１８６５年にイギリス人経済学者ウィリアム・スタンレー・ジェヴォンズが初めて研究しているが、あまりにも明白だ。当時、蒸気機関車の効率を高めることで、石炭採掘の減少が予想された。ところが、ジェヴォンズは、この技術発展がもたらすエネルギー節減は、機関車の使用増によって相殺され、今後は石炭の消費増加につながると明らかにした。つまり、期待された効果とまったく反対の結果になるのだ![29]

このパラドックスは「リバウンド効果」と呼ばれているが、多数のテクノロジーに当てはめることができる。自動車の例を上げてみよう。２００５年から２０１８年の間に、ガソリン車の燃料消費は１００キロメートルあたり８・８リットルから７・２リットルになり[30]、22パーセントの節約になった。しかし、同時期に世界の新車販売は年間で６６００万台から９５００万台[31]となり、44パーセント増加した[32]。航空機部門でも同様だ。２０１９年、乗客一人当たりの１キロメートルの飛行距離で排出する二酸化炭素は２０１３年よりも12パーセント減少した。ところが、同時期に民間航空部門の二酸化炭素排出は29パーセント増加している[33]。この排出量は２０５０年には１９９０年の７倍になると予測される[34]。発光ダイオード（ＬＥＤ）の使用についても同様で[35]、ある調査では、ＬＥＤのエネルギー節約分は、使用増加によって生じるエネルギー消費増を埋め合わせることはできないとしている[36]。当然、ＩＴも例外ではない。たとえば、最近のスマートフォンは大体において、前世代のものより駆動時間が短い。バッテリー能力は年におよそ５パーセント上がっているのだが、新モデルのエネルギー消費に追いつかない[37]。さらに、２０１９年にエリクソンが公表した調査によると、２０２５年になるとネットユーザーの20パーセントは５Ｇのおかげで毎月200ギガオクテットのモバイル・インターネットを使用するだろうという。4Gを使う場合の10倍から14倍だ![38] もちろん、それにはすでに5Gが貢献しつつある「あらゆるもののインターネット」の出現は含まれていない。そこには気候変動とたたかうという目的とまったく矛盾する傾向もあるのだが……。

デジタル経済界は、こうしたブーメラン効果を認識しているが、まずは消費者自身に責任をとらせようとする。「デジタルの過剰消費に参加しない自由をだれでも持っている」と、フランス通信業者オランジュのステファン・リシャール会長は言う。[39] ところが、同社は同時に、5Gの新しい利用を賛美する広告を打つ。[40] これは少なくとも矛盾する態度だ。結局、「IT業界は5Gが人々のデジタル消費を増加させること、そして問題を解決するどころか問題を創り出すことは百も承知している」と、ある学者は批判する。[41]「みんなが責任をほかに押しつけている。自分の法的領域を超えて全体のシステムについて評価することはだれのメリットにもならないのだから」と、Green ITのフレデリック・ボルダージュ氏も言う。[42] オランジュの労組のなかには、われわれが直面している「矛盾する命令を認識している」[43] と認める人もいる。その発言からすると、同社の何百人という社員——若い人が多い——は社の方針に賛成していないのかもしれない。「イントラネットで〝なぜ、こんなばかげた方向に行くのか?〟という声もある。また、〝私たちはまったくどうかしている。エネルギー消費と鉱物の採掘を増長しているんだ〟という声を聞くのは初めてだ」と、同社の内部筋は認めた。[44]

こうした直接のリバウンド効果のほかに、「間接的」なリバウンド効果もある。デジタルがもたらす時間の節約と購買力の向上は、これまでとは異なる消費の仕方を可能にする。「インターネットのおかげでテレワークをしたので、ガソリンを1000ユーロ節約できた。このお金で何をしようか？　北欧の冬は長いから、カナリア諸島に飛行機で行こう」とある人は考える。また、「デジタル化は、社会がオーガナイズされている方法や、人やモノの流れ方に非常に大きな影響を与える。証券取引所に即時のオーダーを出したり、アマゾンで商品を注文することはインターネットなしでは存在しなかった」と、あるITエンジニアは言う。[45] 言い方を変えると、デジタル化は現在の経済とテクノロジーの大きな加速の触媒の役目を果たしているのだ。このような間接的効果は前もって計算されていなかったが、いずれにしても人間の実生活のヴァーチャル化にはまったく貢献しないということだけは確かだ。1930年代以降の素材、デジタル化、エネルギー分野の57の発明を分析した科学者たちは、そのいずれも資源の消費を全体的に減少させたものはないと結論づけた。[46] 自称、軽やかであらゆる物質的束縛から自由な世界に人間が性急に入っていくなら、必ず突きつけられる明白な事実——非物質化の世界は常にいっそう物質化された世界だという——から逃げることになるだろう。

ここから、議論はイデオロギーの様相を呈していく。富の増加、商業のグローバル化、文化の混合を支持するか否かに応じて、リバウンド効果は称賛されるのと同じくらい恐れられる。それゆえ、デジタル化された世界の拡大により、われわれは自分自身の信念に対峙させせられる。デジタル化の拡大自体はよいことでも悪いことでもない。いずれにせよ、デジタル化は進むだろう。[47]インターネットは、世界の最も辺鄙《へんぴ》な地方の子どもたちに遠隔で教育を受けさせることを可能にする。しかし、民主主義を弱める陰謀説の喧伝を容易にするものでもある。難病患者を治療することもできれば、カメラの前でプレゼントを次々とあけることで有名になったテキサスの子ども、ライアン・カジが世界で最も稼ぐユーチューバーの地位にい続けさせる。[48]いずれにせよ、デジタル化の経済的、社会的、精神的影響と、環境保護面の役割を混同してはいけない。気候や生物多様性を守るためのすばらしいイニシアティブの誕生を促進したとしても、インターネットは地球を救うために考え出されたのではない。地球上の生命の回復力とデジタルツールのパフォーマンスを関連づける主張は、私にとっては神話であり、おとぎ話である。その証拠に、あるＩＴ専門家の口から、「情報通信技術（ＩＣＴ）は実際に世界をよくしたが、環境面の影響から言えば最悪の到来物だ」と聞いたことがある。

「コネクテッドカー・ゲート」が起きるか？

５Ｇが大規模に適用されるテクノロジーがあるとすれば、それは周囲と大量のデータを交換するコネクテッドカーだ。今日、単にＧＰＳナビゲーターを搭載する車はすでに「コネクテッド」なのだ。それは始まりにすぎない。運転支援システムが増えているからだ。衝突のリスクがある場合の警告発信、緊急ブレーキシステム、進行方向の自動修正、死角モニタリングなど、交通安全の必要性から、２０２５年には世界を走行するコネクテッドカーは5億台以上になると予想される。[49] ＧＰＳは短縮ルートを提供するため汚染を減少させるという理由で、このデジタル革命は環境問題にも有利だ。もうひとつの進歩は、電子システムによる「エコナビゲーション」で車の二酸化炭素排出を5〜20パーセント下げることができることだ。[50]

しかし、そのためには大量のカメラ、レーダー、ソナーによって情報がキャッチされなければならない。１台のコネクテッドカーは最大１５０の演算機能[51]を搭載し、最低でも1時間あたり25ギガオクテットのデータを作り出す。搭載されたコンピュータは、パソコン20台分の計算能力が求められる。そして、そのソフトウェアは1億行のソースコードがある。[52] ソースコードの行数だけでソフトウェアの複雑さを表現することはできないが、比較例として、宇宙船は40万行、ハッブル宇宙望遠鏡は２００万行、軍用ドローンは３５０万行、ボーイング７４７は１４００万行だ(図表8を参照)。いわば、コネクテッドカーのソフトウェアは宇宙船２５０機、ハッブル宇宙望遠鏡50台、ボーイング７４７の7機に相当するほど「肥満体」なのだ。アメリカのコンサルタント会社マッキンゼー＆カンパニーは、自動運転車は２０３０年には3億行のソースコードによって動くだろうと予測している。[53]

今のところは将来、数百万台単位で使用されるとは言えないが、コネクテッドカーの究極の段階は自動運転車だ。「予想されたよりも複雑だったとみんなが気づいた。グーグルやＵｂｅｒですら、［このタイプの車の展開］を延期し続けている」と、フランスの持続可能開発・国際関係研究所（ＩＤＤＲＩ）の研究者マチュー・ソジョ氏は打ち明ける。[54] しかし、もし自動運転車が現実のものとなったら、ＬｉＤＡＲ《ライダー》[55]［レーザーによって周囲を検知してその距離を測定するセンサー］や超高画質画像のカメラのため、最大で毎秒１ギガオクテットのデータを作るようになる。ＩＴ大企業のある幹部によると、「１００万台の自動運転車はウェブサイトにアクセスする世界の総人口のデータに匹敵する」[56]。自動運転車はどこと通信するのだろうか？　標識やスマート道路、そして「遅延」時間のできるだけ少ないエッジ（近くのデータセンター）につながったほかの自動運転車とだ。車が「自動」であればあるほど、周囲のインフラに依存するというパラドックスになる！「イノベーションには想定されていないものがある。それは、イノベーションがもたらす物質面の背景だ」と、マチュー・ソジョ氏は分析する。[57]

しかしながら、安心させるようなことを言う人もいる。自動運転車で作られるデータのほんの一握りしか、周囲と通信するために車外に送られるのではないという見解だ。[58] 自動運転車はそもそも共有するためのものだから、走る車の数は制限される（この点は議論の余地がある）という意見もある。[59] ひとつ確かなことは、自動運転車はずっと多くの電力を消費する――１台あたり１５００ワット増し――ということだ。[60] このことは自動車の走行距離に影響を及ぼすのだろうか？　バッテリーの容量を増加させるべきなのか、あるいは電力消費の追加分を補うためにハイブリッドモーターを優先すべきなのだろうか？[61] 自動運転車によって作られたデータは、それを伝送、保存、処理するインフラによって二酸化炭素排出につながる。そしてそのデータは人々の消費習慣をよりよく知り、ドライバーに適した車両保険製品（あなたがどう運転するかによって保険料を払う［ＰＨＹＤ型自動車保険］）を提案したり、対象を絞った広告のために使われるだろう。このため、自動運転車の走行１キロメートル当たりの二酸化炭素排出量は間接的に、自動車の平均排出量の20パーセント増につながるのだ。[62] たとえ世界中で常により厳しい排出規制がとられたとしてもだ。

この割増し分はだれの肩にかかるのだろうか？「自動車メーカーはこの汚染コストを外注の情報管理会社に負わせたがるだろう。ドライバーのほうは、追加のエネルギーコストを支払わされることはない」と、自動車製造部門のあるエンジニアは言う。[63] だが、この汚染の量を知るのは難しい。「メーカーは環境面の課題に敏感だが、彼らの優先課題はテクノロジー・ディスラプション［既存企業を破壊するような革新的なイノベーション］の世界で生き抜くことだ。だから、彼らにとっては、ライフサイクルの分析について考えるのは早すぎるのだ」と、マチュー・ソジョ氏は説明する。[64] 自動車メーカーは無知や誠意を主張することもできる。確かに、デジタルインフラを建設したり管理するのはメーカーの役目ではない……。しかし、自動運転車やコネクテッドカーの利用に直接かかわるデジタル汚染を自動車メーカーが負わないなら、電気自動車の時のように、メーカーはまたしても車の環境負荷の一部を、道路からデータセンターや動力源を供給する発電所に転嫁しようとしているのだ。したがって、環境負荷の責任はデジタル企業（ＧＡＦＡＭ、クラウドサービス会社、インターフェース製造者など）が負い、利用者は自分たちの行動習慣が常によりグリーンで責任あるものになっているという幻想に満足することだろう。ここで危険な疑問が湧いてくる。われわれはすでに「コネクテッド・ゲート」という新たなスキャンダルの芽を育てているのだろうか、この新たな移動手段の環境への影響をドライバーが責任を負うようになる日が来るのだろうか？

ブルーの色調は1677万7216ある

自動運転車は動くリビングルーム、娯楽の場所と似ている。自動運転でなくハンドルを握る場合でも、われわれはSNSやグーグル、ネットフリックスのサービスをますます多く消費している。自動車は、デジタル経済の主要なプレーヤーにとって、われわれの注意をひきつける戦略——つまりデジタル化の拡大——の新たな前線になる。2000年代に入る頃から、デジタル経済の当事者たちは野心的に「心配りのデザイン」あるいは「カプトロジー［説得のためのテクノロジー］」を練り上げてきた。そのテクニックの目的は消費者を接続されたツールにますます依存させることだ。その大衆向けの新科学を提唱した最初の著者の一人は、ベストセラー『Hooked ハマるしかけ』[65]を書いたアメリカ人コンサルタント、ニール・イヤールである。この本は、1日に少なくとも150回携帯電話を見るように開発者が確立した「操作マトリックス」を解読する。まず「トリガー（きっかけ）」（ユーザーに接続を促す感覚的刺激あるいはネガティブな感情）、それがウェブサイトに行く「アクション（行動）」を生み、次に「報酬」（社会的認知、裕福になる、エゴの満足）がある。この報酬はより多くの利益（パーソナライズされた推奨、よりよく対象を絞ったコンテンツ）を引き出すためにデジタル商品にもっと「投資」することをユーザーに奨励する。ところが、ニール・イヤールは、カプトロジーをより強力にするのに貢献した色——ブルー——については一言も語っていない。

スティーヴ・バルマー氏は２００９年5月28日、最高経営責任者（ＣＥＯ）を務める会社マイクロソフトが開発した検索エンジン「Ｂｉｎｇ」開始を発表する際、自信を持っていた。バルマー氏は将来のＢｉｎｇのパフォーマンスの指標を示す情報——８０００万ドルの価値があるデータ——に守られていたと言うべきだろう。Ｂｉｎｇユーザー実験の責任者ポール・レイ氏に率いられたマイクロソフトのエンジニアたちが、もう何ヶ月も前から未来のユーザーが行うサーチの結果をどんな色で表示したらいいか考えていた。ハイパーリンクの伝統的な色、ブルーが好まれた。[66]だが、どんなブルーがいいか？　ポール・レイ氏は、Ｂｉｎｇへのユーザーの「忠実さ」とクリック数増加を期待できるような、最高のブルーを見つけたかった。つまり、レイ氏は何百万人という人々の無意識に作用するマイクロソフトの支配力を高めるような完璧な色があると考えていたのだ。ところが、それは大変な作業だった。ブルーには１６７７万７２１６の色調があるからだ。そこで、消費者モニターへの異なる色調への好みを評価するためにＡ／Ｂテストが行われた。[67]このテストの結果、特にエントリーの高かった濃いブルーが特定された。レイ氏が言うところの最初の予想によると、その色は年間に８０００万から1億ドルの利益を追加でもたらすという。[68] このブルーはＨｅｘ#００４４ｃｃ［あざやかな青紫系の色］だ。マーケティングの才能か、あるいはウェブの新たなアプリケーションが話題になるようにマイクロソフトが大々的にしかけた単なる広告なのか？ 意見は分かれる……。とにかく、シリコンバレーの他の企業も同じ時期に完璧なブルーの追求に乗り出さなければならなかった。グーグルのＧメールはＢｉｎｇに近い色調を選び、それによる追加収益を年間2億ドルと見積もった。[69] そして、それもＡ／Ｂテストによるものだった！ とにかく、パトリック・ジュースキントの本『香水―ある人殺しの物語』に登場するフランス人たちが愛のフレグランスに弱いのと同じように、現代人はブルーに弱いとか、ジャン＝バティスト・グルヌイユ［同書の主人公］の子孫たち［現代のデジタル界を色によって牛耳る人たち］がコンピュータを通じて人々の感情の支配権を握ったと言い切るのはそれほど大げさではないのかもしれない。しかし、こうした努力も、画面を占領する別の色の計り知れない力にはかなわない。それは赤だ。

赤のメカニズム

赤い色はそれを見る人に興奮を呼び起こすということを、科学者たちは１９７０年代から知っていた。「赤は自然のなかであまり見ない色だから、人間の視線を最もひきつける原色だ」と、情報科学のあるエンジニアは説明してくれた。[71] 信号や人の注意を引くための様々な標識に伝統的に使われてきた色でもある。したがって、われわれはこの色に反応するように社会的に条件づけられているのだろう。[72]　1997年、開発者のためのマニュアルではアラートを赤色に、正確には「彩度の高い赤」にするよう助言している。背景色とのコントラストが強いために、「黄色やオレンジ色よりも（ユーザーの）反応が速い」[73]というのが理由だ。このことは、画面上の赤いボタンは緑のボタンよりもユーザーの反応が21パーセント高いとする研究によって後に確認された。[74]アップル（2000年）、ブラックベリー（2006年）、WhatsApp（2009年）が、たとえば新しいメッセージが来たのを知らせるのに赤を使い始めたのは、単なる偶然だろうか？フェイスブックも2010年に同様の選択をし、[75]　2016年にはインスタグラムとネットフリックスもそれに続き、その結果ロゴも変えた。「非常に暴力的な色だから、注意を引くためにあちこちで使われている」と、ネットフリックスのある社員は匿名で語ってくれた。

赤色のメカニズムはニール・イヤール氏が分析したメカニズムとまったく同じだ。この赤色の視覚的刺激は、「報酬」を得るためにアプリケーションを開くという行為を導く「トリガー」として作用する。この行為は人間の脳内にドーパミンを生じさせる。この化学物質は満足感が毎回新たに得られることを期待して同じ行為を繰り返すように人を誘導するため、「快楽の分子」とも呼ばれる。こうした反応の連鎖は科学者にはよく知られている。何年も前から多くの研究者が似たようなマウスの行動を観察しており、何十億という人々をそうさせること――そして人々の注意、つまり、より多くのお金を引き出せるように――を企業に提案している。この傾向は続くだろう。プログラマーたちは「ユーザーがまったく同じように行動し続けるために苦労している」

のだから、とある神経生物学者は説明する。[76] ともかく、司祭たちが「ホモ・サピエンス」が神に似せて創られたと説いたのは無駄だった。実際には、われわれはネズミよりそう賢いとは言えない行動をするのだ。

未来の色は何だろうか？　だれもが自分の意見を持っている。白が清々しいインターフェースを追求する開発者の好む色だ、いや環境保護の印の緑だ、と考える人もいる。あるいは、最近流行している紫だろうか？　色調は、人々の注意をひそかに引く働きをする広範な刺激(音、振動、ジングルなど）の一環としてまだ長く残ることは確かだろう。「ＳＮＳのアプリはわれわれの脳に侵入してきて、それをすることをわれわれに許可する」と、「責任あるデジタル」の専門家は言う。[77] その褒美は、画面に費やす時間の増加、より多く作られるデータ……そして消費エネルギーの増加だ。実際、高画質ピクセル数動画はまもなく４Ｋ、あるいは「高画質の32倍のデータを使う」８Ｋすら超えようとしていると、ある調査は指摘する。[78]『カンヴァセーション』誌には研究者による驚くべき数字が掲載されている。「２０３０年に４Ｋ動画が10パーセント増えると、それだけでデジタル部門の電力の総消費量が10パーセント上昇する」[79]。カプトロジーのテクニックによって生じる知的・社会的汚染は、環境汚染を引き起こすと、デジタル・フォー・ザ・プラネット［仏ＮＧＯ］の会長は指摘する。「この３つの形の汚染は相互依存しており、別々に取り組むことはできない」[80]

こうした戦略に対抗するにはどうしたらいいのだろうか？　まずは、グーグルの元エンジニア、トリスタン・ハリス氏がしたように、テック大企業が開発した、人を操るテクニックを告発することだ。その次には行動しなければならない。自分の存在のコントロールを取り戻すことを目指す多くの解決策を見つけることができる。通知を無効にする、最も依存しやすいアプリケーション（フェイスブック、スナップチャット、ＴｉｋＴｏｋ、インスタグラム）を削除する、アルゴリズムがユーザーの憤慨を助長する（アプリケーション上のトラフィックをつくり出す）ようにできているＳＮＳから距離をとる、寝室への電話持ち込みを禁止する、週に１日はネットに接続しないなどだ。[81] スマートフォンの使用を禁止するレストランやバーの住所を提案する市民団体もある。台湾では、２歳未満の子どもに端末の画面を使わせる親は１５００ユーロの罰金を科される。理屈は簡単だ。「台湾人はそれを虐待とみなすからだ」と、ある神経科学者は強調する。[82] デザイナーズ・エチック[83]［持続的で責任あるデザインコンセプト研究の協会］では研究者やウェブコンセプターが、帯域幅を過剰に使用するウェブサイトを「クリーニングし」、すっきりとしたウェブを提案している。この考え方の好例はウィキペディアだ。エネルギーを食う動画コンテンツを排しているので、何百万件もある項目を含むサイト全体は数十ギガオクテットにすぎない。ノートパソコンのメモリのごく一部分に相当するだけだ。デザイナーズ・エチックの「デザインによる倫理」の考え方のなかには、サイト上の「イベント系」（広告、動画など）を少なくし、コンテンツの推奨を少なくし、注意とトラフィックを促す「いいね！」の機能を停止することなども含まれる。[84]

色に関しては、モノクロ画面への回帰を主張する人もいる。2017年、ライアソン大学（トロント）の学生で「Go gray」とうまく命名されたウェブサイトを立ち上げたレーマン・アタさんを中心にしたグループができた。[85] グレースケールのデジタルライフは依存を助長するデザインの邪悪な効果の裏をかくだろうし、日常の行為を人が自ら選択するという概念を再認識させることができるだろうし、[86] 人々の網膜をブルーと赤で埋め尽くすことによって人に及ぼす過大な影響力を少しでもGAFAMから取り戻すことができるかもしれない。アップルは2014年にiPhoneの画面をモノクロモードにできる機能を自発的に設置した。[87] SNSの活気低下を何らかの行動変化に結びつけようとしているのだろうか？　グレースケールを選択するユーザーが増えていても——その数を評価するのは難しい——このわずかなエコロジカルな行為は全般的な傾向をひっくり返すには十分ではない。「開発者は、こうした動きが再発しないように開発を進めるだろう。自分たちの仕事が2秒でフイになるような機能は好まないのだ」と、デザイナーズ・エチックの共同代表者は言った。[88]

デジタル世界の拡大は、つまりあらゆるものをあらゆる人に、いつでもどこでも接続するということだ。倫理的問いを超越して、人々がインターネットに費やす時間を増やし、帯域幅と画像のクオリティを高め、何十億人というネットユーザーを接続されたマシンと相互作用させることによって、[89] デジタル化の教祖たちは、スティーヴ・ケースとケヴィン・ケリーが予言した「あらゆるもののインターネット」の誕生のために尽くす。しかし、彼らはより先を目指す……。「4G

とちがって、5Gはわれわれの本質を変えるだろう。それはマシンによる人間の支配以外のなにものでもない」と、ある学者は警告する。[90] 人類は、すでに人間を必要としないようなロボット化の進んだインターネットの到来を準備しているからだ。

その地球への影響とは何だろうか？

第8章

ロボットは人間よりも環境を汚染する

協働ロボット、自動運転車、互いに通信する機器、スマートハウス、コネクテッド・インフラ、デジタルサプライチェーン（物流チェーンの管理）、デジタルクローン……5Gは何十億というモノやマシンが人間と共存、あるいは人間とは独立して動くようになることを目指す。ともかく、それが歴史の流れなのだ。20世紀初めには、人間は人間と話していた。それから人間は機械に話すようになり、機械は人間に答える。5Gでは、人間が介入することなく、お互いにしゃべれるマシンの数が増える。確かにマシンは人類のために動かされているのだが……。しかし、インターネットは、厳密な意味での人間の活動だけがデジタル社会を動かすものではない世界を作り上げたのだ。「コンピュータとモノが人間の介入なしに通信する。データ生成は人間側の行動にとどまらない」と、ランカスター大学のマイク・ハザス教授は言う。[1] この現象は当然、環境負荷を生じる――われわれが計算したり、あるいはコントロールすることさえできずに。ここで、厄介な疑問が湧いてくる。デジタル活動において、ロボットはいつの日か、人間以上に環境に大きな影響を及ぼすようになるのだろうか？[2]

ロボットは指数関数的にデジタル活動を増加させる

この疑問は真面目なものだ。人間の行動はインターネット上で測定できる活動全体の60パーセント以下にあたり、残りは「ロボットや、職業上そうする人間によって生産されるまがいものの意図である」と、アテンション・エコノミー（関心経済）についての本を書いた著者は明かす。[3]インターネットは事実、戦場だ。そこでは、「トロール（迷惑行為）」や「ボットネット」［「マルウェアに感染し、悪意のある攻撃者の制御下に置かれたコンピュータ群」、「スパムボット」［スパムメールを送信することを目的としてウェブ上から大量のメールアドレスを自動取得する］――自動化されている場合が多い――が迷惑メールを送ったり、SNS上で噂を広げたり、特定の動画の人気を誇張したりする役目を負う。2018年、ユーチューブは「不正」とみられる動画再生を察知するツールを作動したほどだ。[4]モノのインターネットでは当然、そうした人間の行為でない活動が急増する。とりわけスマートハウスやスマートカーなどのマシン間の接続（machine to machineを略してM2Mともいう）は2023年にはウェブへの接続の半分を占めるだろう。[5]データに関しては、人間の行為ではないデータが人間の行為によるデータよりも2012年以降はより多く生産されている。[6]

これはまだ序の口にすぎない。今ではロボットは他のロボットに返答するからだ。2014年以降、「敵対的生成ネットワーク（GAN）」により、たとえばソフトウェアが有名人の顔を入れ替えたり、発言を変更したり（ディープフェイク）することが可能になった。しかも、このネットワークに対し、それを破壊するアルゴリズムが対抗する……。「人間はだれもこうしたコンテンツを作るためのソースコードを書いていない。マシンがそのディープフェイクを暴露するために動く。マシン同士の戦いです」と、インターネット専門の英国人エンジニア、リアム・ニューカム氏は解説する。[7] その他の例としては、スパマー（ロボットである場合が多い）に対抗するために、ニュージーランドの市民団体が最近「Re: Scam」というソフトウェアを作った。これは自動詐欺師との対話を延々と長引かせて、それの貴重な時間を無駄にさせるものだ。[8]「表面に表れないデータ生成増加の原動力は、個人の意図やコンテンツを消費する時間に関係することは少なくなりつつある」と、マイク・ハザス教授は説明する。したがって、GAFAMは常により多くの人々がより多くネットに時間を費やすように働きかけることができる。ウェブライフにおけるコンピュータ、アルゴリズム、通信するモノの氾濫のために、インターネット上の人間の活動の物理的制約はなくなった。人のための人の使うインターネットから、マシンの使う、あるいはマシンのためのインターネットに代わろうとしている。そうなると、「(データ生成の）の天井は際限がない」と、ハザス氏は結論づける。[9]

人の乗らない自動運転車の群れが眠る都市をパトロールし、無数のソフトウェアがウェブ上で1日24時間、戦いを繰り広げている間に、われわれは余暇を楽しむという世界はどういう環境負荷を生じさせるのだろうか？　それは膨大だ。人間が引き起こしたデジタル汚染の総量をおそらく上回ると断言してもよいだろう。ひとつの指標を言えば、データ量の大きな人工知能（ＡＩ）ひとつを維持することは、自動車５台の全ライフサイクルの二酸化炭素排出に相当すると研究者が最近試算した。[10]また、５Ｇによって状況が完全に変わるのだから、人間の行動が引き起こす影響だけを注視することは意味のない幻想であることが明らかになっている。われわれはデジタル汚染の新たな段階、パラダイム転換の段階にいるのだ。未来を見つめてみよう。現在はデジタル革命の揺籃《ようらん》期《き》にある。そのデジタル革命は人間と機械のある種のハイブリッド化を加速させるロボット革命（「ロボリューション」ともいう）である。未来のロボットによる汚染の総量を予測するのは不可能だ。しかし私たちは、アルゴリズムの出現によって大きな環境負荷をすでに感じさせる、ある経済部門への調査をした。それは金融部門である。

人間は時代遅れという戦略がすでに用意されている

２０２０年３月23日、月曜日という日付はほとんどの人にとっては何の意味もないだろうが、実は時代の変わり目を象徴する日だった。その日の朝、新型コロナウイルスのために、世界最大のニューヨーク証券取引所は、いつもなら「フロア」に三々五々集まる競りのオペレーターがいない状態で始まった。コロナが終わるまで、相場建てはすべて自動化されるようになった。１７９２年にＮＹ取引所が始まって以来のことだ。[11]このエピソードは、世界の金融システムにアルゴリズムの占める役割が増えていることを示すものだ。ソフトウェアを使うことは、簡便さ、コスト減の要求に応えるとともに、1マイクロ秒でオペレーションを行うことのできるロボトレーダーの増加に見られるように、取引所での発注の流れを加速させるのが目的だ。「高頻度取引（HFT）とは、ハイテクで超高速の自動投機システムだ」というのが、このロボット化現象についてのドキュメンタリー[12]を制作した人の定義だ。このシステムは成功し、世界の取引の70パーセント近く、取引額の40パーセントを占める。こうした状況では、高頻度取引を行う証券取引所から人が姿を消したのも不思議ではない。人間の能力は、「今後は競争し合う」機械の能力にもはや太刀打ちできないからだ、とドキュメンタリー作者は結論づけた。

こうした金融市場の変化は、投資銀行から投機的運用をするヘッジファンドまで、市場のあらゆるプレーヤー集団に大変動をもたらした。「ヘッジファンドではすでに1980年代からアルゴリズムが体系化されていた。今日では、世界の1万社のヘッジファンドの多くがアルゴリズムを使っている」と、マクロ経済の戦略家は言う[13]。もう少し正確に言うと、「アルゴリズムのほとんどは非常に簡単なものだ。それは株式を買うか売るかしそうな人数を調べ、毎分という短期間の利益を予想しようとするもの」と、科学・テクノロジー・経済教授ファン・パブロ・パルド＝ゲラ氏は説明する[14]。ブローカー会社の社員もそれを裏付ける。「とてもベーシックですよ。機械の目標は一連の統計に関連して利益を得ることで、80パーセントのケースではそれより先にはいきません[15]」。しかし、より先端的なファンドでは、強力な情報ツールによって、人間がやるよりもより複雑な分析を行うことができる。それはクオンツ・ファンド［定量分析モデルを基に統計的・計量的に投資判断をするファンド］と呼ばれる。

１９７０年代にはクオンツ・ファンドの到来を予測できたオブザーバーは稀だった。その時代は、人間の直感と経済の基本的メカニズムに対する経験に基づく投資戦略、ファンダメンタル・ファンドが支配的だった。当時は、「みんなが市場をモデル化するよりも、市場を理解しようとしていた」と、ＨＳＢＣ銀行の元アナリストは言う。[16] しかし、１９８２年、アメリカ国家安全保障局（ＮＳＡ）の元数学家ジェームズ・シモンズが革命的なファンド「ルネサンス・テクノロジーズ」を創設した。「シモンズは従来のヘッジファンドが注意深く探っていた兆候の分析を自動化しようとした」と同アナリストは説明する。[17] 具体的に言うと、利益の上がる市場動向をよりよく先取りできる組み合わせを特定するために、統計モデルに大量のデータを注入するのだ。[18] 今日、このプロセスは企業についてのより詳細な財務以外の情報（製造過程の活動をリアルタイムで追う衛星画像、物流体制の流れ、あるいはＳＮＳに掲載された「マーケット感覚」など）を含めている。それらすべてが、一歩先に買うか売るかの判断に生かされるのだ。

ＩＴ革命のおかげで、クオンツ・ファンドは常により大量になっていく情報や変数を消化することができる。計算能力があらゆる人間の能力を大きく上回るため、およそ10年前から、従来のファンドよりも平均してより大きな利益を生むようになった。[19] 今日、アルゴリズムに消極的なヘッジファンドは単純にランクを下げられるほどだ。この定量分析を最も完成させた多国籍企業のひとつは、世界最大の資産を運用するブラックロックだ。１９９０年代末から、同社は「最先端のリスク分析とポートフォリオ管理と交渉と金融オペレーションの完全なツールを組み合わせた」[20]情報プラットフォーム「アラディン」[21]によって予測を行う。アラディンは15兆ドルの資産（世界の資産の7パーセント）を管理し、定量分析を比類ない威力と完成のレベルに高めた。機械は勝敗の相関関係をよく感知し、様々な市場環境に応じて詳細な投資戦略を提案する。[22]「ブラックロックとしては、高くついて効率の低いアナリストの給与よりも、機械にお金をつぎ込んだほうがいい」と、フアン・パブロ・パルド＝ゲラ氏は冷たく言い切った。[23]

金融界はより大きな利益を上げるために、［機械に］対立する立場である人間が次第に少なくなっているのである。[24]しかし、パルド＝ゲラ氏は最近出版した本のなかで、「人間が少なくとも部分的な役割を演じる」世界を支持している。[25]当然ながら、ブラックロックは２０２０年に、金融アナリストを含む数十人の社員――アルゴリズムのパフォーマンスの前では文字通り古臭くなった――の解雇を発表した。[26]「クオンツの究極の夢は、ほとんど社員を持たないことだ。残った社員はすべてがうまく機能するように時々ボタンを押せばいいのだから」と、元アナリストは言う。[27]その続きは容易に想像できるだろう。「そうしたインフラが機能するようになれば、〝ひょっとしたらコンピュータが（投資の）決定を下すかもしれない〟と思うようになるのに大した想像力は必要ない」と、情報工学理論のマイケル・カーンズ教授は予測する。[28]まさにツーシグマやルネサンス・テクノロジーズのようなファンドはそれをしている。非常に強力なツールで自動化をさらに一歩進めたため、ＡＩという言葉――何でもかんでもこの言葉を使う傾向にあるが――すら使われている。

パッシブ運用を求める多国籍企業

こうして、「アクティブ・ファンド」（投資の判断が大部分、人間に任される）に対して、「パッシブ・ファンド」がますます増えている。パッシブ・ファンドでは金融オペレーションの自動化が進んでいる。それは多くの場合「インデックス・ファンド」で、株価指数（たとえば、アメリカの証券取引所に上場された５００社の大企業に基づいたＳ＆Ｐ５００など）やそれらの企業への長期投資に連動したものだ。そのため運用コストは低く、マージンは高くなる。運用するのはブラックロック、ヴァンガード、ルネサンス・テクノロジーズ、ツーシグマらだ。パッシブ・ファンドの規模は巨大だ。今日、アメリカではアクティブ・ファンドを追い抜いている。[29] したがって、クオンツ・ファンドは氷山の一角ではない。その流れのなかで、金融全体がプログラムやアルゴリズムやコンピュータの仕事にますますなりつつあるのだ。

ここで、多国籍企業エンカナが登場してくる。カナダのアルバータ州最大の都市カルガリーに長く本社を構えた同社は、カナダの天然ガス生産では最大級だ。同社が有する天然ガスの埋蔵量は非常に膨大なため、二酸化炭素排出の可能性が最も高い世界の企業をランク付けする「カーボン・アンダーグラウンド２００」に２０１４年以来載っている。[30] この悲しいランキングに入ることは企業にとってはまったく良いことではない。地球温暖化問題に関心のある投資家たちは投資から手を引く傾向にあるからだ。この傾向は２０１８年のエンカナの株価がかなり下がった理由――少なくとも部分的な理由――だろうか？　答えるのは難しい……。とにかく、２０１９年秋、ダグ・サトルズ社長はアメリカのデンヴァーに急遽本社を移すことを発表した。アメリカの証券取引所での資金調達がカナダのそれより優れているというのが社長の言い分で、エンカナはより広範な投資家にアクセスできるようになると考えた。だが、だれでもいいというわけではない。パッシブ・ファンドだ。「わが社とアメリカの同業者を比べると、わが社の資本はパッシブ・ファンドが10パーセント保持しているのに対し、（中略）アメリカの企業では30パーセントだった」と、サトルズ社長は嘆いた。「（パッシブ投資の増加が）どれほど重要か、パッシブ運用が増えることがどれほど決定的かということがわかるでしょう[31]」。内部の反対は多少あったが、エンカナの移転（その機会に社名もオヴィンティヴと変えた）は２０２０年に株主から承認された[32]。

しかし、公然と口にできない移転の理由はほかにある。エンカナの環境会計が嘆かわしいものであろうと、投資家が「カーボン・アンダーグラウンド２００」に顔をしかめようと、パッシブ・ファンドがフォローするアメリカの株式指数に上場している限りは、より容易に資金を調達でき、発展に投資できるのだ。世界の主要な汚染企業のひとつであるエンカナは、気候問題を悪化させる産業活動を支持する傾向にあるアルゴリズムの金融への依存を増やすことを選択したのだ[33]。ここは強調したいのだが、機械に統率されたファンドは、人間が統率するファンドよりも環境を破壊すると言えるだろう。これは驚くべきことだ。2018年に英国のシンクタンク「インフルエンスマップ」の依頼で「だれが化石燃料界を所有しているのか?」という調査[34]を実施した研究者、トーマス・オニール氏の結論も同じだからだ。特にブラックロックが管理するパッシブ・ファンドへの調査の結果、2018年度で「100万ドルあたり650トン以上の化石燃料という〝炭素集中〟が見られ、同社のアクティブ・ファンドのほうは100万ドルあたり300トンと集中度が低い」ことを同氏は確認した。オニール氏によると、世界中のパッシブ・ファンド全体が、アクティブ・ファンドよりも明らかに化石燃料のほうを向いているのだそうだ。つまり、気候を温暖化させている産業とロボットとの結びつきは強いということだ。

それはなぜか? アルゴリズムによるファンドは、何よりもまず利益を追求するように設定されており、氷が溶けるのを予想するためではないからだ。だが、このことは、いくつかの重大な結果をもたらす。まず、現金調達へのアクセスが容易であることは、ガス、石油、石炭部門の企業の価値を高めるように作用する。そうした企業は、経済的なパフォーマンスが低くても、その価値を人工的に膨張させることができる。[35] ちなみに、ブラックロック、ヴァンガード、ステート・ストリートはS&P500に数えられる企業の4分の1の株を有している。そうしたファンドは、自分たちが株主である企業の戦略にほとんど反対しないだけでなく、より環境に配慮する株主が経営陣の方針に影響を及ぼそうとする意向を妨害する。パッシブ・ファンドの隆盛は気候問題を解決するよりむしろ悪化させることは明らかだ。パッシブ・ファンドは「炭素集中度の高い企業のために資金を供給するからだ」と、サンライズ・プロジェクト［オーストラリアの環境保護団体］の報告書も警告を発する。[36]

アクティブ・ファンドのほうは、利益追求と環境保護の信念のあいだのバランスをとることができる個人によって管理される。しかも、生身の人間である投資家自身は、無条件に株価指数だけを追うアルゴリズムのファンドよりはずっとフレキシブルだろう。実際に、投資家は各部門の特殊事情に適応できるし、必要なら「迅速に手を引く」こともできる、とサンライズ・プロジェクトのある戦略家は分析する。[37] こうしたことから、ブラックロックにおける「人間による」投資と、自動化された投資の間の環境保護パフォーマンスに大きな開きができることが説明できる。だが、解決策はある。パッシブ・ファンドも脱炭素の有価証券への投資をデフォルトとして提案することができるからだ。[38] 実際、「今の軌道を変更するのはけっこう簡単だ。プログラムを変えるのと同じくらい容易いかもしれない」と、サンライズ・プロジェクトの先の戦略家は言う。[39]

しかし、パッシブ・ファンドの管理者は、指数――そしてアルゴリズム――を追うよう強いられていると主張する。しかも、顧客との契約に反することになり、投資の責任もかかってくると言う。ファンド管理者と投資家が責任を回避している間に、コンピュータは化石燃料への安定した支援者として前面に出てくる。アルゴリズムの導入によって、われわれは「だれも統率することも、別の方向に行くこともできない、自動化されたコントロール下に」市場を置いたのだと、サンライズ・プロジェクトの報告書は説明する。[40] 2017年、香港のベンチャーキャピタル（ファンド）であるディープ・ナレッジ・ベンチャーズ（ＤＫＶ）は、「Vital」[41]と名づけられたロボット（ＡＩ）を取締役会のメンバーに任命したと発表し[42]、そのＡＩの分析を見てからでなければいかなる決定もしないことになった。さらに、アメリカのエキュボット［信託投資顧問会社］は各部署に「ＡＩ」を設置した。そのＡＩは「人間の推論を左右する感情的・心理的弱さ」を克服する[43]と、同社の創業者は宣言した。

こうした動きは誇張して受け取られるものだが、アルゴリズムの完璧さに人間が魅了されることを示している。スーパーインテリジェンス（超知能）は決して世界の金融を支配することはないだろう。サーキットブレーカー［株式市場などで大きな価格変動がある場合に、取引を強制的に停止させる制度］もあるし、中央銀行はコンピュータに支配されるには強力すぎるし、介入力が大きすぎる。一方で、「アルゴ」の力に人間が次第に地位を明け渡していることは議論の余地がない。パッシブ・ファンドを支配するプログラムの変更を拒否することには、重大な意味がある……。「われわれが決定すべきことをアルゴリズムに委任することは、責任逃れだ」と、パルド＝ゲラ教授はみなす[44]。桁外れの情報インフラを成功の要にしたツーシグマというファンドは、悪い投資決定に導きうるソフトウェアのエラーはファンドの「まったくの制御外であることが多い」としている[45]！創造主の責任が創造物の責任の陰に隠れるのなら、気候温暖化とのたたかいの一部——その失敗の責任も含めて——も実質的に創造物に委任することになるだろう。

そうなると、人類のサバイバルのための戦いが人間なしで行われる、という新たな世界が生まれる。その仮説を推進する人々は、環境問題を懸念する超強力なＡＩ、「環境に責任を持つＡＩ」が、地球のために人間に代わって決定を下す能力があると予言する。

地球のためのスーパーインテリジェンス

２０１４年7月、多国籍ＩＴ企業ＩＢＭは、都市人口が急増する中国で都市部の汚染減少を目指すイニシアティブ「グリーン・ホライゾン」をスタートした。より正確に言うと、このプロジェクトでは、「北京市における汚染の度合いを72時間前に予測できるような情報システムを開発する」[46]ことが研究者たちに委任された。このシステムに開発者は大いに満足したようだ。２０１５年の第1～3四半期に北京当局は微小粒子物質の排出を20パーセント削減したと[47]、ＩＢＭは誇らしげに発表したからだ。さらには、グリーン・ホライゾンは汚染度を診断するばかりでなく、「受容できるレベルに汚染を減少させる方法について個別に提案する」ことができる[48]——たとえば、ある工場を閉鎖するとか、走行する自動車の数を制限するなど——と、ＩＢＭは発表した。つまり、環境保護戦略を調整できる最初の情報ツールのひとつが現れたのだ。そのツールは時間と空間の限界はあったものの、人間の脳だけでは分析が難しい莫大な量のパラメーターを掛け合わせることで実現できた。ＩＢＭは、グリーン・ホライゾンはＡＩ以外の何ものでもないと宣言した。[49]

このＡＩという非常にあいまいな流行語は、様々な定義を含む。データセンター業界のスターの一人であるオランダ人レックス・クアーズ氏によると、「強い」AIは非常に強力なスーパーインテリジェンスであり、「感動、直感、感情」を持つことができる可能性があり、[50] 自分の存在すら認識できるという。そのようなAIは、自分でデータを処理しつつ学習し向上する（これをディープラーニング[51]と言う）ために必要な175ゼタオクテットのデータを人類が生成できれば、最も楽観的な見方で今後5年から10年で出現するという。アメリカ航空宇宙局（NASA）の地球外知的生命体探査計画の責任者セス・ショスタック氏のように、宇宙における知能の主な形はすでに電子的生命体であるという興味深い――だが不快な――仮説を唱える人もいる。動物である人間の知能は、機械というポスト生命体の到来によって頂点を極める進化過程の1段階、つまり「過渡的な現象」でしかない[52]ということだ。懐疑的な人たちは、そうしたことはすべてSFや空想の分野にとどまるだろうと言う。したがって、多くの人は、人間の能力を超える仕事をするのに優れてはいても、人間の管理下で行動する「弱いAI」と人間が共存するのが妥当だろうと考えるのだ。最近まで、AIと「環境」という言葉の組み合わせは、「グリーンなAI（green artificial intelligence）」、つまり資源とエネルギーを節約する情報プラットフォーム――その環境負荷はそれが生む利益より少ない――に言及するために使われていた。しかし、今では「グリーンのためのAI（環境のためのAI［artificial intellegence for green］）」という表現が盛んに話題に上るようになった。

事実、気候温暖化とのたたかいは恐ろしく複雑な試みだ……。電力生産、輸送、住居、農業など様々な分野を同時に扱う全体論としての解決策のみが、危機を緩和することができる。[53]求める目標からそれないように、歴史の流れがどうであろうと、長期的な戦略を配置し、何十年にもわたって継続する行動を維持することが必要だろう。地球の救済はそれだけの価値がある。国際社会が世界的な二酸化炭素排出を減らそうとして困難に直面するのを見ると、それほどのチャレンジに対応するわれわれの能力に疑問を抱く権利が当然ある……。だから、科学者のなかには人間を超えるAI、あるいは強いAIだけがその任務に取り組むことができるという仮説を唱えるのだ。[54]それは、本書の初めに挙げた「責任あるデジタル」、純粋な「グリーンIT」の最終段階であるだろう。すでにその試みを吹聴する企業もある。たとえば英国企業「ディープマインド」の創業者デミス・ハサビス氏は「まずは知能（の問題）を解決しなければならない。それから、その他すべての問題を解決するために、その知能を使うのだ[55]」――とりわけ地球温暖化問題を――と主張する。コンサルティングと会計監査企業、プライスウォーターハウスクーパース（PwC）は2018年の報告書で、「AIを地球のために利用する時がきた」と率直に提案している。[56]

楽観的すぎる、あるいはペテンとすら見なすべきなのだろうか？　ともかく、このAIによる解決という可能性は理論上のものではあるが、興味深い倫理的、哲学的、民主主義的問題を提起する。実際には、気候や生物多様性を案ずるスーパーインテリジェンスから得られるのは具体的にはどんな利益だろうか？　人間にとってはどんなリスクがありうるのだろうか？　ひょっとしたら、どこかで歯止めを設けるか、「強いAI」に踏み込むのをやめるべきなのだろうか？「われわれはＡＩのテクノロジーを向上させるために何十億ユーロも投資している。進展は速い。〝成功すれば、どうなるのか？〟と人々は自問し始めた。それはよい質問だ、すべき質問だ」と、ＡＩ分野の研究で世界的に有名な英国人の情報科学者ステュアート・ラッセル氏は言う[57]。

そのようなＡＩは何ができるのだろうか？　たとえば、これまで理解不能だった気候現象を明らかにし、エコシステムを規定する神秘的な相関関係を明確にすると考える学者もいる[58]。別の学者は、非常に先進的なマーケティングで消費者の無意識の欲求を操作することによって、ＡＩは環境負荷の高い商品（肉など）の消費を減らすことができるだろうと言う。だが、とりわけ、ＡＩは気候やエコシステムによって生成される無数のデータを凝集させ、長期的な保護対策の形に再生することができるだろうといわれる。「今後２００年間の環境戦略を練り上げるためには人工頭脳が必要だ。人間にそれができるとは思わない。ＡＩがあれば、そういう戦略の計画をより速く進めることができるだろう」と、レックス・クアーズ氏は結論する[59]。

この行き方には危険がないわけではない。「強いＡＩ」は、その鉱物資源やエネルギーの消費から考えると、地球に恩恵よりもより多くの害をもたらすかもしれない。「うまく導かないと、（中略）環境の悪化を招く可能性がある」と、ＰｗＣ社は釘を刺す[60]。悲観的シナリオだと、ＡＩは２０４０年に世界の電力生産の半分を消費すると言われる[61]。しかも、われわれの期待をすべてＡＩにかけることとは、気候のための行動の責任を未来の世代に負わせることにならないだろうか？「来たる10年から20年の間に大きな政策転換が必要だ。だが、その間には〝強いＡＩ〟はまだ完成されていないだろう」と、ある研究者は警告する。[62] 気候問題のためという大義は、IT企業がＡＩ研究を加速させるための最良の論拠だろうが……。しかも、ＡＩが好意的な意思によって設定・管理されることは保証されるのだろうか？　スーパーインテリジェンスが、１９７０年代に過激な環境保護思想「ディープ・エコロジー」を築いたノルウェー人哲学者アルネ・ネスの哲学を引き継ぐなら、それをだれもが好意的に受け取るわけではない。ネスによると、「人間の生命の繁栄は（中略）個体数の大きな減少と両立し、人間以外の生命の発展はそうした減少を求める[63]」

「グリーン・リヴァイアサン」vs人間？

このような思想では、〝強いＡＩ〟の誕生によってもたらされる、より重大な——かつ心配な——取り組みが考慮される。ＡＩが地球のためにとる決定が、たとえば自由を奪ったり、民主主義を後退させたりなど、人間に矛先を向ける度合いはどの程度なのだろうか？　すでに今日、自然を守るという名目で多くの禁止事項が正当化されている（肉を食べるのをやめる、大気汚染が高まった時は自家用車を使わない、飛行機に乗らないなど）。こうした禁止事項をＡＩがさらに推し進めるなら、どうなるのだろうか？　このような問いを発するだけで、この「グリーン・リヴァイアサン」［リヴァイアサンは旧約聖書に登場する最強の怪獣］が人間と同じ価値観——最も基本的なヒューマニスト的モラルも含めて——を共有すべきだと考えるのに十分だ。人間がＡＩに与える目標が人類をまさに根絶させることにつながる可能性もあるという仮定も成り立つわけだ。[64] このリスクについては科学者のなかにも真剣に考える人がおり、環境を守るためにＡＩがとりうる最良の決定は、環境を破壊する者を排除することだろうという。[65] したがって、自然保護は、自然のなかにいる人間の保護と必ずしも両立しないのだ。この両立しない２つの目的は二律背反となる。そうなると、人間は、「地球に優しい」が「人間に優しく」ない敵対的なＡＩを生み出すことになる。そのため、ステュアート・ラッセル氏は、独立した倫理的地位を〝自然〟に与える思想に賛成しない。自然の外にある、自然を破壊する存在を自然界から減少させることを正当化するようなアプローチだからだ。[66]

このような推測は別にしても、ともかく人間が「グリーン・リヴァイアサン」の提案する解決策に知能的に追い越される危険がある。すべてをＡＩに委ねることは、大事な決定権をＡＩに譲り、議論の余地のない正当な目的の名においてＡＩの意志に服従する――人間に課される決定事項を理解することもできずに――ことになる。環境に責任のあるＡＩに統治される１００年間というのは、われわれにとって意味があるのだろうか？　アメリカのリチャード・ニクソン、ジェラルド・フォード両大統領の国務長官だったヘンリー・キッシンジャー氏が、「アトランティック」誌に掲載されたＡＩについての非常に興味深い投稿論文で説明しているように、中世には宗教が宇宙についての人間の理解を形成した。そして18世紀には、それが理性になり、19世紀には歴史になり、20世紀にはイデオロギーになった。[67] 21世紀には、より節制されたグリーンな世界への大

冒険からもう何も解読（文字通りの意味で）できなくなるだろうとした。そこから逆説的な疑問が湧いてくる。完全に情報に頼る世界はより神秘的な世界になるのだろうか？

哲学的考察はひとまず脇に置いておこう。今日、デジタル業界の当事者たちはもっと現実的な問題に直面している。われわれは、生成、交換、保存、処理されるデータの指数関数的な増加を技術的に支えることができるのだろうかという問いだ。インターネットが必要とする資源やエネルギーから考えて、5Gや「すべてのもののインターネット」がもたらす非物質的〝津波〟をネットは吸収することができるのだろうか？　過剰に接続された社会はパラダイムの過激な変化をもたらす。豊富さに煽られた世界のチャレンジは、希少さに服従する世界のチャレンジよりもずっと大きい。豊富さは不足よりも、より死に至らしめる。幸いなことに、人間の頭脳は何十年も前に、インターネット、赤や青への人間の注意、自動運転車、パッシブ・ファンド、AIをさらに推し進めるための天才的な発明をした。

その発明とは、大洋横断海底ケーブルだ。

第9章
海底の無数のタコ足

今日、技術的な限界も、物理的な制限も、人々のヴァーチャルな探求を妨害することはできない。データ生成は爆発的に増えても、多数のエンジニアが驚くべきイノベーションですぐに対抗する。テクノロジーによる「ソリューショニズム（どんな問題にも解決策があるという考え方）」の顕著な例は、繁栄をテーマにした演説で、1993年にアル・ゴア米副大統領が知らしめた表現に見られる。「今日、商業はアスファルトの高速道路上だけに展開しているのではなく、情報の高速道路上にある」[1]。これは暗喩ではない。人間は数十年前から、インターネットの構築を強化するために物理的な回路を設置してきたのだ。常により多くのデータを、常によりスピーディーに伝送する、というのがアル・ゴアの言及した光ファイバーケーブルの拡大を可能にした競争なのだ。

私たちが初めてネットのケーブルに接したのは2020年3月11日、サン・ジル・クロワ・ド・

ヴィ町に近いパレ・プレノー海岸だった。まだ朝の8時にもなっていなかったが、大西洋の大波に洗われた長い砂浜には見慣れない作業がすでに始まっていた。ヘルメットと蛍光色の安全ベストを身につけた10人ほどが、荒れた海と灰色の空をじっと見つめている。数百メートル沖に出ているいくつかのボートが灰色の風景に多少の華を添える。そのなかには「ミニプロン」という名の華奢《きゃしゃ》なボートがあり、酸素ボンベを背負ったダイバー４人が陸からの合図を待っている。隣町のサンティレール・ド・リエのロラン・ブドリエ町長も来ていた。「非物質化には物質的な現実がある。データを送ったり受け取ったりするには、接続が存在していなければならない」と、町長は言った。この〝接続〟こそが、町長がパレ・プレノー海岸にいる理由だったのだ。事実、やや特別なイベントが準備されていた。グーグル所有の第２の国際海底ケーブル「デュナン」[2]の「着陸」（設置）作業が始まろうとしていた。[3]

ペアの光ファイバーが12組、１秒間に３００テラバイトに近いデータを伝送する、これまでにない最強の光ケーブルのひとつだ。あと数ヶ月で、アメリカ・ワシントン南のヴァージニア・ビーチ市とベルギーのサン・ギスラン市にあるグーグルのデータセンターの間６６００キロメートルを結ぶ。そのルートはフランスの海岸を経由するので、５キロメートルの最初の区間が敷設されようとしているのだ。「大西洋を横断するケーブルの敷設はそうそうあるもんじゃない！」と、海岸に2台のパワーショベルをすえたメルスロン社の担当者リシャール・ブロー氏は言った。20年ぶりだそうだ……。何のためか？「ユーチューブやオンラインゲームのためだ」と、海岸で待機する関係者の一人が言った。だが、将来は「ますます発展しつつあるヴァーチャルマネーのためでもある」

とにかく、泡立つ波を海岸にぶつける荒海が鎮まらないといけない。「やりたいなあ！」と作業員がつぶやく。しかし、海底にケーブルを設置するために派遣されたアトランティック・スカファンドル社のダイバーが最終的な決定権を持つ。悪天候の場合は作業が危険であり、ダイバーたちは危険を冒さないと事前に警告している。天候が鎮まる気配はない。「風が強くなっているような気がする」と、「デュナン」のフランス国内部分の敷設を担当する通信業者オランジュ社[4]のプロジェクトリーダーのオリヴィエ・セガラール氏は雲をにらみつけながらつぶやいた。状況は明らかなようだ……。9時に作業はキャンセルされた。ミニプロンはサン・ジル・クロワ・ド・ヴィ町の港に戻り、ケーブルを輸送するトラヴオセアン社の船はレ・サーブル・ドロンヌの港に行く。天候のために2週間、作業ができないため、オランジュ社のプレス担当イザベル・ドレスル氏は「いらいらしてきますよ。船や装備のコストで、1日経つごとに3万ユーロの損失になるんです！」と不満げだ。

だが、もっと心配なことがある。グーグルはシロチドリの習慣に従わなければならないからだ。この灰褐色の保護鳥は体長15センチほどで、3月半ばから、ちょうど光ケーブルの通り道であるヴァンデ県の海岸に巣を作る。巣作りの時期は近づいており、シロチドリと光ケーブルが対立する行政上の争いで、シロチドリが勝利した。あと数日で、世界最大の企業のひとつであるグーグルは、シロチドリが子孫を確保する期間はデュナンを敷設することが禁止される。より大きな帯域幅を期待していた何億人というネットユーザーは我慢するしかない。「こうしたことすべてが、子猫の動画のためとは！」と、オリヴィエ・セガラール氏はため息をつく。「高校に講義に出かけることがあると、生徒の多くは通信は衛星を経由していると今でも思っているんですよ。全部、ケーブルを通っているのに」

ネットの〝収納庫〟のなかの〝光に照らされた人〟

インターネットは水陸両生の巨大なネットワークだ。今日、世界のデータトラフィックの99パーセントは空中ではなく、地下や海底に敷設された管を通っている。われわれの位置情報やズーム会議などのデータは、黒竜江省の鉱山やスカンジナヴィア半島の川、台湾の空にその痕跡を残すだけではない……。海峡や三角州を通って海の深淵を這う。毎日、われわれは何千キロメートルも離れたところに散在する何百というケーブルを使っているのだ。それなのに、通話や写真や動画は空中を飛んでいると思い込んでいる人が多い。おそらく、われわれのデジタル行為は、ファイバー網でデータが運ばれる前に、まずアンテナ（3G、4G、5G）に中継されるからだろう。それに、「発射するロケットは煙を上げる船よりもかっこいい」からかもしれないと、セガラール氏はおどける。しかも、1970年代にはケーブルと宇宙衛星がまだ揺籃期にあったデータトラフィックをわがものにしようと競争をしていたからだろう。「当時はどっちのテクノロジーが勝つか議論があった」と、電気通信ケーブルの元エンジニアは回想する。[5]

だが、それは読者が本書を読むよりずっと前、「ビッグデータ」が出現する前のことだ。伝送能力の高さと競争力のあるコストのために、海の〝ハイウェイ〟が宇宙を凌駕《りょうが》した。海底ケーブルのインフラの規模を理解するためには、「ネットの収納庫」と呼ばれるところに降りていってみよう。「下水道との類似は興味深い……その点、あまり魅力的でも、目につくものでもないが、必要不可欠なものだ」と、電気通信業界のある関係者は言う。[6] ケーブルはポリエチレンにくるまれた細い金属の管で、[7] 中心にペアになった光ファイバー、つまりガラスの繊維が通り、光パルスによって暗号化された情報が1秒あたり20万キロメートルの速さで伝送される[8]（図表9を参照）。非常に長い距離にわたって光信号を維持するのは最近のイノベーションだが、原理は世界の歴史ほど古い。アメリカの先住民やギリシャ人、中国人たちはメッセージを伝達するために松《たい》明《まつ》、狼煙《のろし》やトーチを使っていた。その後、１６９０年にフランスの物理学者ギヨーム・アモントンが腕木通信のアイデアを考えついた。「その原理は、連続するいくつかの場所があって、前の場所の信号に望遠鏡で気づいた人が次の場所にそれを伝え、そのまた次に伝えること」と、フランス人作家・科学者のベルナール・フォントネルは書いている。[9] １７９４年、クロード・シャップがその方法を完成させ、数百キロメートルにわたって展開した。それを「シャップ・テレグラフ」と言う。ほぼ1世紀後の１８８０年、グラハム・ベルがフォトフォン［光のビームで音声を伝送する通信機器］を発明した。彼は「影を聞くことができる」という美しい説明をしている。

したがって人間は、光は情報であるということを何千年も前から異なる方法で表現していたのである。「電子メールは光だ。猫の動画も光だ。光ケーブルを始動させるとき、業界の人たちは〝ケーブルを灯す〟と言う」と、電気通信設備会社の幹部が説明してくれた。[10]別の言い方をするなら、インターネットは改良された腕木信号機のネットワークでは決してないということだ。われわれネットユーザーは文字通り〝光に照らされた人〟［フランス語では〝喜びに満ちた〟という意味もある］であると言うことは誇張ではないのだ。1988年にアメリカとヨーロッパの間に最初の光ケーブル「TAT－8」が敷設されて以来、光ファイバーの進化はめざましかった。このTAT－8は同時に4万件の電話通信を可能にした。今日、デュナンは50億件の電話、あるいはアメリカ議会図書館の中身の3倍の情報を1秒間で伝送できる。[11]それで、詩的にも「光の髪の毛」[12]という異名をとる光ファイバーが地球を制覇し、われわれの〝接続された生活〟に欠かせないインフラを形成していることがわかる。太平洋に浮かぶトンガ諸島の10万人の住民はそのことをよく知っている。2019年、トンガにつながっている唯一の海底ケーブルが切れて島は2週間も〝ネットの暗闇〟に陥った。トンガは「世界から孤立した」と、ある専門家は回想する。[13]ある人々にとっては、「人生／生命は糸一本でしかつながっていない」［仏語の表現で〝空前のともしび〟という意味］という表現がその時ほどふさわしく思えたことはなかっただろう……。

現在、450本[14]の「灯された」タコ足［光ケーブル］が大洋の底にある。合計120万キロメートル（地球の外周の30倍）だ。ネットの脊椎は特に水中で繁栄する。海底ケーブル敷設には数億ユーロかかることもあるが、陸地の地中に埋めるのに比べると10分の1だ。ネットのハイウェイの地図（図表10を参照）を見ると、網の目が不均一なことがわかる。ジブチ、スエズ運河やマラッカ海峡のハブのような密な地域もあれば、放置された地域もある（北極や北朝鮮の海）。ベネズエラ沖のキュラソー島とボネール島をつなぐ85キロメートルの「アメリゴ・ヴェスブッチ」のように非常に短いものもあれば、「ＳＥＡＭＥ-ＷＥ-３」（South-East Asia、Middle East、Western Europeの頭文字をとっている）のように北欧からオーストラリアまで３万９０００キロメートルと長いものもある。ネットワークは確実に拡大している。[15] 本書のこの部分を書いている時点で、何十本という管が海底に設置されようとしており、この調子でいけば、２０３０年にはおよそ１０００本のケーブルが稼働することになるだろう。こうしてみると、ロンドン科学博物館の学芸員エリザベス・ブルートン氏がケーブル関係のセクションを歩きながら指摘したパラドックスが生きてくる。「人々は〝コードレスの世界〟に生きていると信じているが、結局、私たちはこれまでにないほどお互いがコードで結ばれているのです！」

ケーブルと細かい砂とビーチタオル

アトランティック・スカファンドル社のダイバーたちへの仕事の依頼が引きも切らないのは言うまでもない。だが、まずは「デュナン」を敷設しなければならない。あれから２日後の２０２０年3月13日の夜明け、彼らはパレ・プレノー海岸で再び仕事にとりかかろうとしていた。晴れているから、今度は大丈夫だろう。一人のダイバーがトラヴォオセアン社の船から海岸まで「メッセンジャー」（ロープ）を引っ張る。そのケーブル敷設船に積まれたケーブルはロープの先端に固定されている。陸でショベルカーが少しずつメッセンジャーを巻き取ると、それとともにケーブルが引き出され、一列の黄色いブイのおかげで水面に浮いている。明るい雰囲気で、みんな作業を見つめている。「よし、ケーブルだ！」人が動き、声のトーンが上がり、ジョークが飛び交う。「写真を撮ろう！」と、だれかが声を上げる。オリヴィエ・セガラール氏はブイにオランジュ社のシールを張ってからにっこり笑ってポーズをとった。「ケーブルを引いたぞ！」

8時15分だ。

ショベルカーがまもなく動き出す。75メートルほどのケーブルを海から砂丘の下部にあるコンクリート管まで引き揚げる。そして、庭の水やりホースほどの太さのケーブルをそこにすべり込ませるのだ。作業員たちは、潮が上がってくる前に急いで「貝」（鉄製の保護カバー）でケーブルを包む。海中では、ケーブルが岩をまたがずにちゃんと砂の上にあるかどうかをダイバーたちが確認する。夜になると、犂《すき》に似たロボットが海底に深さ1メートルの溝を掘って、ケーブルを埋設する。海岸の側では、ケーブルを〝海岸部屋〟（地下室）に連結してから光パルス試験器で機能をテストする。バケツを手に持った通行人がしかめっ面をして近づいてきて、何をしているのかと聞いた。作業のことを説明した。「海の中にゴミを投げ込むよりは、海をきれいにしたほうがいい！　いいこととは思えない……何の役にも立たない！　これが全部、クズやポルノ映画を見るためか！」と、その老人はどなった。

15時。作業は終わりつつある。デュナンはフランス側ではナント市やニオール市を経由してパリ、そしてベルギーに延ばされる。「用心のために、2つのルートが用意される。ショベルカーがケーブルを切ってインターネットのトラフィック全体が切れるといったアクシデントを避けるために、すべて〝二重にされている〟」と、あるエンジニアは説明する。7月にはサン・イレール・ド・リエの沖のケーブルの先端を船が回収し、新しい部分につなぎ、ヴァージニア・ビーチまでケーブルをほどいていく。[16] 町長が仮に「アメリカへの扉」と名づけたパレ・プレノー海岸では、ショベルカーがケーブルを埋め終えたところだ。潮がその痕跡をぼかしてくれるだろう。海岸はきれいになった。「数ヶ月もすると、旅行者がデュナンの上にビーチタオルを広げるだろう。その人たちが自分のバカンスの写真がその下を通っていることを意識するとは思えませんがね」と、町長は言った。

それより数週間前、ヨーロッパの海底ケーブル業界と関係のあるエンジニア、営業担当者、コンサルタント、戦略家たちすべてがロンドン中心のイズリントン地区のコンベンションセンターに集まった。[17] ビッグデータ、モノのインターネット、AIに支えられて、海底ケーブル業界は沸き返っている。売上総額は毎年11パーセント増加し、2025年には220億ドルに達するといわれる。「この業界は大きく飛躍した！　ケーブル敷設は止むことがない」と、ある参加者がもらした。[18] 講演会やミーティングや「Keynote」によるプレゼンテーションで議論が進むにつれて、専門家たちは秘密めいた様々な言葉を使い始める。「キャパシティの増加」とか、「完成された海底システム」「開発プラン」「オクテットあたりのコスト」などの表現は、ネットワークのアーキテクトを支配する合理性を表している。

この業界は脚光を浴びることをあまり好まない。「海底ケーブルを守るための最良の方法のひとつは、そのことについて話さないことだ」と、あるエンジニアは言う。この業界は、ケーブルの所有者（一般的には、ドイチェ・テレコム、AT&T、テレコム・イタリア、ヴォダフォン、オランジュなどの電気通信事業者）、製造者(アルカテル・サブマリン・ネットワークス［ASN］、SubCom、NECなど)、そしてケーブルを敷設し修理する海運業者（とりわけグローバル・マリンシステム社）から構成されていることがわかる。注目すべき点は、縦に統合していく戦略で、GAFAMは今では自前の光ケーブルを持ち、電気通信事業者を混乱させている。たとえば、フェイスブックは海底ケーブル専門のチームを作った。その理由はと言えば、2013年にフェイスブック上で動画の自動再生をスタートしたとき、数時間のうちに「膨大な帯域幅を使ったので、フェイスブックの情報ネットワークがパンクしたからだ」と、海底電気通信事業のある専門家は説明する。[19] つまり、自社で供給できるほうがいいということだ。ケーブル産業は、フェイスブックと同様に、コンテンツが通る容れものも管理したいグーグルやアマゾンといったますます多くの巨大企業と折り合いをつけなければならなくなった。「大西洋でいうと、GAFAMの占める市場は3年前は5パーセントだった。今では50パーセントになったが、今後3年間で90パーセントになるだろうとみられている」と、海底電気通信事業の専門家は「レ・ゼコー」紙［フランスの経済日刊紙］上で強調した。[20]

以下は、ロンドンで耳にしたことだ。「ラトヴィアとスウェーデンの間に冷戦後に敷設されたLV-SE1は設置が最も難しいケースだった。海が凍結する上に、保険会社は、多数の海底地雷がないかどうか、バルト海の海底を検査するよう要求した」「最初に案が持ち上がってからケーブルが稼働するまでに、10年、長ければ15年みなければならない」「将来の海底鉱山は光ファイバー敷設の障害になるだろうか？」「1キロメートルあたりのケーブルの価格は数十年間、変わっていないが、能力は当初の10億倍になった」「私たちはこの業界で年を取りつつある専門家だが、若い人をひきつけることができない」「今後1000年間で、光通信のテクノロジーよりいいものはない」「ケーブルを大西洋の北に引っ張るほど、長くもたないリスクが高い。氷山のかけらで損傷する可能性がある」など。

インターネットの〝脊椎《せきつい》〟は相対的に丈夫だが、場所によっては脆弱なこともあるからだ。[21]毎年、150件の状態悪化が記録されているほどなのだ。[22]たとえば、2006年末、マグニチュード7の地震が台湾を襲い、ルソン海峡にある光ケーブルの多くが損傷したり、切れたりした。その結果、台湾、香港や東南アジア諸国を結ぶネットワークを復旧させるのに49日と船11隻が必要だった。[23]2017年にはマルセイユとアンナバ（アルジェリア）をつなぐSEA-ME-WE-4が嵐にやられて、アルジェリアのインターネット・トラフィックの80パーセントが2日間ダウンした。[24] その1年後には、漁船が海底ケーブルACE（Africa Coast to Europe）を損傷し、西アフリカ12ヶ国で10日間、インターネット接続が減速した。[25] ある調査によると、漁船の錨と貨物船がケーブルにとって一番の脅威で、2番目は海上風力発電機、3番目は深海の掘削だ。[26] 四爪アンカーが不注意で世界のネットワークの一部を切ってしまうのに気を付けなければならない！ 最悪100万ユーロにも上る修理費を出すのは漁船の船長（あるいは保険会社と言ったほうがいい）なのだ。

したがって、ケーブルと漁師の共存はあまり平穏だとは言えない。たとえば、英仏海峡は、世界でも交通量が最大レベルで、毎日800隻の船舶が往来し、SEA-ME-WE-3が通っている。「ケーブルは埋設してあるが、潮流とともに表面に出てくることがある（中略）。もし漁船がその近くを通るなら、底引き網漁[27]の船は網を24時間置いておくので、その漁船は必ずケーブルの存在を事前に知らされなければならない。でないと、両者の共存に問題が出てくる」と、漁業組合の広報担当は言う。[28] イワシ漁の船が英国とヨーロッパの最後のつながりを切ってしまってはいけない……。したがって、「漁師は我慢の限界がきて、抗議しようとしている。以前は、英仏海峡にいるのはほぼ漁船だけだった。だが今は、所有権的な見方が出てきて、海が分割されている」と、漁業組合の代表者は不満をもらす。[29] サメも要注意だ。「サメがかむとケーブルの絶縁部が裂かれることもある」と、ある報告者は注意を促す。[30]「ケーブルにサメの歯が食い込んでいるのが見つかったことがある」と、ある専門家は言った。ハリケーンが何度もあると――気候変動の結果だ――海底の地面の動きが促進され、海域によってはケーブルを損なうこともある。[31]

しかも、インターネットの重要なインフラである海底ケーブルは、頻繁に破壊工作の標的になる。２００９年、カリフォルニア州のサン・ホセ地域で「破壊者」が４本のケーブルを切った。[32] その２年前には、金属を回収して転売するために、ヴェトナム沖のT-V-H（タイ＝ヴェトナム＝香港）のケーブルを11キロメートルにわたって引き上げた「海賊たち」が有名になった。[33] その結果、「大洋の救急隊」が、破損された区間を特定できる潜水艦を派遣し、ケーブルを修理する――その後にケーブルを取り換えてトラフィックを復旧する――ことが頻繁になった。「もしケーブル敷設船が修理に費やす時間をとらなかったら、世界のインターネットは数ヶ月も切られたままでしょう」と、海底ケーブルの専門家は言う。[34] ケーブルは呪われているのか？ ベルギーのオーステンデにつながった水深30メートルの海底ケーブル――フランスの通信事業者オランジュ社が所有――はそうかもしれない。「もう91回目の修理ですよ」と、オランジュ社のある管理職はため息をつく。[35] こうしたこともあって、オーストラリアとニュージーランドは１９９０年代から前代未聞の一連の措置をとった。17ヶ所のケーブル保護区域を設けたのだ。[36] 海底ケーブルの破損を避けるために、投錨《とうびょう》も漁業も禁止された。両国は島であるためよけいに海底ケーブルは重要だ。罰金には抑止効果がある。違反者には28万５０００ユーロが科される。[37] クロトガリザメ、ピンクのフグ、腹の大きなタツノオトシゴといったこの地域特有の魚に、このケーブルの聖域に集まるよう促したほうがいいだろう。そのケーブルは有名なオンラインゲーム「フォートナイト」

やシリーズ「ブレイキング・バッド」の最新シーズンへの愛着のために人間がつくり出したものなのだ。大海原の隅に敷かれた鋼鉄とプラスチックの管はこうした魚たちの最後の避難場所になるかもしれない……。

〝得られた時間を求めて〟

漁船の錨にこすられる漁業区域、環境保護区域、海底火山など、海底ケーブルが迂回すべき障害はいろいろある。ほとんどの場合は、そんなに重大なことではない。情報は毎秒20万キロメートルで伝送される。多少の迂回があってもネットワークのスピードにはほとんど影響しない。われわれのフェイスブック「ユーザー・エクスペリエンス」はそれにまったく影響を受けない……。しかし、高頻度のトレーディングとなると、まったく別の話だ。前章で見たように、トレーダーロボットは数ミリ秒を争う。証券取引の注文におけるわずかな時間の節約が膨大な額を稼いだり、失ったりさせる。女優サルマ・ハエックが演じるベルギー・カナダ映画『ハミングバード・プロジェクト　0・001秒の男たち』はその企《くわだ》てを筋立てにしている。いとこ同士の2人のニューヨークっ子が、カンザスシティとニューヨーク証券取引所の間の光ケーブルを極力まっすぐにすることによって世界の金融システムとたたかう。[38] 目的は、1ミリ秒かせいで、年間5億ドル手に入れること。脚本は愉快で、配役も遊び心がある。

大事なことは、それはフィクションではないことだ。

2010年に戻ろう。アメリカのヒベルニア・アトランティック社が「ヒベルニア・エクスプレス」というケーブルを敷設するプロジェクトを発表した。[39] 12年ぶりに大西洋を横断する新たなネットワークというだけでなく、ロンドンとニューヨークの証券取引所を往復60ミリ秒で結ぶ4600キロメートルのケーブル敷設を開発者はぶち上げた。この往復60ミリ秒という数字は重要だ。大西洋の両都市を結ぶ全ケーブルよりも数ミリ秒節約できるからだ。投資額は、およそ3億ドルと膨大だが、それは重要ではない！　ヒベルニア・アトランティックは、このケーブルシステムが指を鳴らす時間はおろか、まばたきの時間（100ミリ秒）すら永遠に長いと考えるトレーディング会社に引っ張りだこになると考えた。そして、英国人でケーブル産業の偏屈者、アラスデア・ウィルキー氏がこの事業の責任者に任命された。

この人は饒舌で、「同じくらい特異なケーブルに関して、ハイレベルな仕事を2年間やった」[40]ことを詳しく語った。3歳の子どもでも、アラスデア・ウィルキー氏と彼の率いる200人に突きつけられたチャレンジを理解できるだろう。最も直線的で、できる限りダイレクトで、迂回を最小限にとどめるルートに敷設しなければならない。ほんのわずかなカーブや迂回でもルートが長くなる。つまり、時間——よってお金も——が失われるのだ。こうしてこの算数の探求は海図の上に定規で大まかな直線を引くことから始まった。それですべてだ。しかしながら、そのルートは大胆で危険でもあった。多数の漁船が行き交うそれほど深くない海[41]を通り、流氷の浮かぶ北大西洋の海域も横断する。この海のルートはあまり安全ではないので、もう100年も使われていなかったのだ[42]　だが、ウィルキー氏はあわてなかった。「〝リスクをとれば、お金が手に入る〟と、だれもが言った」と、同氏は回想する。[43]　環境調査によると、ケーブルのルートがカナダの大西洋岸の主に3つの州[44]に住む先住民、ミクマク族の伝統漁業の海域を通っていることがわかった。しかし、すべての問題には解決策がある。ウィルキー氏はカナダ政府の歓心を得るために、ミクマク族から2人の男を雇ったのだ[45]!

計画が承認されると、ケーブルの海底の通り道の障害物を取り除かなければならないが、そこには放置された古いケーブルが82本あった。それらが海底から浮き上がれば、ヒベルニア・エクスプレスもいっしょに引っ張ってしまうかもしれない。そこで、数隻の船が4ヶ月かけて63区間のケーブル[46]を切り取った。そして敷設段階になる。さらに4ヶ月かけて、2隻の船がハリファックス（カナダ）とブリーン（英国）の両側からヒベルニア・アトランティックを繰り出し、もう1隻の船が北大西洋の真ん中で2つの先端をつないだ。天候条件はいつもよいとは限らなかった。カナダ沖では、石油プラットフォームと2本の天然ガスのパイプライン[47]を迂回しなければならなかった。ヨーロッパ側では、ウィルキー氏はファストネット・ロック島[48]の周辺のアイルランドの水域を避けたかった。年間20万ユーロの通行料を払わねばならないからだ。そうすると、2キロメートルの迂回が必要だった……。「100キロメートルは1ミリ秒で十分だから、この迂回によって伝送時間はそう増えない」と、ウィルキー氏は言う。ケーブルがカナダの東海岸まで来れば、あとは地上波アンテナでデータが送られる。「光は光ファイバーのガラスのなかよりも、空中を速く飛ぶからだ」と、ケーブル産業の専門家が説明してくれた。[49]

２０１５年９月15日、海底ケーブルはついに〝灯される〟用意が整った。ヒベルニア・アトランティック社の経営陣は、そのケーブルは２ヶ所の終点の間を58・95ミリ秒で[50]――競合社より５ミリ秒少ない（図表11を参照）――つないだことに得意だった。ウィルキー氏はシャンパンで乾杯した。「私たちは市場をやっつけた！　主なトレーダーはみんな、ヒベルニア・エクスプレスにつなぐようになった。私たちがやっつけられる日は来ないと思う」と、ウィルキー氏は胸を張る。ケーブルが故障するか、あるいはイーロン・マスク氏の事業「スターリンク」が展開する予定の低軌道衛星がいつの日か30パーセント速いサービスを提供しなければの話だが[51]……。技術的には可能な計画だ。とりあえずは、ヒベルニア・エクスプレスに顧客が殺到している。トレーディング会社はとにかく速く売り買いするためなら何も惜しまない。「ヒベルニア・エクスプレスにアクセスするコストは〝普通の〟ケーブルより１００倍かかる。だが、私たちの顧客は何十億ドルもの大金を動かす……このケーブルを使わなければ、ビジネスにならない。だからアクセスするのにいくらでも払うんだよ」と、ケーブル関係の仕事をする人が匿名で語った。[52]

インターネットは距離をなくすはずだったことに留意するのは興味深い。ところが、ヒベルニア・アトランティック社の開発者はケーブル開発の時ほどキロメートルを数えたことはないはずだ。インターネットは国境もなくすはずだった。ところが、ケーブルのルート上にある国々は領土主権につながる権利を行使する。ＩＴ産業は地理をものともしないどころか、地理を褒めたたえる。ウェブ・アーキテクト［システムの技術的解決策を調整する人］はだれよりもそのことを熟知している。ところで、彼らはケーブルの環境負荷の可能性についても検討するのだろうか？

インターネットケーブルの第2の人生

2020年11月のある朝、ポルト（ポルトガル）の北のレイショエス港第2波止場では、奇妙な作業が行われていた。3日前から停泊している、全長およそ60メートルの赤と青色の貨物船レイラ号は巻き取り機を使って何キロメートルもの光ケーブルを陸地に上げている。アスファルトの上にはすでに、その船の4つのタンクから出した200本のケーブルの山が玉ねぎのように並んでいる。そばのコンテナにはおよそ20個の光増幅中継器[53]が置かれている。カモメの鳴き声に包まれ、燃えた重油のような臭気に酔いながら、レイラ号の乗組員たちは、1時間に15キロメートルの速度で海底から回収したCanBerとTAT‐9のケーブルを波止場に積み替える。終えるにはあと2日必要だという。この2つのケーブルに言及すれば、電気通信の歴史の窓を開けることになる。CanBerはカナダとバミューダ諸島の間に1971年に敷設された。その20年後、アメリカとスペインをつないだのがTAT‐9だ。1992年のバルセロナ・オリンピックで北米の視聴者たちが何も見逃すことがないようにというのも敷設理由のひとつだったそうだ。「テクノロジーの進展のため、8、9年前にこの2つのケーブルは廃用となった」と、レイラ号の船長、ルディ・レインダーズさん――50代の陰のある目をしたオランダ人――は説明してくれた。レイラ号は数区間のケーブル、計1189キロメートルを回収するためにニューヨーク州（アメリカ）とノヴァスコシア州（カナダ）の沖に派遣された。私たちはその作業への同行を頼んだが、レイラ号をチャーターしたマーテック・マリン社から、3ヶ月間の外洋航海になると予告されたので、尻込みしたのだ……。レインダーズさんは、1300トンの「海へび」が渦巻いているタンクのほうに案内してくれた。何十年も水中に浸かっていたのに、ケーブルは新品のように見えた。スウェーデンのラップランド地方での光景がよみがえった。データセンター「Hydro66」でも、レイラ号の船倉でも、インターネットには色がある。TAT-9の黄色、CanBerの薄緑色、そして光中継器の黒だ。しかも、固さもある。掘削バーのように硬く頑丈だ。味は、まだしめっているから塩辛い。2014年以降、船長は大西洋と太平洋の海底のケーブル、3万キロメートルを引き上げた。彼は環境保護派という名称は拒むが、環境問題に敏感だとは認めた。「新たなケーブルを敷設する前には、前のものを取り除くことから始めなければならない！　海をきれいにするのはいいことですよ」

現在、100万キロメートルの廃用となった光ケーブル――「ゾンビケーブル」と呼ばれることもある――が世界の海底に横たわっている。光ケーブルの寿命はおよそ25年。その後、所有者は「リサイクルする倫理的な心遣いは持っていない。エコファイバーなどという言葉を聞いた人を私は知らない」と、業界の関係者は言う。[54] こうした現実から、当然ながらケーブルの環境負荷の問題を考えさせられる。たとえば、ケーブルが通っている場所で海底の磁場が異常に大きくなっていたとしたら、周囲のエコシステムに影響を与えるのではないかと自問する研究者もいる。[55] また、ケーブルの存在が、その場所に異質な動植物の生息を促すかもしれない。[56] 1957年、ある研究者は、マッコウクジラやその他のクジラ類が古い電信ケーブルに締め付けられたことを指摘しているが、そうした事件はその後ほとんど起きていない。[57] ケーブルは保護海域を損なう可能性はあるが、ケーブル所有者はその海域を回避することが通常は義務付けられている。つまり、海底ケーブルの環境負荷はほとんどゼロということだ。それでもケーブル業界は用心している。5Gの健康への影響の議論がケーブル業界に持ち込まれたくないのだ。「行政の許可を取るのがすでに難しいのに、その上、ケーブルの無害性を理解できないグリーンピースや海洋動物保護団体と対立しなければいけないなら、やっていけない」と、海底ケーブルの匿名の専門家は不安を口にした。

しかしながら、人間が海のすみずみまで支配しようとしているのに応じて重要になってくる疑問は残る。ますます増える廃物のケーブルをどうするのだろうか？　先のレイショエス港から9000キロメートル離れた南アフリカのケープタウンで、マーテック・マリン社のアルウィン・デュ・プレシス社長は、驚異的な事業を指揮している。海底に放置されたインターネットのケーブルをリサイクルする事業だ。「鉱山で入手するよりは少しはいいだろう」と、社長は言う。[58] 2008年以来、同社の3隻の船は光ケーブルを何万トンも海から回収した。[59] ケーブルに含まれる鋼鉄と銅は同社の工場でリサイクルされ、フェンスから電子部品にまで利用される。光増幅中継器のほうは、南アフリカ原子力エネルギー公社（NECSA）に委任される。デュ・プレシス社長の話を聞くと、楽な仕事ではないようだ。まず、ケーブルの所有者から事前にケーブルを買い取らなければならないが、1本が200万ユーロもすることもある。ケーブル回収のコストは非常に高く、原料の市場は安定していない。そのため、マーテック・マリン社の経済モデルは弱いのだ。[60]

とりわけ、ケーブルを見つけるのが大変だ！　大海原のど真ん中の水深7000メートルに埋まっていることもある。それぐらいの深さになると、レーダーで探知することは難しい。文字通り「あるもので」何とかしなければならない。「ケーブルの位置を示す地図を持って行って、ケーブルを引っかけるためのフックを海底に這わせるのです」と、デュ・プレシス社長は説明してくれた。レイラ号で回収したTAT-9のように2日で回収できることもある。だが、潮流のためにケーブルの位置が長い間に数百メートルずれていたりして、回収作業が2週間におよぶこともある。天候で作業が困難になることについては、レインダーズさんには苦い経験がある。一番最近の回収作業では3つのハリケーン（「エプシロン、ポーレット、テディ」と彼は数え上げた）に襲われた。「非常に肉体的で、職人的な仕事だ」と、デュ・プレシス社長は言う。スーパーコンピュータやハイパースケールのデータセンターと、大西洋のど真ん中でフックを操る水夫たちの一群は少なくとも直感的にはなかなか結びつかないのではなかろうか？　それとも、将来は、海中を探索する人たちがパイオニアと呼ばれるようになるのかもしれない。海底ケーブルの急激な発展に伴って、オーストラリアのように海洋保護の先進国はいつか、光ケーブルの共同所有者たちに「光の髪の毛」［光ファイバー］のケーブルを回収してきれいにするよう義務づけるようになるかもしれない。

「キャパシティ・クランチ」のリスク

実際には、インターネットの真の環境負荷は、その光ケーブルのおかげで可能になることのほうだ……。鉄道がアメリカ西部の支配の前提条件になったように、2021年1月にサービスを開始した「デュナン」のおかげで、ヴァーチャル・リアリティやIOT、「ディープ・ラーニング」が可能になった。「道路網の比喩を使ってみてもいい。道路が多くなると、それを使う車の数も多くなる。同じように、キャパシティが上がると、そのキャパシティを使う欲望をさらに高じさせる」と、海底ケーブルシステムの専門家は分析する。[61]「データ市場は、自前の高速道路［光ケーブル］をさらに多く建設する人たち——GAFAM——によって維持されている。そうなると、制限はなくなる」と、別の専門家は言う。[62]ケーブルによって直接生じる汚染は大したことではないが、ケーブルの増加がデジタル界の拡大——端末やデータセンター、エネルギーインフラの拡大を伴う——を引き起こすことになる。パンデミックのために2020年の一時期に自宅待機した人々は、ズーム会議やWhatsApp上の飲み会を発見した。こうした新たなデジタル習慣によりトラフィックは爆発的に増え、ユーチューブやネットフリックスはオーバーヒートしたネットワークを鎮めるためにストリーミングサービスの画質を一時期下げざるを得なかったほどだった[63]。「10年後に次のパンデミックがあれば、私たちは頭にヴァーチャル・リアリティのヘッドギアをつけているだろう」と、ケーブル産業界のある人は予言する[64]。消費者がそれを望むだろうし、なにより、通信技術の発展でそういうことが技術的に実現できるようになるからだ。

ところが、2015年、バーミンガム大学（英国）の応用科学・工学教授のアンドリュー・エリス氏は次のような警告を発した。われわれのデータ生成は、それを処理するネットワークのキャパシティよりも速く増大している。要するに、8年間で——2023年に——システムの限界に達するだろう[65]。同氏は「キャパシティ・クランチ（伝送容量の危機）」という言葉を使った。この警告に呼応するかのように、光ケーブル産業界も「シャノン限界[66]」、つまり光ファイバーが伝送できるデータの最大容量に近づいていると認めている。また、数多くの戦略的ケーブルが通る海峡などのネックがあることも認めた。そういう場所のひとつでトラブルが起きれば、ひとつの大陸全体、あるいは世界的な影響が起こる可能性がある。市のレベルでは、ブラジルのフォルタレザのケースだ。「ブラジルとアメリカをつなぐあらゆる海底ケーブルに影響を与える可能性のある唯一のウィークポイントだ。フォルタレザが故障すれば、（そこを通る）データのトラフィックは中断される」と、ある学者は言う[67]。エジプトのアレクサンドリア（世界で最も重要な5つの国際ケーブルが交差する[68]）、ルソン海峡、マラッカ海峡も同じだ。逆に、ケーブルの数が非常に少ないことで、ひとつの国がわずかなケーブルに全面的に依存している場合にも弱点は生じる（3本のケーブルに頼っているニュージーランドなど）。さらに、システムを単一の事業者が所有している場合や法的な妨害もサービス提供拒否の脅威を増加させる。[69] ２０１１年にインドネシアは自国の国旗を掲げ、かつ地元の乗組員の船しか領海内のケーブル修理をしてはならないという政令を出した。ところが、出動できる船がなかったため、修理が遅れてネットが遮断されたことがある。[70] 重大なトラブルを緊急に処理できる人材が不足することからもトラフィックが麻痺することがある。[71]

かといって、世界のネットワークが帯域幅不足に陥ろうとしているわけではない。まず、伝送技術は日に日に向上しており、常により多くのペアの光ファイバーがケーブルに内蔵されているからだ。今後20年以内に量子技術によって「伝送のないデータ伝送」、つまり発信者と受信者の間で粒子が物理的に移動する必要のない伝送が可能になると考える人もいる。[72] さらに、地理を書きかえる——エッジ・データセンター（第6章を参照）を増やしてデータをローカルに処理し、大陸間のネットワークの負担を減らす——ことによって、インターネットのアーキテクトがネットワークを最適化し、ネットワークが回復力を持つようになるだろう。だが、こうしたあらゆる努力がキャパシティ・クランチのリスクを２０２３年以降に持ち越したとしても、人間のデータ中毒という根本的な問題は解決しないと、アンドリュー・エリス氏は反論する。絶え間なく追加される問題を後に持ち越そうとしていると、同氏は指摘する。[73]

それは良識的ではあるが、金持ちのＧＡＦＡＭが単により多くの情報を送るために、家庭の水道管程度の新たなケーブルを敷設するのをだれが妨害できるだろうか？　地球は、無限に近い数のケーブルをまだ設置できるほどには大きい。それを考えると、より興味深い別の考えが生まれてくる。常に先を行くテクノロジーがあるから、限界に達することはないと言えるだろうか？　つまり、人間は思いもかけない天井に突き当たることはないのだろうか？　テクノロジー超越の永遠の追求を妨げる他の要素があるかもしれないからだ。それはわれわれ自身の限界だ。まず考えられるのは、身体の健康の保護である。世界保健機関（ＷＨＯ）の外部組織である国際がん研究機関（ＩＡＲＣ）による２０１１年のランク付けによると、発がん性の可能性のある電磁波[74]は、デジタル機器の使用を控えめにするよう警告する理由のトップにあったのではなかったか？　第２点は、携帯電話の人間の心理への影響について豊富な文献が示すように、精神的均衡の維持だろう。第３点は、データ収集やＳＮＳ上の暴力により弱体化した、プライバシーの保護、そして民主主義だろう。最後の第４点は、インターネットの環境への影響だ。サービス単位当たり物質集約度（ＭＩＰＳ）（第３章を見よ）は資源を採掘するためにより地中深く掘るほどに大きくなる。いつの日か、われわれはインターネットの使用を減らすかもしれない。それは、ネットワークが十分に機能しなくなるからではなく、生物の種や環境、そしてある種の価値観の維持に必要だからだ。要するに、インターネットの限界は技術的なものというより政治的なものだ。

ところが、このことは今日、あまり問いかけられることはない。インターネットのほうがまだ優勢であり続けるからだ。われわれは常により多くのデータを生成し、情報の高速道路にデータを常により速く送り出している。ケーブルの地政学もこの現象を堰き止めることはない。反対に加速させているのである。

第10章 デジタルインフラの地政学

われわれのデジタル化された生活は、金属とコンクリートとガラスでできたインフラのなかに複製されていることは明白だ。われわれはそのインフラの、無関心でぼんやりした何十億人という共同借家人なのだ。ポケットに携帯電話を入れて海岸を散歩するとき、人は砂浜に足跡を残すだけでなく、自分の位置情報データを保存するスカンジナヴィア半島のデータセンターにも足跡を残している。カフェのテラスで自撮りをすれば、人は飲み物を消費するだけでなく、ピクセルを生成しつつ、ひょっとしたら光ファイバーでヴァージニア・ビーチまで送っているかもしれない。つまり、文字通り、絶え間なく複製しているのだ。つまり、インターネットは、人の行為に、現在いる場所と何千キロ離れた場所に同時に物理的実体を与えるという同時遍在の恵みを提供している。すべてを非物質化すると見せかけて、実はデジタルは人がしようとしたものの2倍の量を物質化する。物質イコール影響力、支配、つまり力関係、地政学だ。われわれがツイートしたり、「いいね！」を送ったり、投稿、スワイプ、ネットサーフィンをしたりする――つまりネットワークを密にする――のに応じて、重要な問いが湧いてくる。世界のどの地域が――不可侵の地域もある――情報の高速道路の新たな中心地になっていくのだろうか？　どの国や、どんな企業が支配権を握るのだろうか？　それらを守るためにどんな手段――軍事的手段も含めて――が必要なのだろうか？

２０２０年４月、カイロの東のビジネス地区「スマート・ヴィレッジ」にあるテレコム・エジプト本社に激震が走った。イスラエル紙によると、グーグルと電気通信事業者らがスエズ運河を迂回してムンバイ（ボンベイ）とイタリアのジェノヴァ間を結ぶ「ブルー・ラマン」[1]という光ケーブルを敷設する計画があるという。初の試みだ！　スエズ運河経由は、データ伝送でヨーロッパとアジアをつなぐ[2]最短ルートだ。古代ファラオの揺籃の地、スエズは、何十年来避けて通れない地点として知られている。そのため、通信事業者から何百万ドルという〝通行料〟を徴収してきた。事実、「２００キロメートルのエジプトの電話線を使うのと、シンガポールからフランスまで光ファイバーを敷設するのが同じくらいコストがかかる」と、海底ケーブル産業のある関係者は、誇張して不満げに言う[3]。しかし、だからといってグーグルのように、隣国が承認すらしていないイスラエルを通るルート（図表12を参照）を計画するとは……。なるべくアラブ諸国の政府の機嫌を損ねないように、グーグルは外交上の回避策を見つけた。ブルー・ラマンの最初の部分はインドからサウジアラビアを通ってヨルダンに行き、イスラエルとイタリアをつなぐ別のケーブルに接続される。同じ中身を維持するが、その容れ物は変える。イスラエルとは商売はしないと誓っているサウジアラビアの面目は保たれる。

伝送コストが50パーセントカットでき、「遅延」（待ち時間）もやや減少する、イスラエル経由のブルー・ラマンは情報の高速道路の多様化としてとらえられる。ルートを増やすことによって、グーグルはエジプトの足かせに直面せずにデータ伝送のセキュリティを確保できるのだ。同様の考え方により、ヴォーダフォンのケーブル計画「ヨーロッパ＝ペルシャ・エクスプレス・ゲートウェイ（EPEG）」（図表12を参照）もカイロを避けてイランを通る。光ケーブルの世界地図は新たな地政学を表している。そこでは、いくつかの地域や国──スエズ、英国、マラッカ海峡、ジブチ、ワシントンなど──が有利な地位を得ている。そうした世界のホットスポットに、インターネットの拡大を提供するほかの国々も対抗する。それはオーストラリアやフランス[4]、そして通常経由するアメリカを通さずに直接ポルトガルと接続したブラジル[5]などだ。

ネットワークが多様化するにつれて、ネットインフラのアメリカの支配が比較的低下してきたのがわかる[6]。英国も同様だ。ブレグジットに関係する法的な不確定要素のせいだろうか？「ここ4、5年、英国には新たなプロジェクトはない」と、ある専門家は指摘する[7]。だが、それはヨーロッパ全般についても言えることで、アフリカのデータ伝送についてはアジア諸国のケーブルとの競争が激しくなっている[8]。影響力、経済成長、そしてネットワークの回復力の問題は、いやおうなく増加する光ケーブル網の周辺問題ではなく、中心的な問題なのだ。そのことは、ヨーロッパとアジアをつなぐルートにおいてエジプトや中東が占める重要な地位を転覆させるほどなのか？　ひとつのケーブルが状況をまったく変えてしまうかもしれない……。これまで使われたことがなかった極端なルートにケーブルを敷設しようという壮大なプロジェクトがある。それは北極海だ。

北極海の新たな高速道路

北極は光ファイバーに痛めつけられるのか？　その計画は新しいものではない。すでに2000年代初め、ロシア企業ポーラーネットがロンドンと東京を北東ルート［ロシア領海を通るルート］でつなぐケーブル「ROTACS」[9]を敷設しようとした。これは20億ドルに上るメガプロジェクト（図表13を参照）で、オレグ・キムというオリガルヒ（新興財閥）が資金を供給する予定だった。[10]しかし、当初は2016年のサービス開始が予定されたこのケーブルは実現することはないだろう。2014年のクリミア半島併合でロシアが欧米の経済制裁を受けたことが原因だという人もいる。[11]同時期に、カナダ企業クィンティリオンが、今度は北西ルート［米カナダ領海側］で東京とロンドンをつなぐ光ケーブル「アークティック・ファイバー」を敷設しようとした[12]（図表13を参照）。ケーブルの最初の区間――アラスカの北海岸沿い――は2017年に敷設、〝点灯〟された。[13]その続きを実現するには、14隻の砕氷船、275件の認可や許可証など、莫大な費用と手続きが必要だ。ところが、大きな不正が見つかった。クィンティリオン社のエリザベス・ピアース社長が融資を延長してもらうために、偽の文書を作成して、ケーブルにはすでに顧客がいると投資家たちに思い込ませようとしたのだ。[14] それまでに2億5000万ドル投資された分のケーブルは、アラスカ北部の村々の全部で1万3000人がインターネットに接続するのに使われたわけだ。ネットユーザー1人につき2万ドルの計算になる。それ以来、アークティック・ファイバー計画は大きく評判を落としたようだ。

そうした経緯を経て、3人目の役者が2019年に登場した。フィンランドのシニア社で、ケーブルは「アークティック・コネクト」と名づけられた。ルートは今後詳細が決まるはずだが、英国から北東ルート経由で、ノルウェー、コラ半島（ロシア）、日本を経由して中国につながる。[15] 5つの企業[16]によるコンソーシアムが推定10億ユーロの予算と、2023年サービス開始で合意した。ケーブルは世界人口の85パーセントを占める3大陸をつなぐ、とシニア社は利点のみを強調する。結局、グラスファイバーの道の場合と鉄道の場合は同じではないだろうか？ フィンランドはアークティック・コネクトによって、ヨーロッパとアジアをつなぐ最短で直線に近いルートを実際に作り出そうとしている。このルートは1万4000キロメートルで、スエズ運河経由より1万2000キロ短い。2つの大陸を150ミリ秒でつなぐことができ、250ミリ秒という限りなく遅い「エジプトルート」を、お金のないドライバーのための二流ルート、いわば市道のレベルに格下げするものだ。ロンドン、フランクフルト、東京のトレーダーやサービス業者をうっとりさせ、ひょっとしたら「フランスのオンラインゲーマーとゲームをしたい日本人ゲーマー」も喜ぶだろうと、フィンランド人のユハ・サウナワーラ教授は言う。[17]

極端な気候条件のためにケーブル敷設や保守作業は容易ではない。「もし私がこういう敷設を統括するとしたら、周到な技術書類を要求するだろう」と、ある専門家は強調する。だが、良い面もある。［地球温暖化による］氷解のおかげで砕氷船の作業がやりやすくなるだろう。結果的に、この北極のe植民地化によって、これまで光ファイバー網の周辺部にとどめられていた地域が注目されるようになるだろう。それに伴ってデータの伝送と蓄積も進み、「ロヴァニエミ、カヤーニ、ラーセポリといったフィンランドの町がデータセンター産業の中継地になるかもしれない。スウェーデンのルレアの事業も活発化するだろう」と、サウナワーラ教授は予測する。[18] ノルウェーの最北端にある人口3500人の小さな町、キルケネスですら、今やリストの上位にある。アークティック・コネクトのルート上にあるこの町は、データセンターを迎えるようになり、「データ伝送の世界的ハブ[19]」という輝かしい呼び名がつくようになるかもしれない。

アークティック・コネクトは北極の大国を目指すロシアにも利益をもたらすだろう。ケーブル敷設の投資に参加するロシアは、光ファイバーに近しくなるムルマンスクといったロシア北部のいくつかの町を〝新たな原油〟（データ）の一大拠点にしたいと考えるようになるかもしれない。モスクワのデジタル上の地位は当然、確固たるものになるだろう。総合的に見れば、アークティック・コネクトは「アジアとヨーロッパの間を伝送されるデータトラフィックの地理的重心を移動させるだろう」と、北極圏をカバーするノルウェーのメディアは分析する。[20] また、「〝異なる地政学〟(の誕生)も意味する」と、この分野のコンサルタントは予想する。[21] こうした新たな地政学的バランスは評価するのが難しいとしても、シニア社にとってすでに明らかなことがひとつある。それはアークティック・コネクトは環境を尊重するということだ。[22] ただ、光ケーブルの敷設によって、北極の氷のど真ん中で促進されるであろう経済活動の影響は別の問題だ……。「倫理面では、そういうプロジェクトの実現に貢献するよう頼まれたら、私は困惑するだろう。そのルートに沿ってデータセンターの建設が加速されるばかりだろう！　そうしたことは環境にはよくない」と、あるコンサルタントは認める。そうした気がかりはいったん脇に置いておこう。アークティック・コネクトが北極に進出するなら、中国のほうも海底の高速道路によって、極東やユーラシア大陸のケーブル地政学の均衡を保とうと動いている。

中国は「デジタル・シルクロード」を展開する

２０１５年、中国の主な経済政策を立案する国家発展改革委員会は、公表した報告書のなかで、中国は今後数十年間で世界の様相を変えるのに貢献するだろうと述べた。同委員会は、その報告書で「通信のシルクロードをつくる」ための、大規模な光ケーブルの建設計画を披露した。[23] その2年前に習近平主席は、「一帯一路」[24] 構想をすでに打ち出していた。それは、中国から中央アジアやインド洋を通ってアフリカ、西ヨーロッパにまで達する、道路、鉄道、港のインフラ建設という大がかりな計画だ。この野心を実現するために、今後２０２７年までに１兆２０００億ドルがおよそ60ヶ国に投資される。今度は、デジタル分野でもそれを進めようということだ。
この計画は、習国家主席が発表したように、[25] ＡＩ、ナノテクノロジー、量子情報科学、クラウドの分野で国際協力を強化することだ。中国は電話設備、監視テクノロジー、スマートシティ、そしてもちろん海底ケーブルの大規模な展開に７９０億ドルを投資する予定で、近隣国から南米まで76ヶ国に光ケーブルを敷設済み、あるいは敷設中だとされる。代表的なのはＰＥＡＣＥ[26]（Pakistan and East Africa Connecting Europe）で、２０２２年にパキスタンのグワーダル港とフランスのマルセイユ港をつなぐ予定だ（図表14を参照）。この光ケーブルは衛星測位システム「北斗衛星導航系統」を搭載しており、非常にパフォーマンスの高い位置情報と航法サービスを提供する（「宇宙シルクロード」と呼ばれる）。要するに、中国にとって「シルクロード」は、陸地に構築されたインフラ同士をつなぐＩＴなしには考えられないのだ。[27]
中国は以下の３つの目的を追求している。

◉ 経済的利益の拡大。光ケーブルを多数敷設することで、「ＢＡＴＸ」［Baidu、Alibaba、Tencent、Xiaomiの頭文字］のデジタルサービスを世界に普及させることが可能になる。ＢＡＴＸのサービスとは、百度《バイドゥ》の検索エンジン、アリババのオンラインショッピング、テンセントのオンラインゲームと携帯電話アプリ、[28] 小米《シャオミ》のＩＯＴだ。ＢＡＴＸは合計で１兆８８５０万ドルの商業価値がある。「ＰＥＡＣＥのような海底ケーブルとその帯域幅の追加により、世界中のネットユーザーによる中国のプラットフォーム利用を促進する」と、海底電気通信のある専門家は予想する。[29]

◉　中国の政治モデルの拡大。デジタル・シルクロードにより、中国は自国の監視テクノロジーを世界中に販売することが可能になる。中国企業「雲従科技（クラウド・ウォーク）」はジンバブエに顔認識ソフトウェアを売っているし、競合する依図科技（イートゥー・テクノロジー）は類似製品をマレーシア当局に販売した。ファーウェイは最近、ウガンダとザンビア政府が反政府勢力の暗号通信を傍受し、その移動を監視するのを援助した。[30] インターネットのコンテンツをフィルターにかけるソフトウェアや、SNSの節度が守られるよう監視するアリババやテンセントのソフトウェアも売られている。[31]「中国は（このように）強権的なサイバーコントロール方式を輸出しようとしている」と、スイスの「ル・タン」紙は報じた。[32]

◉　国の安全保障上の利益の保護。自前の通信インフラを確立することによって、中国はインターネットのコア・アーキテクチャーにおける欧米の「容認しがたいヘゲモニー」とみなすものに対抗しようとしている。[33] こうした［欧米優位の］状況は中国の通信ネットワークの安全性と両立せず、自国のネットワークなしには「国の安全保障はあり得ない[34]」と習主席は警告する。中国共産党の戦略家たちは「情報管理のための戦いが将来の紛争の行方を決定する」と確信している、とある研究者は述べている。[35]

こうした戦略を分析すると、中国が「まさに地政学のロードマップ」の方針を日々立てているのに対し、「われわれ欧米諸国はビジネスしかしていない」と、匿名の専門家は言う。中国のソフトパワーの拡大に光ケーブルを加えることは、新シルクロード沿いに展開するインフラ全体を考慮すると根本的、あるいはきわめて重要ですらある。「資源や一次産品を輸送することは重要だが、データを伝送することはさらに重要だ」と、アルカテル・サブマルコム社のジャン・ドヴォス元社長は強調する。[36] もちろん、こうした計画を崇高な意図とからめるためのコメントはいつでも用意されている。たとえば、デジタル・シルクロードは環境データの集約と研究によって持続可能な開発やグリーン成長、人間の幸福を促進するとする中国人学者の意見は新華社通信に引用されている。[37]

実際には、そうした耳に心地よい発言を少しでも信用するのは愚かだろう。環境問題を心配することはインターネットのDNAには含まれていないことを思い出していただきたい。そうでなければ、インターネットは存在していない――少なくとも現在の形では存在していないだろう。現実はずっと平凡なものなのだ。インターネットは権力とお金を追及するための新しいツールにすぎない。中国は、デジタル・エンターテインメントは21世紀における別の手段による戦争の継続であることを完全に理解している。われわれは常により多くのデジタル・コンテンツを消費するだろうが、それはケーブルがより拡大し、データセンターがより効率的になるからではなく、データが、権力、威信、影響力、繁栄——中国もそのライバルたちも熱望する——の追求と呼ばれる歴史の永遠なる原動力の燃料だからである。その結果、ネットによって凝集される新たな力関係やインターネットの地政学が、デジタル産業の力を強化させるだろうし、結果的に環境負荷も増加させるだろう。

光ケーブルシステムとケーブル敷設船をバーターする——グローバル・マリン社の物語

しかし、現実に戻ると事情は異なる。中国はまず、製造から敷設まで光ケーブルのテクノロジー全体を習得しなくてはならない。光ケーブルの分野では長い間、中国は遅れていると言われ、アメリカ、英国、フランスや日本に追いつけないとされていた。しかし、そこにファーウェイが現れ、2000年代の初めにはすでに光ファイバーやその端末の技術を工業化していた。光ケーブル製造のノウハウだけが欠けていた。ある匿名の情報源によると、ファーウェイは自社の子会社を通じて、フランスのネクサンス社からそれをつい最近取得したという。ファーウェイはネクサンスから6000キロメートルのケーブルを買って、それをコピーしたのだ！　ファーウェイは光増幅器[38]の製造法も知っていたが、防水性と接続に欠点があった。その技術は仏アルカテルや米サブコムの様々な下請けから取得したようだ。最後の点はかなり重要だ。ケーブル敷設コストの20パーセントから30パーセントを占めるケーブル敷設船だ。
2000年代半ば、ファーウェイは、海底電力ケーブル敷設で世界トップのひとつ、英国のグローバル・マリン社に近づいた。そして、インターネットケーブル敷設への意欲および光ファイバーシステムの技術の熟練を同社にアピールした。中国市場に目をつけていたグローバル・マリン社との補完性は明白だ。2008年、ファーウェイ・マリン・ネットワークス（華為海洋網路）というジョイントベンチャーが誕生した。[39] 何人かの英国人コンサルタントが専門能力を提供した。いくつかの情報源によると――確証はないが――、このジョイントベンチャーは10年間のうちにグローバル・マリン社の技術をファーウェイ・マリン・ネットワークス社に移転させることを容易にしたという。それだけではない。「〝英国人コンサルタント〟たちは自分たちの下請けネットワーク（アルミニウム、銅、電子部品、溶接、ケーブルの供給者）をファーウェイに開放した。ファーウェイの知らなかったあらゆるエコシステムのすべてだ。「中国人はこの件で10年節約した」」と、ジャン・ドゥヴォス氏は結論づける。[40]
ファーウェイ・マリン・ネットワークス社が2019年まで繁栄した後、グローバル・マリン社はジョイントベンチャーの持株――ケーブル敷設船も含めて――を2億8500万ドルで中国企業の江蘇亨通光電（ホントン・オプティック・エレクトリック）に売却した。[41] グローバル・マリン社の唯一の株主であるアメリカの投資ファンドHC2はあまりに魅力的な金融取引に抵抗できなかったとささやかれている。江蘇亨通光電のほうは、その買収によって新たな次元に急速に発展していった。ケーブル、光増幅器、端局、敷設船というバリューチェーンの全段階の能力を持った稀な企業のひとつになったのだ。「彼らはどこに行っても〝システム全部込みで納めます〟と言える」と、ドヴォス氏は言う。[42] つまり、中国は20年ほどで、非常に重要な光ケーブル部門での自立戦略を成功させた。「中国はこのビジネスを、ここ15年来のほかのあらゆる産業と同じようにやった。つまり、自国のエンジニアを訓練するためにノウハウを求めて外国に行き、欧米の大国のレベルにのし上がる」と、ある専門家は分析する。[43] 欧米諸国は自分たち自身を責めるしかない。第一に、欧米は中国の能力を疑問視し、正当な要求であるのに市場から中国を締め出しつつ、彼らを恩着せがましい、あるいは尊大な態度で受け入れたのだから。もっと悪いのは、「われわれの側には愚かな単純さがあった。中国の登場を予見しなかったばかりでなく、彼らが登場しても、それを信じなかった!」と、ドヴォス氏は苦言を呈する。[44]

ファーウェイ・マリン・ネットワークス社(現在は華海通信技術[HMN Tech]となった)では、ある業界人が言うように「状況を中国化」[45] し続けている。こうして、ニュージーランド人の同社社長のマイク・コンステーブル氏はお払い箱になろうとしている。「ビジネスをするための助けとして西洋人を使ったら、厄介払いするということだ」と、あるコンサルタントは指摘する。[46] 中国の目覚めに対して、欧米は平和的な協力を優先するのだろうか、それとも対抗するのだろうか? スピードとパワーに夢中になるあまり、われわれは考える時間さえ作ろうとしない……。そもそも、われわれは意図を持とうとしているのだろうか? あまり海底にだけ目を向けてばかりではいけない。今世紀初めの成り行きを俯瞰するのを忘れてしまう……。中国に関しては、今あるインターネット網と並行かつ独立して自分たちのネットワークを展開するつもりなのだろうか？ 平面地球図をちょっと見ただけで、中国が特に南半球に国際光ケーブルを張り巡らせていることがわかる。確かなことは、ケーブル産業への中国の出現が歴史の大きな転換を示しているということだ。ヨーロッパ人が「兄弟愛」とか「友情」と名づけたケーブルをアフリカまで敷いていた時代に続いて、今度は中国がＰＥＡＣＥ（平和）というケーブルをマルセイユまで引こうとしている。この敷設がもたらすスパイ行為のリスクについて、フランス側で懸念を生み出してもいるのだが……。

軍隊がネットワークを守る日がやってくるのか？

歴史は加速する。中国は、紛争の際には理想的な標的に変わりうる「デジタル・シルクロード」のインフラを守らなければならない。この問題はすでに、情報ハイウェイの継続性を懸念する欧米諸国では認識されていた。「軍事情報から世界の金融データまですべてを伝送する（中略）ネットの接続が負うリスクは現実のものであり、リスクは高まっている」と、当時は英国議会の議員だったリシ・スナック氏［現財務大臣］の報告書で強調されていた。[47] 少しでも攻撃されると、重大な経済の混乱と軍事通信への損害をもたらし、「大惨事になる可能性」があると、同氏は述べている。[48] スナック氏によると、ロシアは、クリミア半島侵攻の際にやったように、戦時における情報の流れをコントロールするために通信ケーブルを切断するのも辞さないという。あるいは、情報を傍受するために海底ケーブルに潜水艦を「つなぐ」かもしれない。実際、アメリカや中国、フランスはすでにそういうことをしているのだから、その可能性はあるのだ。[49] そのような脅威が現実にあることは議論されている。いずれにせよ、シルクロード——物理的なもの＋デジタル——に沿った新たな中国の物的利害はしばしば攻撃の標的になっている。

とりわけ、中国・パキスタン経済回廊（ＣＰＥＣ）はそうだ。ＣＰＥＣは新疆《しんきょう》ウイグル自治区のカシュガルからアラビア海沿岸のグワーダル港をつなぐ、道路、鉄道、エネルギーインフラを含む３０００キロメートルにおよぶ連絡網である。[50] ＰＥＡＣＥケーブルの陸上のルートにもあたる。ところが、ケーブルも含むＣＰＥＣは、パキスタン南部のバローチスターン州など非常に不安定な地域を通るのだ。中国の利害は、シルクロードの経済効果が自分たちの利益にならないのではと疑うバローチスターンの分離主義者による攻撃で何度も危険にさらされた。中国人が滞在するグワーダルのホテルへの武装グループの襲撃、[51] 移動中の石油部門従業員への奇襲、[52] 中国企業が一部を所有するカラチの証券取引所の襲撃未遂[53]……。中国は国際的な地位が上がるにつれて、増加する脅威に対処しなければならない。こうした状況下で中国軍は何ができるのだろうか？

中国共産党は伝統的に、人民解放軍の行動範囲を拡大しようとする傾向はほとんどない。１９９８年、「外国に軍を駐留させたり、軍事基地をつくったりしない」と、中国共産党は宣言している。[54] しかし、明らかに方針は変わりつつある。その最たる例は、２０１７年にジブチに中国軍の常駐基地を設置したことだ。さらに、2016年以降、人民解放軍が地元当局の白紙委任状を得て、中国との国境に近くてテロの脅威が続く、アフガニスタンやタジキスタンのいくつかの地方でパトロールしている。こうした動きから、ある疑問が生じてくる。はたして中国は、シルクロード沿いに展開する港、鉄道、光ケーブル、宇宙衛星基地といったインフラを守るために、隣国、あるいは遠い国までも軍を派遣するのだろうか？　それはまったく自明のことだと分析する人は多い。中国政府もその意向を隠しはしない。「国益が及ぶところには、軍が支援すべきだ」[55]と、すでに宣言している。

その野心はどの段階で具体化するのだろうか？　それはだれにもわからないが、とりわけテロ攻撃といった危機に応じて正当化されるにつれて加速するだろう。それはどういう形をとるのだろうか？　この問いは難しい。中国軍には熟練した人員や、軍事作戦の指揮能力が欠けている。[56]その上、新型コロナ危機で中国の国際的なイメージが損なわれたこともあり、評判の問題もある。とはいえ、中国には300万人のプロを養成して雇用する5000の民間安全保障会社がある。そのうちのほんのごく一部ではあるが、国際的に行動できる能力を有している。パキスタンに展開するチャイナ・シティガード・セキュリティサービス（全牌照保安公司）、中国海外保安集団、そしてとりわけフロンティア・サービスグループだ。このフロンティア・サービスグループは、アメリカの警備会社ブラックウォーター[57]の社長だったエリック・プリンス氏が2014年に創立した会社で、中国の金融コングロマリット「中国中信集団公司（CITIC）［旧称は中国国際信託投資公司」」が筆頭株主だ。以上のような民間警備会社が目立つことなく、中国のインフラを保護することができるだろう。しかし、それらの会社だけで膨大な任務に対処することができるだろうか？

中国政府の戦略家たちは、国際事業に慎重に進出するために、自国の民間企業が経営する商業港を海軍基地に転換することを検討中かもしれない。PEACEケーブルの通過点であるグワーダル港はその一例だ。この港は物流の重要中継地であることから、中国海外港口控股が2015年末に経営を掌握した。新シルクロードについての著書もある研究者ジョナサン・ヒルマン氏によると、パキスタンは2014年に中国の戦艦を停泊させることを提案したそうだ。「この提案に対して中国がどの程度熱心だったかは私にはわからない。短期的には、中国がジブチと同じやり方でグワーダル港に軍事プレゼンスを展開する可能性は低い。しかし、将来、それが実現してもだれも驚かないだろう」と、ヒルマン氏は言う[58]。いずれにせよ、この可能性は「中国軍の拡大能力に関して（とりわけアメリカ軍関係者に）大きな懸念を抱かせた」と、ある学者は述べており[59]、アメリカやその他の中国近隣国との対立を深めるだろう。

中国は、常に外交手段を優先して物質的利害を守ることだけを本当に追求するのだろうか？それとも、ヒルマン氏が考えるように、シルクロードは「軍事プレゼンスを世界に展開するための口実[60]」なのだろうか？　この問いに答えることは、真意を計り知れない中国共産党の意図について考えることになる。無知がついに妄信に行き着いたのか、われわれは、娯楽が対立や紛争までも引き起こす世界を作り出してしまったことを理解していない。その娯楽は、決して逃れることのできない物質や空間への影響を代償にして提供されたものなのだ。この21世紀、国々はわれわれの娯楽のために戦争をする用意がある。非物質化の詩人が何と言おうと、〝時間の矢〟［時間は未来に向けてしか進行しないこと］や万有引力、熱力学の法則と同じくらい確実に、物質は人間を統治し続けるからだ。

デジタル主権を模索するヨーロッパ

短期的視点から見ると、ケーブル産業における中国の勢力拡大は、欧米諸国が中国製のインフラに依存するように仕向けることもないだろうし、中国共産党がケーブルインフラの機能を妨害することもないはずだ。だが、こうした懸念はまったくの机上の論理ではない。トランプ大統領は2020年、香港とロサンゼルスをつなぐことを想定した海底ケーブル「PLCN」[61]のプロジェクトを阻止した。理由は、フェイスブックやグーグルとともに香港のパシフィック・ライト・データ・コミュニケーション社がこの計画に投資するからだ。アメリカは、このケーブルを使って中国がアメリカ市民のデータを収集することを恐れたのだ。[62]いずれにせよ、少なくとも欧米のケーブル産業は自分たちの経済モデルの生存能力を維持しなければならない。その問題は、現在ケーブル業界の工場がフル回転しているのがわかっているだけに滑稽に聞こえるだろう。明らかに戦略的部門であるにもかかわらず、ケーブル産業はほとんど全部が民営化されている。したがって、次々に起こる混乱（２００１年のインターネットバブル崩壊、２００８年のサブプライム危機など）が定期的に起きる経済サイクルにさらされているのだ。しかも、ＧＡＦＡＭは超大企業であるため、価格に圧力をかけることができ、彼らのビジネスパートナーはマージンを減らすことを余儀なくされる。その結果、「そういう［ケーブル］産業に投資しようとする人はあまりいない」と、ケーブル業界の人は言う。[63] したがって、ケーブル産業が使う大洋をまたぐケーブル敷設船は世界で30隻ほどしかなく、[64] 主要な敷設企業は3社だ。フランスのアルカテル・サブマリン・ネットワークス（ＡＳＮ）、アメリカのサブコム、日本のＮＥＣである。[65] しかも、この業界は若者を雇用するのが難しい上（「求人票に〝ビッグデータ〟と書いてないから」と業界の人は残念がる）、経営の難しい海運業者とともに仕事をする。

「インフラ全体は、あまり安定していない仕入れ先に頼っている」と、フランス人コンサルタント、ベルトラン・クレスカ氏は言う。[66] そのうちの何社かが業績悪化が続いて納入の契約を果たせなかったらどうなるのか？　ＧＡＦＡＭは戦略的パートナーが「沈む」のを避けるために価格戦争を一時的に中断すると考えることはできるだろう。「ひょっとしたら、最悪の場合には、ＧＡＦＡＭがケーブル事業者の一社を買い取ろうと考えるかもしれない……」と、クレスカ氏は思いたいようだ。[67] そうなると、民間の強大なコングロマリットに国家が従属するリスクが生まれてくる上、そうした企業の経済的目的は必ずしも国の安全保障の要求とは一致しない……。「今日、フェイスブックとグーグルが資金を出さないケーブルはほとんどない」と、光ケーブルのある専門家は認める。この2社の光ケーブルへの支配はどこまで進むのだろうか。また、世界で最も強力なそうした企業へ欧米諸国はどのように依存していくのだろうか？「われわれは、いくつかの企業の利益のためにインターネットの一部を私有化される状況に直面している。しかも、だれも何も感じることなく」と、海底の電気通信ケーブルのある専門家は不安を漏らす。[68]

ひとつの政治的試みがアルカテル・サブマリン・ネットワークス社（ＡＳＮ）の未来とともにクリアされた。アルカテル（グループ）は２０１６年以来、ノキア社の傘下に入った。フィンランドのノキアの業績はあまり芳《かんば》しくなく、敵対的買収の噂がよく浮上する。だが、現在一握りの国だけが享受するテクノロジーをヨーロッパが維持できるようにするデジタル主権が問題にされている。だから、「ルールを押しつけてくるかもしれない非ヨーロッパのケーブル事業者に依存しないために、ＡＳＮをヨーロッパの財産として残すことが決定的に重要なのだ」と、ケーブル業者のある幹部は予見する。フランスはこの問題を熟知しているのだが……。「［ＡＳＮは］監視下にある企業であることは確かだ」と、ある専門家は言う。フランスがケーブルとそれを通るデータを１００パーセントコントロール下に置くことについては、「もう遅い。そのような戦略はヨーロッパ規模でやらないといけないだろう」と、あるコンサルタントは分析する。[69] 娯楽を享受するネットユーザーが、インターネットの遊びの次元の裏で力の論理が加速していることを認識してくれればいいのだが……。

エピローグ

未来の通り

われわれは1900年4月15日のパリにいる。朝の8時だ。パリ市が開催する5回目の万国博覧会がこの日、開幕する。1851年来、万博はアメリカ、ヨーロッパ、オーストラリアで次々と開催された。万博は人類のための技術、経済、社会の進歩を祝う催しだ。20世紀に入ろうとするとき、フランスはこれまでにない大規模な万博を開催しようとしていた。エッフェル塔を取り囲む112ヘクタールの用地に、40ヶ国がぜいたくなパビリオンを建てた。駅が整備され、セーヌ川のあちこちに橋が架けられ、パリのメトロの第1番線が5000万人の入場者を迎えるために運転を開始した。

8万3000の出展者がすばらしい発明を展示した。観覧車、夜間の電気使用、これまでになかった最大の天体望遠鏡、大画面に映されたリュミエール兄弟の映画、そして万博会場をぐるりと一周する動く歩道……。この動く歩道は600万人が利用し、大成功を収めた。将来はすべての歩道が動く歩道になると考えられていたので、「未来の通り」と名づけられた。この名前は、当時、技術の恩恵にどれだけ信頼が寄せられていたかを示している。

21世紀、多くの技術のユートピアが現実のものとなった。われわれは今や、インターネットの光のパルスや、アルゴリズムの力、5Gアンテナの伝送容量のリズムで生活している。人々はそうした道具に驚嘆しながらも、それが生み出す心の健康や民主主義や気候への脅威を恐れてもいる。次の数十年間がどうなるのかを探ることがわれわれの課題だ。将来はどのような情報テクノロジーとともに歩みたいのだろうか？　それはどんなプロセスと原材料で製造されるのだろうか？　スケールメリットでエネルギー効率を上げるような大規模なインフラによる集中化されたネットワークを望むのか、あるいは電力を食うデータ伝送を分散することを望むのだろうか？　中立で規制のないネットワークを望むのか、あるいは「必要不可欠」とされるデータの生成のみを許可するような不公平で自由を制限するネットワークを望むのだろうか？　ネットワークは有料あるいは無料であるべきだろうか？　デジタル効率を最適化する発明が現れるまで、ネットワークの使用を節制すべきなのか、あるいはその逆なのだろうか？

「インターネットが大衆化されてからまだ20年しか経っていない。まだ非常に若い！　デジタルの先史時代、いわばホモ・ハビリス［240万～180万年前の初期ヒト属］の時代にいるのです。今後は〝デジタルの啓蒙時代〟に入るでしょう」と、起業家のイネス・レオナルドゥツィ氏は分析する。[1] すばらしい言葉ではあるが、もしみんながこの賞賛すべき目標に同意するなら、われわれは非常に幅広い行動の選択肢——しかも、区別の難しい選択肢——を目の前にしているのだ。本書に費やした2年間で、私たちは〝デジタルの啓蒙時代〟を具現化する道「未来の通り」は無数にあり、矛盾をはらんでいることを発見した。

アムステルダムでは、アムステル川のほとりの優雅なレストランで、アムステルダム大学の情報科学教授アンワール・オッセイラン氏と長時間にわたって討論した。同氏は、デジタルは「人、地球、利益（people、planet、profit）を目指す国家」の開花に貢献し、人類発展、環境保護、経済成長という目標を総合的に目指さなければならないと主張した。「われわれの行動はエコロジカルでなければならないが、同時に社会、経済、政治的に持続可能でなければならない」と、同氏は論じた。つまり、人類は、現在の情報ツールの計算能力を向上させるようなデジタル・テクノロジーが完成されるのでなければ、さらなる繁栄はないということだ。オッセイラン教授は、量子情報技術の到来に言及し、無料で無制限の太陽光エネルギーが２０３０年までに地球全体に普及するとしたアメリカの未来学者レイモンド・カーツワイル氏の言葉を引用した。データの環境コストについては「膨大だが、それから得られる利益よりも小さい」――ただし、データが容易にアクセスでき、公開され、他のデータと組み合わせることが可能ならという条件付きで[2]――と同氏は言う。さらに、このテクノロジー主義のアプローチは、抑止的な炭素税や効率的な炭素市場、環境・社会・倫理面を企業がよりよく考慮すること[3]とバランスを取らなければならないだろう。

また、私たちはワシントンＤＣ北部にあるアメリカ国立標準技術研究所（ＮＩＳＴ）の研究者であるジェームズ・ワレン氏とケアリン・キャンプベル氏にもインタヴューした。両氏は材料工学の驚くべき可能性に信頼を寄せている。この2人のおかげで、アメリカで流通するすべての5セント硬貨は銅とニッケルと亜鉛の新たな合金で、前回の合金より40パーセント安くなった。[4] これは、「合金の推移のモデリングと予見を可能にした」デジタル・テクノロジーを使ってわずか18ヶ月の研究開発で得られたと、両氏は説明する。こうした発見の延長線上で、「新素材は未来の〝黒い金〟だ。それに比べると、GAFAMはすでに旧世界に属する。未来は素材だ」[5]と主張する人もいる。科学者たちに倣って、「テクノロジー先駆者」とも呼べる多国籍企業やスタートアップの人々は、テクノロジー、とりわけデジタル・テクノロジーの無限の発展に地球の保護を条件づけるストーリーを洗練された形で提示する。たとえば、エネルギー消費のより少ない「インテリジェント鉱山」、リサイクル・ロボット（アップルが開発したロボット「Daisy」[6]など）、資源の由来を特定できる追跡ツール（Circulorなど）[7]……。こうした「テクノロジー先駆者」は、「人、地球、利益の国家」を推進する行動の一環として開花するだろう。それら先駆者のなかには、いつの日か環境保護において国家権力に対抗できるほど強力になるものも出るかもしれない。

別の哲学、別のパイオニアたちも存在する。ワシントンDCより数ヶ月前、私たちはアムステルダムのワーグ・ソサエティ[8]の活動家に興味を持った。彼らはITの目標とはまったく異なるヴィジョンのもとに集まっている。ワーグ・ソサエティは社会の充足感のためのITを推進する組織だ。メンバーの一人であるエンジニア、ヘンク・ビュールソン氏は世界中からやって来る生徒たちに、携帯電話を自分たちに合ったものに改変するために電話とソフトウェアの機能を教える。「ロボットやAIは人間が作った。私の生徒たちには、そうしたテクノロジーが自分たちのおかげで機能すること、自分たちと切り離されて機能するのではないということを忘れないでもらいたい」と、ブールセン氏は言う。ワーグ・ソサエティと同じように、「質素でレジリエンス（回復力）を持つ人」とでも呼ぶべき人たちは、世界中で増えている。米リーブルプラネット[9]や仏フラマソフト[10]のネットワークの活動家たちのように、自由にアクセスできるソフトウェア[11]（Linuxなど）の良さを信じている。彼らはしばしば「ローテック」によるシンプルな作り——したがって修理やリサイクルがより簡単——を目指す。彼らによると、デジタルの未来はむしろ、その使用の減少や社会の「非デジタル化」にすら向かうという。インターネット網の地域への回帰も彼らの関心事の中心だ。カタローニャ、インド、南アフリカなど、地方規模で機能するメッシュ（Mesh）やGuifi[12]といった通信網がすでに作動している。

こうした倫理はわれわれの統治者にインスピレーションを与えるだろうか？　フランスの「ザ・シフト・プロジェクト」というシンクタンクは、その優れた報告書のなかで、オンライン動画の環境負荷の悪化に対し、「政府の役割は（中略）、公益性、妥当性や必要不可欠性を基準に、ネットのある種の使用を他より優先させることだ」と主張している[13]。使用を序列化することは、ネットの神聖な中立性の原則を無効にすることになる。ネットの中立性とは、各人が身元や必要にかかわりなく、ネット上のどんなコンテンツにもアクセスできるということだ。ここに、「グリーンかつ節制の政府」とでも呼ぶべき政治実体、あるいは一部の研究者たちが呼びかける強い体制――いくらか国民の自由を制限することによってデジタル汚染を抑制するために尽力する――の萌芽が見られる。デジタルサービスの消費は、接続割当や、インフラ容量の制限といった技術的制約によって規制できるだろう。「公益に必要不可欠」と判断されるデータ（医療、軍事、金融などのデータ）のみの保存が優先される。データ関連の経済はぎりぎりの規模に縮小されるため、インターネットへのアクセスは部分的に有料になるだろう。最後に、〝強いＡＩ〟や量子情報科学といった、マイナスの影響のほうが利点に勝るようなテクノロジーについては、ある種の境界を超えないことを選択するようになるだろう。

われわれの「未来の通り」は、今日、世界のあちこちで熟成している実に様々な解決策を混合したものになるだろう。それらの解決策を提案する人たちが、見解の相違を超えて共通の確固とした目標のために結集することに賭けてみよう。自らを超えるというただひとつの野心しか追求しないエコシステムを生み出すという目標から始めてみよう。仮説的な輝かしい未来を約束する前に、現実にいま体験している現在を向上させることに心を砕く世界。われわれが生み出している時代を理解する助けになるツール……。なぜなら、ドイツの哲学者・エッセイスト、ビュンチョル・ハン氏が「この新たなメディアは、それがもたらすラディカルなパラダイムの変化をわれわれが理解することなく、われわれを新たに組み込む」と言っているからだ。[14]

将来、テクノロジーに対して人間が占める正当な位置。それが、人々の合意が最も難しいものだろう。われわれは、デジタルを、人間を救うために人間のもとに遣わされた救世主のように見なす傾向がある。ところが、現実はずっと凡俗であると認めねばならない。デジタルは人間に似せて作られたツールにすぎないのだ。このテクノロジーのエコロジーの度合いは、われわれ以上でもわれわれ以下でもない——将来もそうであろう。われわれが食物やエネルギーを無駄使いするのを好むなら、デジタルもその傾向を強めるだろう。もし反対に、われわれが国境を超えて寛大であろうとするなら、ボランティアの大群をわずかの時間で動かすことができるだろう。このツールはわれわれの日常のイニシアティブ——あまり立派でないものも、より立派なものも——の触媒として働き、未来の世代に残すわれわれの遺産を増やす。われわれがなり果てた造物主——本来は責任を持たねばならない計り知れない権力に、ほとんど無認識である——に対し、デジタルは結局、ガンジーの強い厳命「あなたがこの世界で見たいと願う変化にあなた自身がなりなさい」をわれわれに熟考するよう導くのである。

謝辞

ひとつの「いいね！」がきわめて物質的であることを証明する調査のために、世界を一周しなければならなかった。現地調査の取材は高くつく。アンリ・トリュベール氏、ソフィー・マリノプロス氏のお二人の編集者の変わらぬ支援なしには、本書は完成しなかっただろう。本書は彼らのおかげで執筆できました。お二人の信頼に感謝します。

本書の1ページには、平均してその10倍の量のメモや、調査、インタヴューが必要だった。それをするため、シアンスポ（政治学院）、パリ高等商業学校（パリ経営大学院［HEC］）、ジャーナリスト養成センター（CFJ）の調査員やアナリストのプロ意識の高さに頼らせてもらった。本書で明らかにされた課題への彼らの情熱、事実の正確さに腐心する姿勢、過剰になりがちな私の要求（認めます！）に対する彼らの寛大な対応……それらなくしては本書は今日、読者の方々の手元にあるものではなかっただろう。以下の方々に特に謝意を捧げます。

デジタル汚染に関する調査を行い、そのテーマに関する最初の全般的な考察を構成してくれたリム・アブダラ氏。

インドのベンガルール（バンガロール）について、私の要望のために自己犠牲の精神で調査してくれたイシャ・バドニヤ氏。

非物質性の美しさ、グリーンAI、ブラフデール（米ユタ州）、国家による監視の環境負荷、「サービス単位あたりの物質集約度（MIPS）」、マスダールシティ、エンカナ社、赤色と青色、ドミニオン・エナジー社、アパラチア山脈の石炭、メディア批判の歴史など（以上は一部だが）について、すばらしい分析力と総括力を発揮して調査してくれたアリス・ベロ氏。

フロンガスとハネウェル、OVH［仏クラウドサービス会社］、数学と自然の関係、「いいね！」の地理学、「グレタ世代の」パラドックス、ドミニオン・エナジー社のロビー活動、光ケーブル、スマートフォンの審美性、グリーンエネルギー証書、スマートフォンと禅宗の関係など（以上は一部）について、調査に対する称賛すべき取り組みと、あらゆる困難に立ち向かう姿勢を保ったグウェンドリン・クレノ氏。

デュナンケーブル、アパラチア山脈の石炭、アッシュバーン、水量データの翻訳、コロス、グリーンエネルギー証書（以上は一部）についての調査、そしてオランダ、英国、アメリカ、スウェーデン、ノルウェーの現地調査の手配など、大変な持久力と謙虚さで取り組んでくれたマリー＝アストリッド・ゲガン氏。

フェイスブックのデータセンターのルレオ設置、水力発電ダムの小ルーレ川への影響、電動キックボード、電子狩り、デュナンケーブル、パッシブファンド、半導体、5G、コネクテッドカー、自動運転車（以上は一部）などについての調査を大変な馬力と調査への稀有な情熱をもって実施してくれたカミーユ・リシール氏。

コンスタントで粘り強く、コネクテッドカー、自動運転車についての調査をしてくれたカロリーヌ・ロバン氏。

半導体や「Smarter2030」レポートについての膨大な調査、タリン取材の手配に根気強く対処してくれたサンドリーヌ・トラン氏。

鉱物の「責任ある調達」、ロボットによって生じる汚染、電子製品を自ら修理する権利への障害について、事実の正確さにこだわり、分析のクオリティの高さを保ちつつ調査してくれたジャンヌ・ヴァンサン氏。

また、学生とのコラボレーションの提案を信頼して橋渡ししてくれた、ジャーナリスト養成センター副調査部長、セドリック・モル＝ローランソン氏とその部署の人々にも感謝を捧げたい。

そして、原稿はこの分野のフランスや世界の多くの専門家たちに読んでいただいた。読む時間を割いていただき、いくつかの箇所を直していただいた（まだ残っているミスはすべて当然私の責任である）ことに感謝します。それは以下の方々です――

データセンターに関する第4、5、6章については、カルノ・コンピューティング社の共同設立者かつ経営者のポール・ブノワ氏ならびに、データセンター研究所所長、プリュス・コンセイユ社創立者かつシンクタンク「変容するデータセンター」の共同設立者であるフィリップ・リュース氏。

半導体に関する部分については、台湾積体電路製造（ＴＳＭＣ）の技術開発中央事務所の元所長、ジャン＝ピエール・コランジュ氏。

光ケーブルを扱う第９、10章については、アルカテル・サブマルコム／ＡＳＮ元社長、タイコ／サブコム社のマーケティング部長のジャン・ドヴォス氏ならびに、ＡＱＥＳＴ社のシニアコンサルタント、ロラン・カンパーニュ氏。

クオンツ・ファンドに関する箇所では、ＨＳＢＣ銀行の元定量分析のアナリストで、「あなたは一人ではない（Vous n'êtes pas seuls）」団体の共同創設者、ジェレミー・デジール氏。

キックボードとデータ取得に関する箇所では、市民団体「クアドラチュール・ドュ・ネット」のメンバー、Klorydryk氏。

ドミニオン・エナジー社関係の箇所については、自然保護団体「シエラ・クラブ」の活動家かつ弁護士のアイヴィー・メイン氏。

その上で、フェアフォンのＩＴ・ソフトウェア長寿性部門の責任者アニエス・クルペ氏、エリック・ルソー氏（アルベールヴィル庶民大学）、ならびにアクセル・ロビーヌ氏に原稿全体を丹念に読み返してもらった。厳しく、建設的な再読に感謝します。

事実の細かい検証には、モニック・ドヴォートン氏に信頼を寄せることができた。

最後に、本書への取り組みは「コロナ危機の」各種規制のもとに行われたが、より落ち着いたやり方で規則正しく調査や執筆をすることができた点では有益だった。ブレンヌ自然公園の沼からアントル・ドゥ・メール地区〔ボルドーの近く〕のブドウ畑まで、古色を帯びた岩、木々、動物に伴なわれ、家族や大切な人たちの思いやりに支えられた。

【図表1】

インターネット通信の７つの層

7
アプリケーション層
ネットワークサービスへのアクセスポイント
6
プレゼンテーション層
データの暗号化と変換
5
セッション層
ホスト間の通信
4
トランスポート層
始点から終点までの接続とフロー制御
—伝送制御プロトコル（TCP）
3
ネットワーク層
伝送経路の決定と論理アドレス
–インターネット・プロトコル（IP）
2
データリンク層
物理アドレス—媒体アクセス制御（MAC）と論理リンク制御（LLC）
1
物理層
デジタル信号またはアナログ信号によるビット列の伝送

【図表 2】
電話機に含まれる元素の数

1960

10 元素

アルミニウム
窒素
炭素
クロム
銅
水素
ニッケル
酸素
鉛
亜鉛

1990

29 元素

アルミニウム
アンチモン
窒素
バリウム
ベリリウム
ホウ素
臭素
カドミウム
炭素
塩素
クロム
銅
コバルト
スズ
鉄
フッ素
水素
ヘリウム
マンガン
モリブデン
ニッケル
金
酸素
リン
鉛
ケイ素
タンタル
チタン
タングステン

2021

54 元素

アルミニウム
アメリシウム
アンチモン
銀
窒素
バリウム
ベリリウム
ビスマス
臭素
カルシウム
クロム
炭素
塩素
コバルト
銅
エルビウム
鉄
フッ素
ガドリニウム
ガリウム
ゲルマニウム
ハフニウム
水素
インジウム
ヨウ素
イリジウム
リチウム
マグネシウム
マンガン
ネオジム
ネオン
ニッケル
金
酸素
パラジウム
リン
プラチナ
鉛
ポタシウム
ルビジウム
スカンジウム
ケイ素
ナトリウム
硫黄
ストロンチウム
テルル
タリウム
ツリウム
チタン
タングステン
バナジウム
イットリウム
亜鉛
ジルコニウム

出典：ケンブリッジ大学のマイク・アッシュビー教授、ルーヴァン・カトリック大学のジャン＝ピエール・ラスキン教授

【図表3】
世界の金属生産のうちデジタル分野に使用される割合

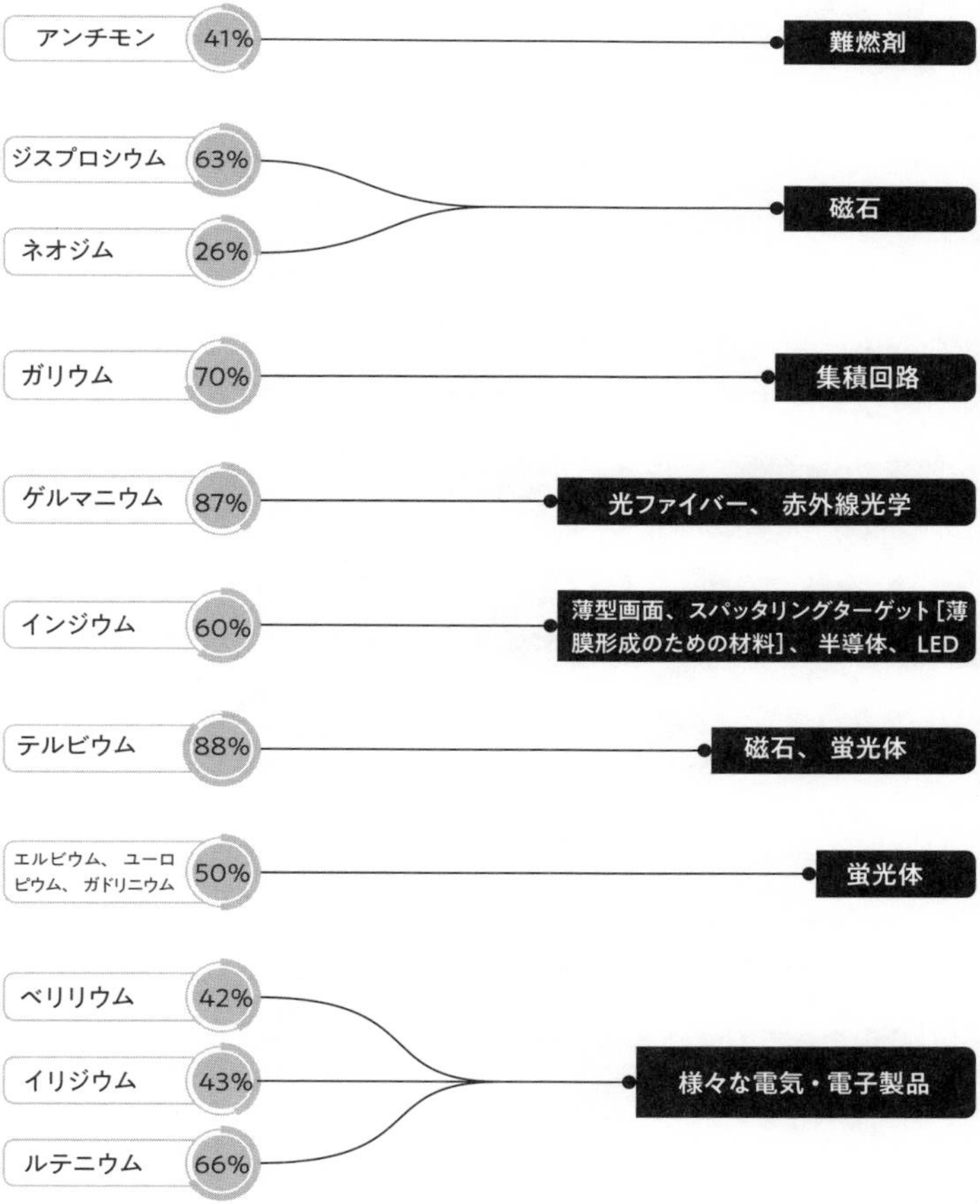

出典：欧州委員会共同研究センター（JRC）

【図表 4】
世界の主要なデータセンター分布

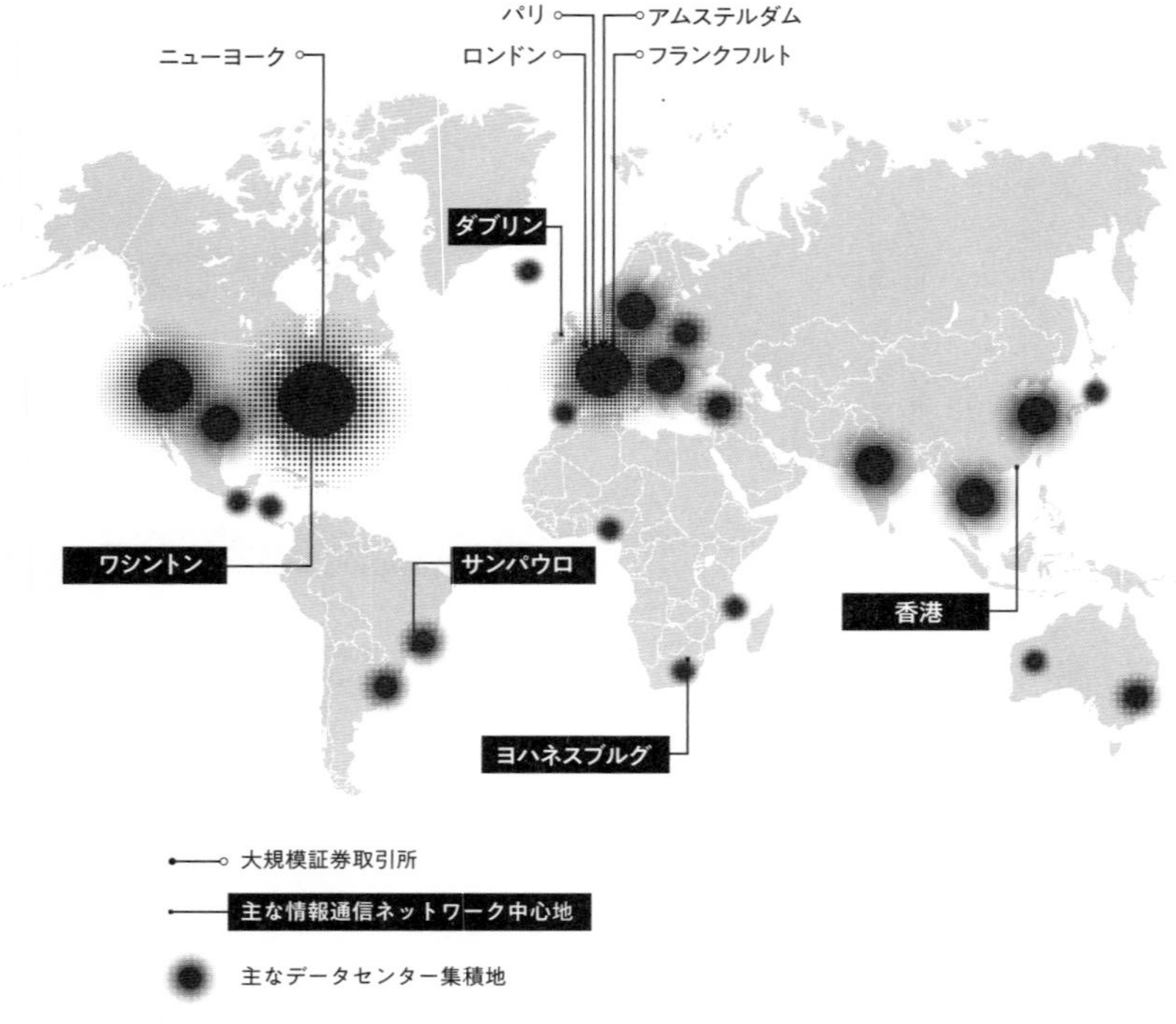

出典：Data Center Map

【図表5】
水1滴が1オクテットとすると……

計測単位	情報通信分野の用途	水量	水量に相当するもの
1キロオクテット = 1000 オクテット	短い電子メール1通	100ml	コップ半分
1メガオクテット = 1000 キロオクテット	MP3 形式のオーディオファイル1分間	100L	プールの足洗い場の水
1ギガオクテット = 1000 メガオクテット	2時間の映画1本	10 万 L	大型の雨水貯留タンク
1テラオクテット = 1000 ギガオクテット	600 万冊の本 （フランス国立図書館所蔵のほぼ半分）	1億 L	オリンピックプール ほぼ 27 個分
1ペタオクテット = 1000 テラオクテット	20 億枚のデジタル写真 （中程度の画質）	1000 億 L = 1億 m^3 = $0.1km^3$	ヴェネツィア大運河の 58 倍
1エクサオクテット = 1000 ペタオクテット	5エクサオクテット （2003 年までに世界で生成された全データ）	$100km^3$	レマン湖（$89km^3$）以上
1ゼタオクテット = 1000 エクサオクテット	1000 兆冊の本	10 万 km^3	カリフォルニア湾
1ヨタオクテット = 1000 ゼタオクテット	住宅地1ブロックの大きさのデータセンター100 万軒	1億 km^3	インド洋の3分の1

出典：Stanford University, High Scalability, *Libération*

【図表6】
2010年以降、世界で生成された（される）年間データ量

（ゼタオクテット）

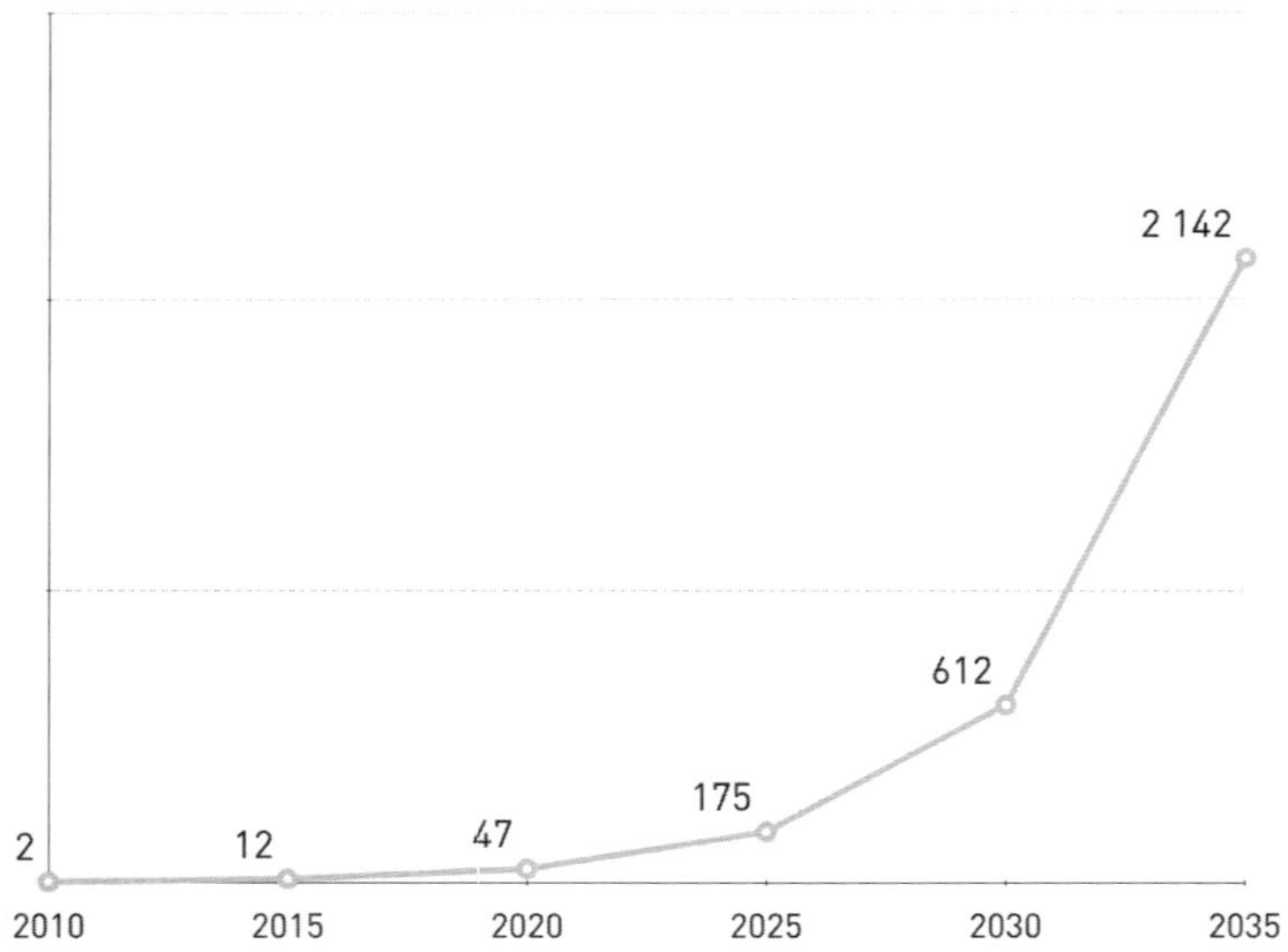

＊ゼタオクテットは1兆ギガオクテットに相当する

出典：Statista, Digital Economy Compass 2019

【図表 7】
1 分当たりの世界のインターネット利用の内訳

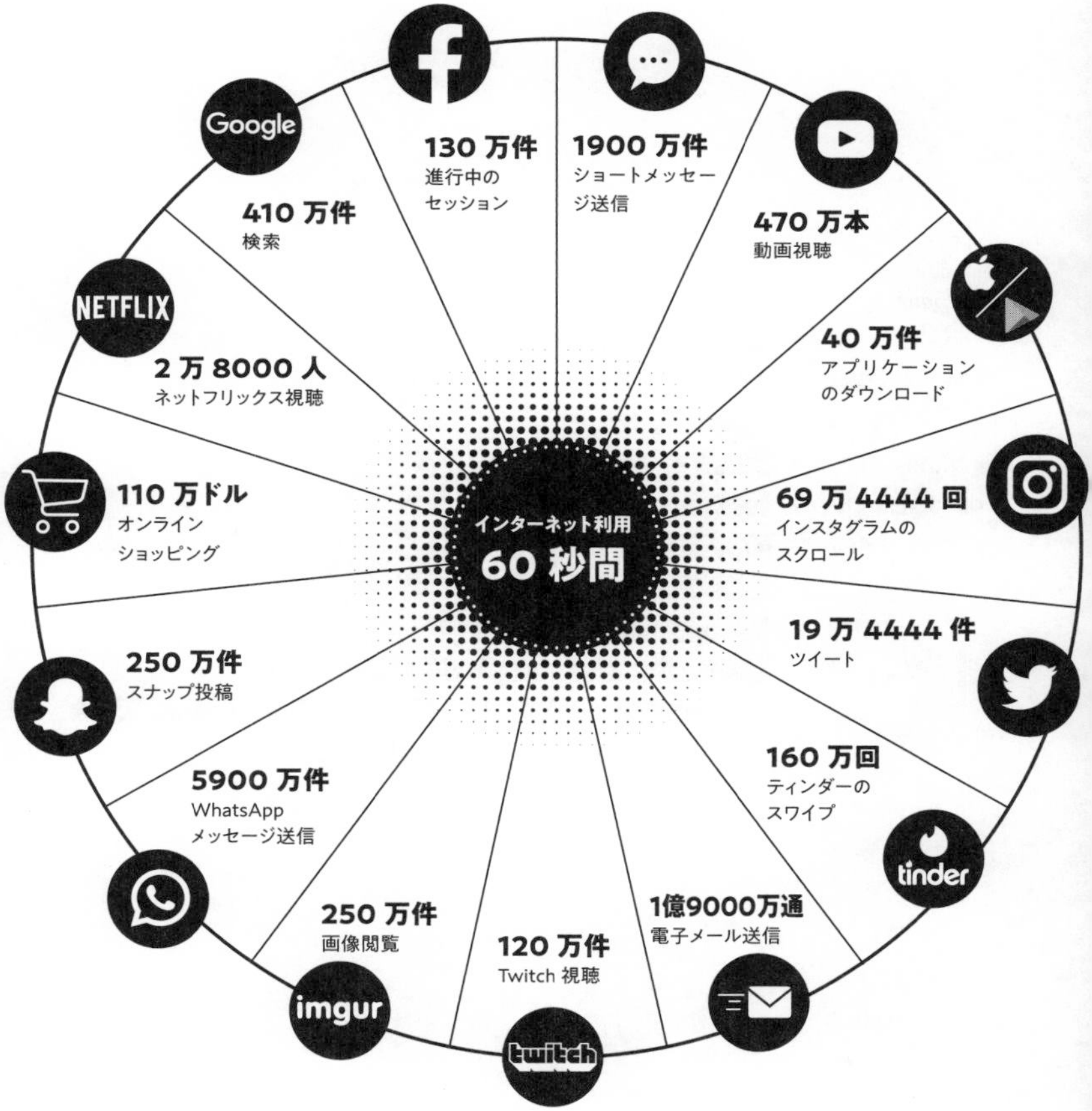

作図：@LoriLewis、 @OfficialyChadd（2020 年）

【図表 8】
デジタル・テクノロジー別のプログラミムの LOC 数

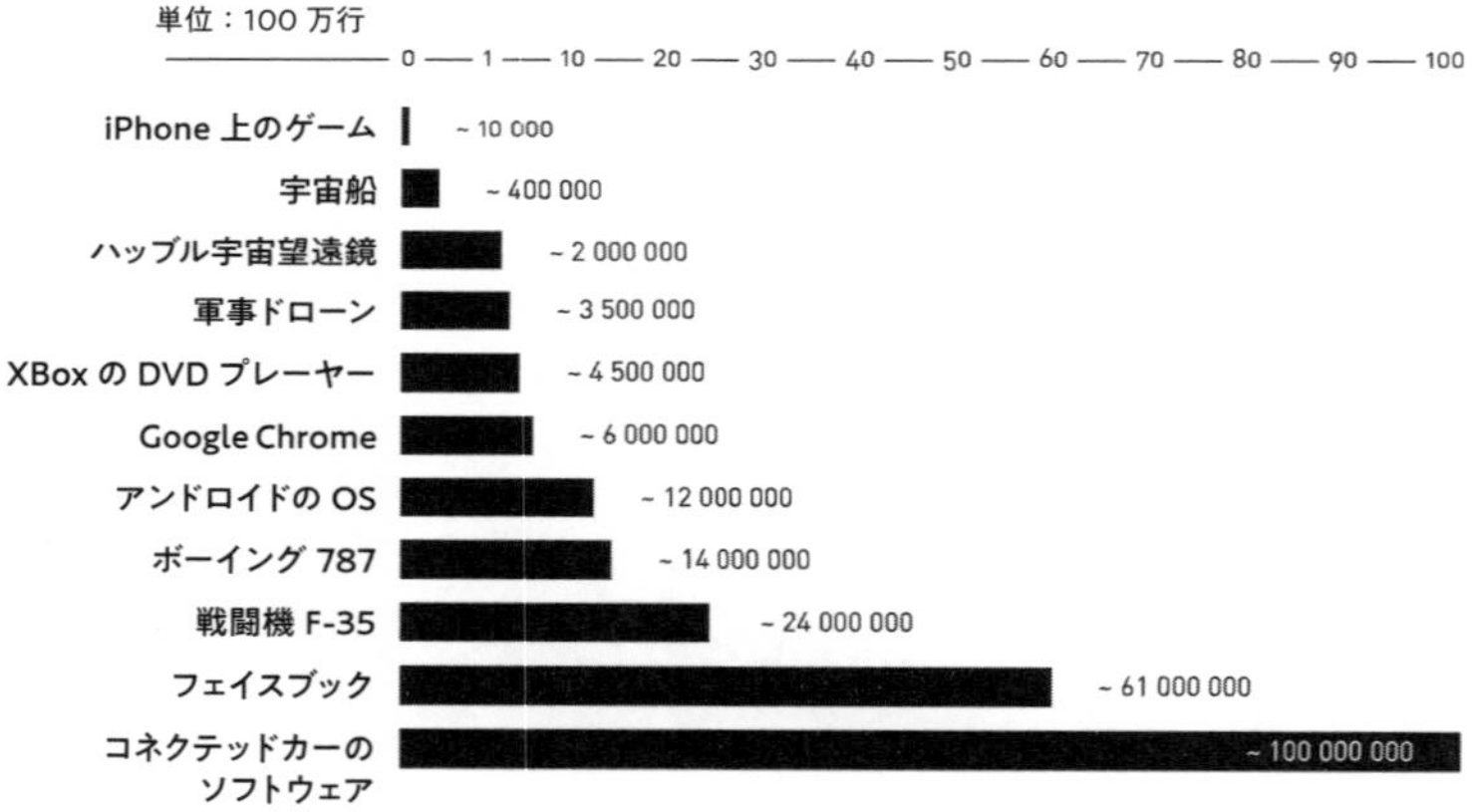

出典：NASA、Quora および Ohloh のウェブサイト、
Wired & press report, 2020 年のデータをもとに David McCandless 作成

【図表9】

光ファイバーケーブルの構造

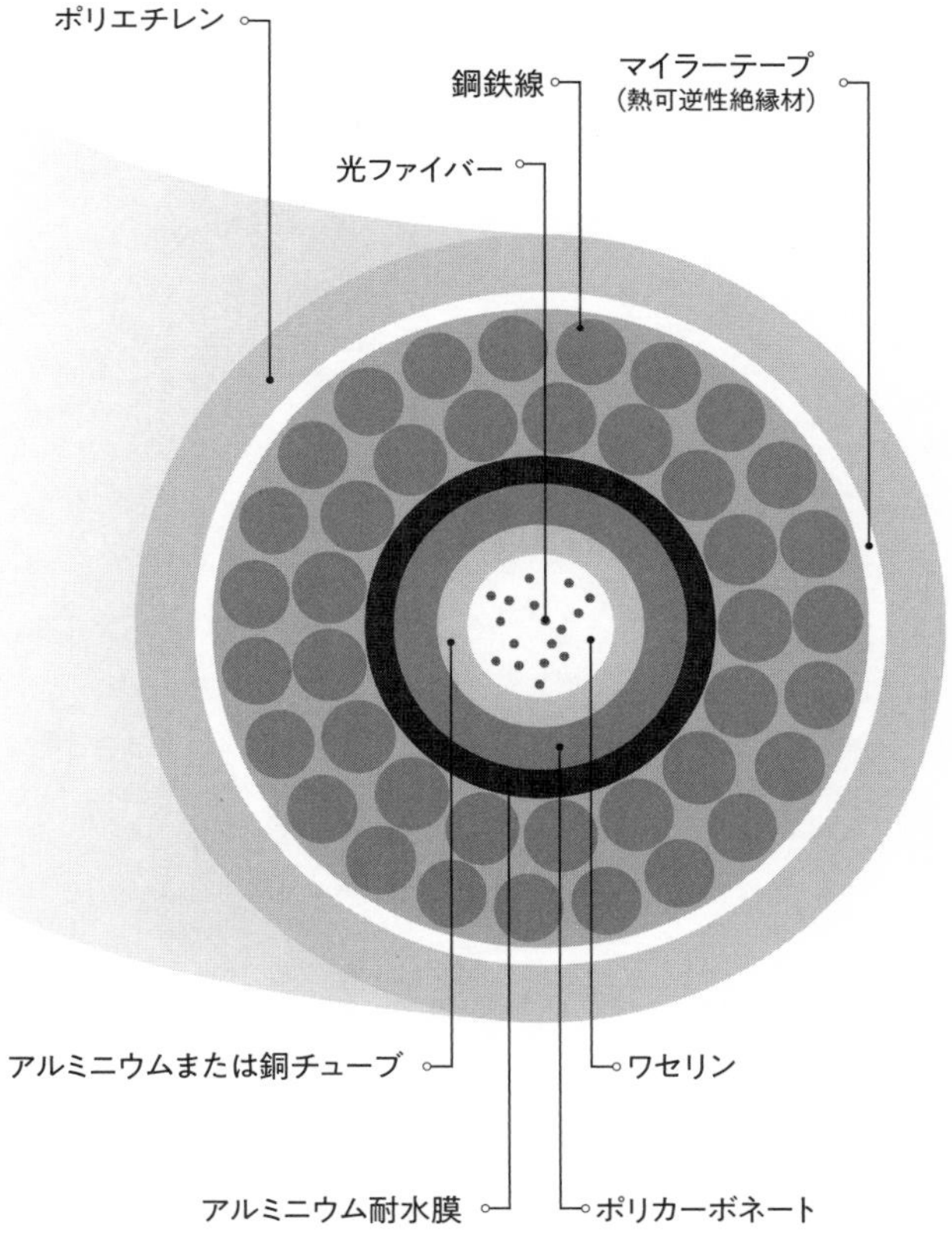

出典：SciencePost

【図表10】
海底ケーブルの世界地図

出典：Submarine Cable Map, 2021

【図表11】

海底ケーブル「ヒベルニア・エクスプレス」のルート

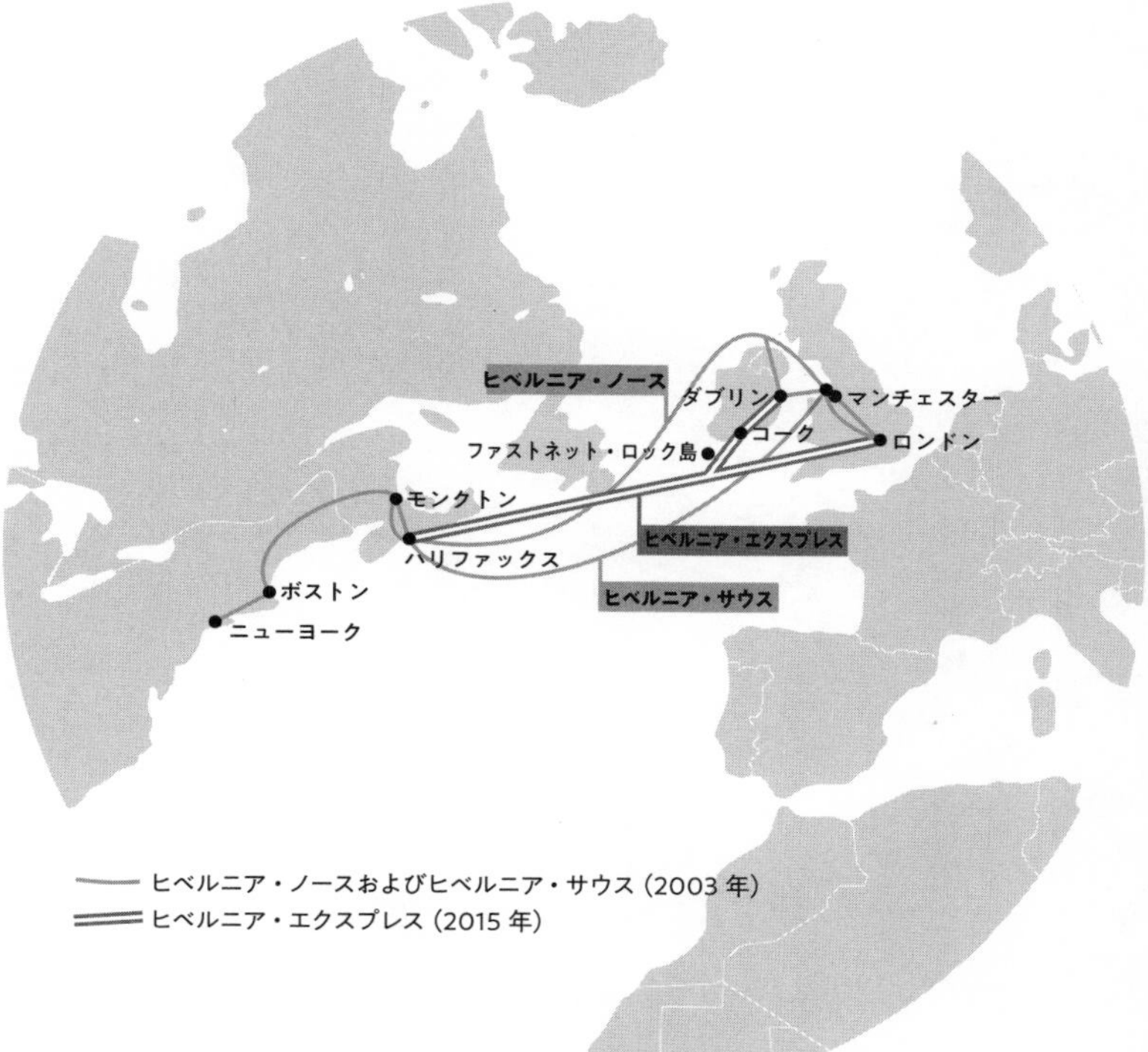

【図表12】
ヨーロッパ=ペルシャ・エクスプレス・ゲートウェイ（EPEG）と
ブルー・ラマンの予定ルート

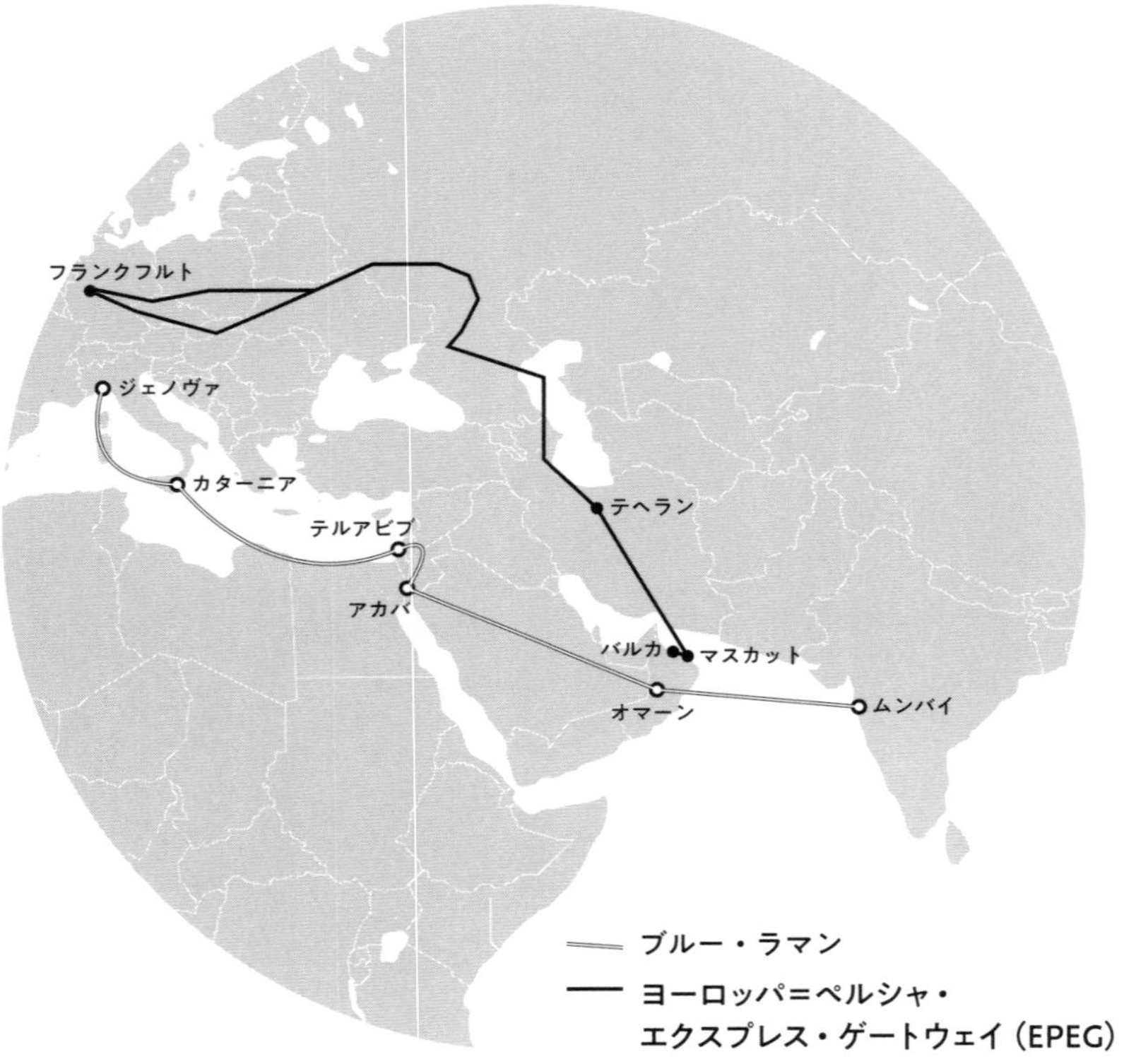

【図表13】
ROTACS とアークティック・ファイバーの予定ルート

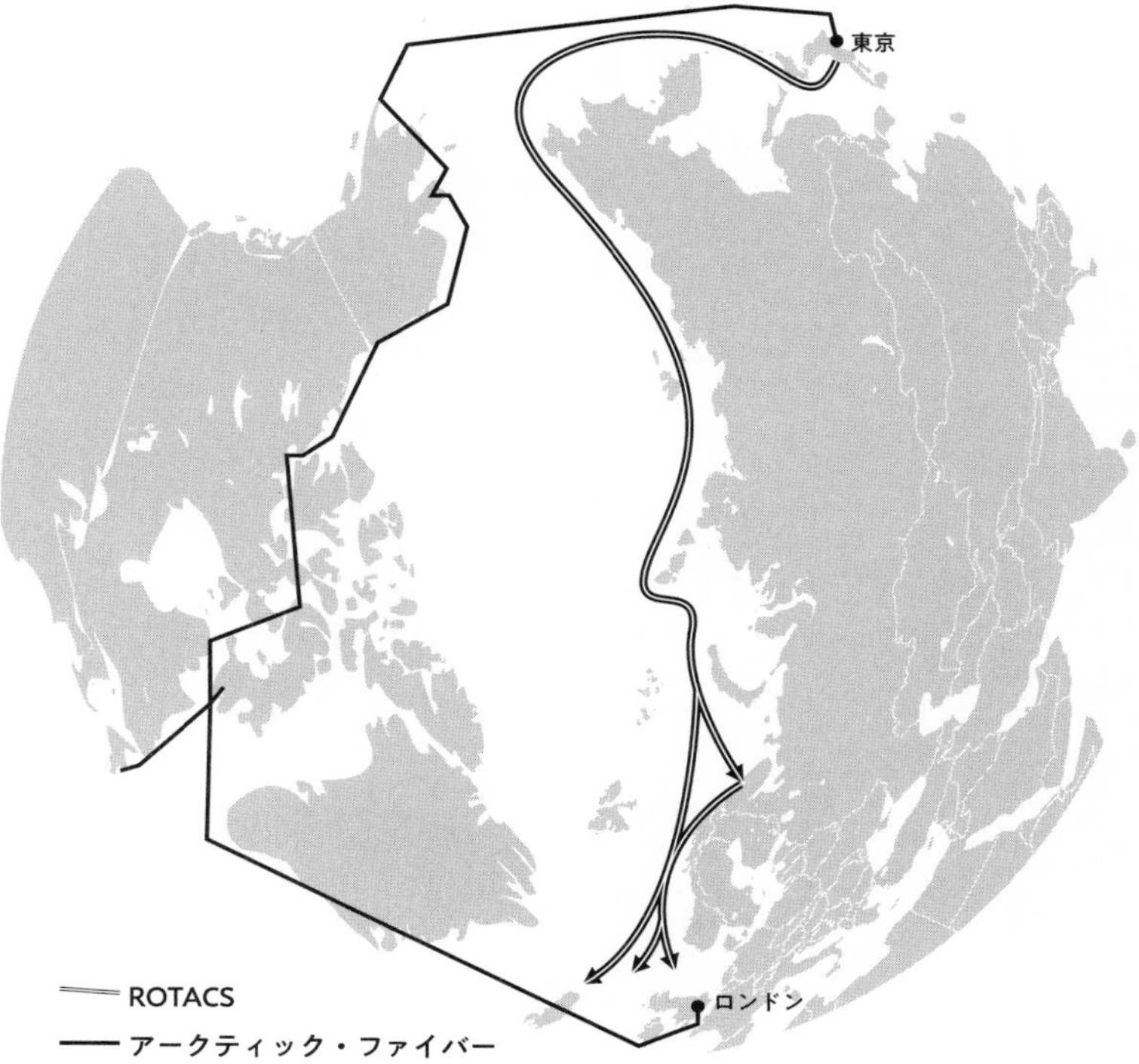

出典：Polarnet Project Photo, 2017

【図表14】
PEACEのルート

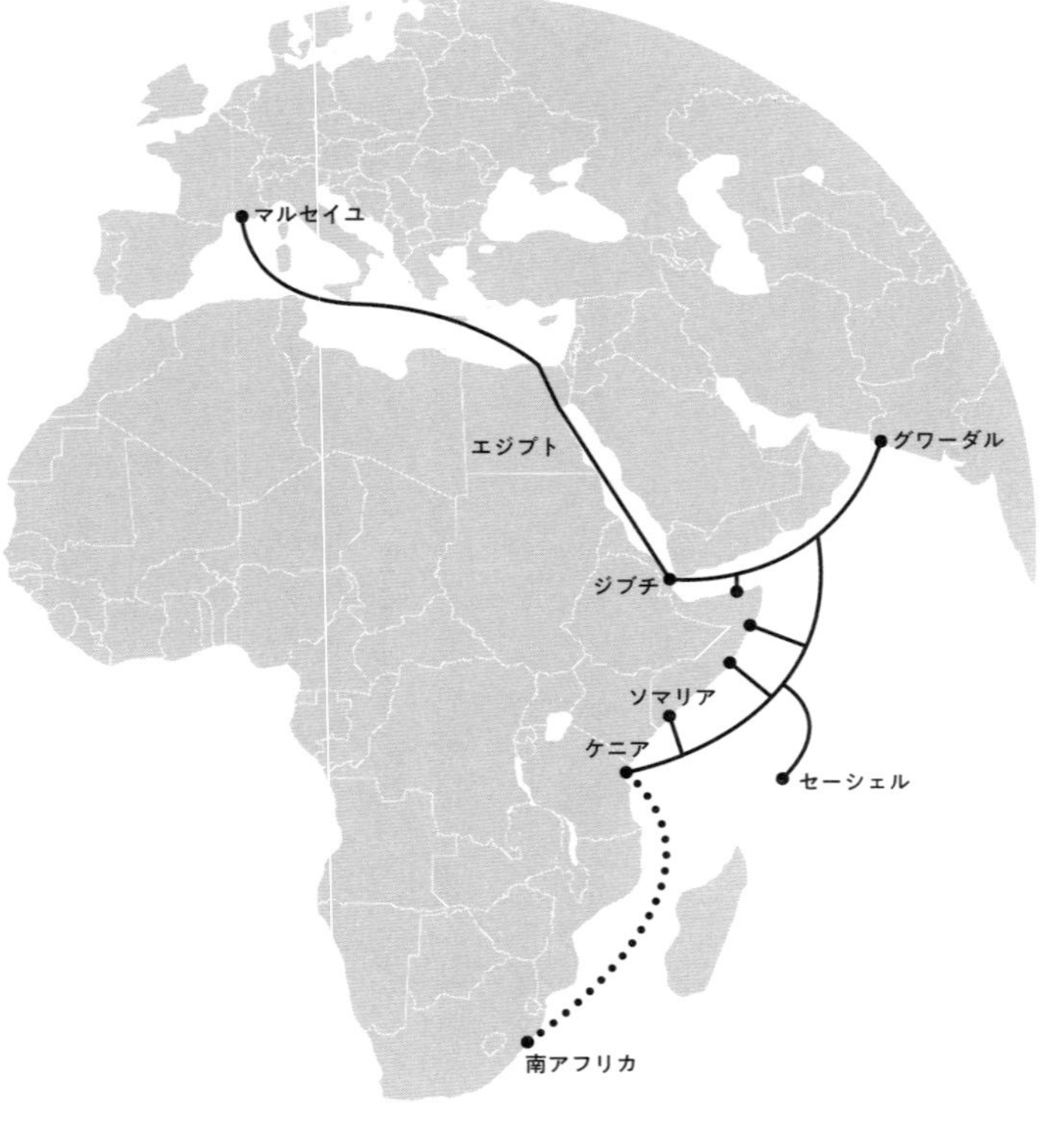

出典：PEACE Cable, 2021

Mél Hogan, «Data flows and water woes : The Utah Data Center», Big Data & Society, décembre 2015.

National Bureau of Asian Research, «Securing belt road initiative, Securing the Belt and Road Initiative, China's Evolving Military Engagement Along the Silk Roads», 3 septembre 2019.

«The Passives Problem and Paris Goals : How Index Investing Trends Threaten Climate Action», The Sunrise Project, 2020.

Rishi Sunak MP, «Undersea Cables : Indispensable, insecure», Policy Exchange, 2017.

Intelligence and the Problem of Control, Penguin Books, 2019.

Trine Syvertsen, *Media Resistance: Protest, Dislike, Absten tion*, Palgrave Macmillan, 2018.

Éric Vidalenc, *Pour une écologie numérique*, Les Petits Matins, 2019.

Paul Virilio, *Cybermonde, la politique du pire*, Textuel, 2010.

14の必須記事

«Climate change : Electrical industry's "dirty secret" boosts warming», BBC, 13 September 2019.

«Connected cars could be big energy savers, or not», *Poli tico*, 20 octobre 2016.

«Environment Program Request for Proposal : Aligning Passive Investment with Paris Climate Goals», William et Flora Hewlett Foundation, 28 janvier 2020.

«Electric Scooters Are Racing to Collect Your Data», ACLU Northern California, 25 juillet 2018.

«Data Centers and Global Electricity Use – Two Camps», H66, 2 mai 2020.

«How Steve Jobs' love of simplicity fueled a design revolution», *Smithsonian Magazine*, septembre 2012.

«How the Enlightenment Ends», *The Atlantic*, juin 2018.

«John Deere Just Swindled Farmers out of Their Right to Repair», *Wired*, 19 septembre 2018.

«Numérique : le grand gâchis énergétique», *CNRS Le jour nal*, 16 mai 2018.

«Photos of the Submarine Internet Cables the NSA Probably Tapped», *Wired*, 20 septembre 2016.

Nicole Starosielski, «Strangling the Internet», *Limn*, issue 10 : Chokepoints, avril 2018.

«Taiwan's chip industry under threat as drought turns critical», *Nikkei Asia*, 25 février 2021.

«The 'World's Most Beautiful Data Center' is a Supercomputer Housed in a Church», *Vice*, 15 janvier 2019.

«To decarbonize we must decomputerize : why we need a Luddite revolution», *The Guardian*, 18 septembre 2019.

11の重要なレポート

Asta Vonderau (2019) «Scaling the Cloud : Making State and Infrastructure in Sweden», Ethnos, *Journal of Anthropo logy*, vol. 84, 5 septembre 2019.

«Calculating MIPS Resource productivity of products and services», de Michael Ritthof, Holger Rohn et Christa Liedtke, en cooperation avec Thomas Merten, Wuppertal Spezial 27e, 2002.

Fourth industrial revolution for the earth Harnessing artificial intelligence for the earth, «World Economic Forum-Stanford Woods Institute for the Environment», Pricewaterhouse Coopers (PwC), janvier 2018.

«Submarine cables and the oceans: Connecting the world», International Cable Protection Committee, United Nations Environment Programme, World Conservation Monitoring Centre (UNEP-WCMC), décembre 2009.

Kikki Lambrecht Ipsen, Regitze Kjær Zimmermann, Per Sieverts Nielsen, Morten Birkved, «Environmental assessment of Smart City Solutions using a coupled urban metabolism life cycle impact assessment approach», *The International Journal of Life Cycle Assessment*, 2019.

«Lean Ict Pour une sobriété numérique», rapport du groupe de travail dirigé par Hugues Ferreboeuf pour le think tank The Shift Project, octobre 2018.

«L'impact spatial et énergétique des data centers sur les territoires», Rapport ADEME, 2019.

主要参考文献

Chris Anderson, *Free: The Future of a Radical Price*, Hyperion, 2009. En français, *Free! Entrez dans l'économie du gra tuit*, Pearson, 2012.

Christine Broaweys, *La Matérialité à l'ère digitale, l'humain connecté à la matière*, Presses universitaires de Grenoble, 2019.

Ingrid Burrington, *Networks of New York. An illustrated field guide to urban internet infrastructure*, Melville House Publishing, 2016.

Steve Case, *The Third Wave: An Entrepreneur's Vision of the Future*, Simon & Schuster, 2017.

Laurent Castaignède, *Airvore ou la face obscure des trans ports*, Ecosociété, 2018.

Gilles de Chezelles, *La dématérialisation des échanges*, Lavoisier, 2006.

Nir Eyal, *Comment créer un produit ou un service addictif*, Eyrolles, 2018. Titre original : *Hooked: How to Build Habit Forming Products*, Portfolio Penguin, 2014.

David Fayon, *Géopolitique d'internet. Qui gouverne le monde ?*, Economica, 2013.

Patrice Flichy, *Une histoire de la communication moderne. Espace public et vie privée*, La Découverte, 1991.

Gökçe Günel, *Spaceship in the Desert Energy, Climate Change, and Urban Design in Abu Dhabi*, Duke University Press, 2019.

Byung-Chul Han, *Dans la nuée, réflexions sur le numérique*, Actes Sud, 2015. Titre original : *Im Schwarm Ansichten des Digitalen*, MSB Matthes & Seitz Berlin, 2013.

William Stanley Jevons, *The Coal Question: An Inquiry Concerning the Progress of the Nation, and the Probable Exhaus tion of Our Coal Mines*, Nabu Press, 2010.

Kevin Kelly, *The Inevitable: Understanding the 12 Techno logical Forces That Will Shape Our Future*, Viking, 2016.

Ruediger Kuehr et Eric Williams, *Computers and the Envi ronment: Understanding and Managing their Impacts*, Springer Netherlands, 2003.

Mickaël Launay, *Le Grand Roman des maths, de la préhis toire à nos jours*, Flammarion, 2016.

Julien Le Bot, *Dans la tête de Marc Zuckerberg*, Actes Sud, 2019.

Kai-Fu Lee, *AI Superpowers: China, Silicon Valley, and the New World Order*, Houghton Mifflin Harcourt Publishing Company, 2019. En français : *I.A. La Plus Grande Mutation de l'histoire*, Les Arènes, 2019.

Arnaud Macé (textes choisis et présentés par), *La Matière*, Flammarion, 2013.

George Orwell, *1984*, Gallimard, 2020 (première édition du Royaume-Uni en 1949).

Bruno Patino, *La Civilisation du poisson rouge, Petit traité sur le marché de l'attention*, Grasset, 2019.

Aaron Perzanowski et Jason Schultz, *The End of Ownership: Personal Property in the Digital Economy*, MIT Press, 2016.

Florence Rodhain, *La Nouvelle religion du numérique*, EMS, 2019.

Stuart Russell, *Human Compatible: Artificial*

より

59 報 告 書 «Securing the Belt and Road initiative. China's evolving military engagement along the Silk Roads», *op. cit* のなかの Guifang (Julia) Xue, «The potential dual use of support facilities in the Belt and Road Initiative» を参照。

60 ジョナサン・ヒルマン氏への 2020 年のインタヴューより

61 PLCN は Pacific Light Cable Network の略。

62 «Facebook and Google drop plans for underwater cable to Hong Kong after security warnings», ZDNet, 1er septembre 2020. この計画の代わりに、このケーブルはアメリカと台湾とフィリピンの間だけをつなぐことになった。

63 ベルナール・クレスカ氏への 2020 年のインタヴューより

64 詳しく言うと、「電気通信ケーブルの敷設船が光ケーブル敷設に転換することもできる。しかし、光ケーブルの敷設船は非常に特殊なものだ」と、ベルトラン・クレスカ氏は言う。

65 この 3 社のほかに、中国のファーウェイもいる。「そのほかは大していない。ブラジルの Padtec は最近、IPG Photonics［アメリカの光ファイバーレーザーとレーザーシステムのメーカー］に買収されたが、何もしていないので、消滅するだろう。アメリカの Xtera は死にかけている」とクレスカ氏は言う。

66 ベルナール・クレスカ氏への 2020 年のインタヴューより

67 Ibid.

68 «Un océan de câbles. Puissance(s) au bout du câble», RFI, 28 mars 2019

69 ロラン・カンパーニュ氏への 2020 年のインタヴューより

エピローグ

1 NGO の Digital For the Planet の代表者イネス・レオナルデュズィ（Inès Leonarduzzi）氏への 2019 年のインタヴューより

2 これは FAIR 原則（findable, accessible, interoperable, reusable）［見つけることができる、アクセスできる、相互利運用できる、再利用できる］）と呼ばれる。

3 企業の社会的責任（Corporate Social Responsibility：CSR）のこと

4 «Coining less expensive currency», NIST, 20 juin 2018

5 ワールド・マテリアルズ・フォーラム（World Materials Forum）の創始者で副会長のヴィクトワール・ド・マルジュリー氏への 2018 年のインタヴューより

6 «Apple adds Earth Day donations to trade-in and recycling program», Apple, 19 avril 2018

7 «Volvo mines blockchain to keep ethical sourcing promise», *Forbes*, 27 janvier 2020

8 waag.org

9 libreplanet.org/wiki/Main_Page

10 framasoft.org

11 linux.org

12 Guifi とは、携帯電話を使って、各人が共同体インターネットの Wi-Fi の中継となるネットワークである。guifi.net/en

13 «Climat : l'insoutenable usage de la vidéo en ligne. Un cas pratique pour la sobriété numérique», rapport piloté par Maxime Efoui-Hess pour le think tank The Shift Project, juillet 2019

14 Byung-Chul Han, *Im Schwarm. Ansichten des Digitalen, op. cit.*

Time Blog, 28 décembre 2016
28 とりわけ、人気の高いメッセージサービス「WeChat」
29 AQEST 社のシニアコンサルタント、ロラン・カンパーニュ氏への 2020 年のインタヴューより
30 «Huawei technicians helped African governments spy on political opponents», *The Wall Street Journal*, 15 août 2019
31 «Made-in-China censorship for sale», The Wall Street Journal, 6 mars 2020
32 «La route de la soie numérique, le nouveau péril chinois ?», *Le Temps,* 25 avril 2019
33 米シンクタンク「アジア研究ナショナル・ビューロー（National Bureau of Asian Research)」の報告書 «Securing the Belt and Road Initiative. China's evolving military engagement along the Silk Roads»（3 septembre 2019）の «The space and cyberspace components of the Belt and Road Initiative» を参照。
34 Ibid.
35 Ibid.
36 アルカテル・サブマルコム /ASN の元社長で、Tyco SubCom の元マーケティング部長であるジャン・ドヴォス氏への 2020 年のインタヴューより
37 «Digital Silk Road on path to sustainable development: expert», Xinhuanet, 5 septembre 2017
38 光増幅器とは、平均 80km ごとにケーブルの光信号を中継するための電子機器。
39 «Huawei Marine joint venture launched», Lightwave, 19 décembre 2008
40 ジャン・ドヴォス氏への 2020 年のインタヴューより
41 «Global Marine Group sells its stake in Huawei Marine Networks», Offshore Energy, 30 octobre 2019
42 ジャン・ドヴォス氏への 2020 年のインタヴューより
43 ロラン・カンパーニュ氏への 2020 年のインタヴューより
44 ジャン・ドヴォス氏への 2020 年のインタヴューより
45 Ibid.
46 ロラン・カンパーニュ氏への 2020 年のインタヴューより
47 «Undersea cables: Indispensable, insecure», Policy Exchange, 1er décembre 2017
48 Ibid.
49 «Comment la France écoute (aussi) *Le Monde*», *L'Obs,* 25 juin 2015
50 本書を書いている時点で、中国パキスタン経済回廊の建設は遅れているようだ。以下を参照。«What happened to the China-Pakistan Economic Corridor ?», The Diplomat, 16 février 2021
51 «Pakistani separatist groups unite to target China's Belt and Road», *Nikkei Asia,* 1er août 2020
52 «Pakistani militants opposing Belt and Road kill 14 security men», *Nikkei Asia*, 16 octobre 2020
53 «Rising attacks by Baloch separatists increase risks, costs of BRI projects in Pakistan: Report», *The Economic Times*, 20 juillet 2020
54 1998 年に中国政府が公表した国防白書より。china.org.cn/e-white/ 5/index.htm
55 «Securing the Belt and Road Initiative. China's evolving military engagement along the Silk Roads», National Bureau of Asian Research, *op. cit*
56 «The dawn of a PLA expeditionary force?», National Bureau of Asian Research, «Securing the Belt and Road Initiative. China's evolving military engagement along the Silk Roads», *op. cit*
57 ブラックウォーターは第 2 次湾岸戦争時にイラクで非常に活発に活動した。
58 アメリカの戦略国際問題研究所（CSIS）の研究者で、*The Emperor's New Road. China and the Project of the Century*（Yale University Press, 2020）の著者であるジョナサン・ヒルマン氏への 2020 年のインタヴュー

4 とくにフランスのマルセイユは光ケーブルの陸揚げ地点として世界的ハブになった。

5 «EllaLink's transatlantic submarine cable has already anchored in Portugal», BNamericas, 6 janvier 2021

6 Félix Blanc, «Géopolitique des câbles : une vision sous-marine de l'Internet», Centre pour la technologie et la société, département de droit, Fundaçao Getulio Vargas (FGV Direito Rio Bresil), juin 2018

7 OpticalCloudInfra 社（フランス）の創業者で Pioneer Consulting 社のコンサルタント、ベルトラン・クレスカ氏への 2020 年のインタヴューより

8 撤回されたケーブル敷設計画を見ると、戦争状態や国家間の紛争がある地域が避けられていることもわかる。たとえば、アラブ首長国連邦やオマーンを危険なシリア経由でトルコにつなぐのは不可能だ。2018 年、スパイ行為を恐れたオーストラリアは中国ファーウェイが自国領土にケーブルを「上陸」させるのを拒んだ。以下を参照。«Australia supplants China to build undersea cable for Solomon Islands», *The Guardian,* 13 juin 2018

9 ROTACS とは Russian Optical Trans-Arctic Cable System の頭文字をとったもの。

10 The Arctic: A new internet highway?, Arctic Yearbook, 2014

11 «Geography of the global submarine fiber-optic cable network: the case for Arctic ocean solutions», *Geographical Review*, juin 2020

12 «Arctic subsea communication cables and the regional development of northern peripheries», *Arctic and North* n° 32, septembre 2018

13 «Quintillion activates Arctic subsea cable», Submarine Cable Networks, 13 décembre 2017

14 «Charges: Ex-Quintillion CEO duped investors in Arctic broadband project», Alaska Public Media, 12 avril 2018. 2018 年 4 月に逮捕されたエリザベス・ピアース氏は 2019 年に禁固 5 年の有罪判決を受けた。損害を被った投資家のなかには、Natixis やアルカテル・サブマリン・ネットワークなどのフランス企業もいた。

15 «Melting Arctic means new, and faster, subsea cables for high-speed traders», Bloomberg, 12 septembre 2019

16 日本の双日株式会社、ノルウェーの Bredbåndsfylket Arctic Link AS など

17 北海道大学の北極域研究センターのユハ・サウナワーラ（Juha Saunavaara）教授への 2020 年のインタヴューより

18 ユハ・サウナワーラ（Juha Saunavaara）教授への 2020 年のインタヴューより

19 «Major step towards a Europe-Asia Arctic cable link», The Barents Observer, 6 juin 2019

20 «Data cables are the new trading routes», The Barents observer, 15 juin 2017

21 Pioneer Consulting 社の戦略コンサルタント、キース・スコフィールド（Keith Schofield）氏への 2020 年のインタヴューより

22 «Arctic Telecom cable initiative takes major step forward», Cinia, 6 juin 2019

23 «Vision and actions on jointly building Silk Road Economic Belt and 21st-Century Maritime Silk Road», National Development and Reform Commission (NDRC), Ministry of Foreign Affairs, and Ministry of Commerce of the People's Republic of China, 28 mars 2015

24 英語では「Belt and Road Initiative（BRI）」と言う。

25 «Full text of President Xi's speech at opening of belt and road forum», Xinhuanet, 14 mai 2017

26 PEACE の支線はアフリカ大陸の東海岸やセーシェル諸島にも伸びる。peacecable.net を参照。

27 «China's "One Belt, One Road" takes to space», *The Wall Street Journal,* China Real

52 «Hibernia Networks completes acquisition transaction by GTT», Business Wire, 9 janvier 2017. 2017年、ヒベルニア・アトランティックはGTT Communications社にケーブルを5億9000万ドルで売却した。1ミリ秒が1000万ドルの計算になる。
53 光増幅中継器とは、魚雷に似た形状の電子機器で、ケーブルのデジタル信号を80kmおきに中継する。
54 OpticalCloudInfraの創業者でPioneer Consultingのコンサルタント、ベルトラン・クレスカ氏への2020年のインタヴューより
55 «L'Ifremer mesure l'impact des câbles sous-marins», *Mer et Marine*, 25 juin 2019
56 «Submarine cables and the oceans: Connecting the world», *op. cit*
57 Ibid.
58 マーテック・マリン社のアルウィン・デュ・プレシス社長への2020年のインタヴューより
59 同社によって回収されたケーブルのリストは以下のウェブサイトで閲覧できる。mertechmarine.co.za/wp-content/uploads/2019/11/Mertech_Projects-and-cables_Proof-v2.pdf
60 マーテック・マリン社が最初に回収したケーブルはTAT-1ケーブルの350kmのものだった。銅をリサイクルして売るため、2008年8月に船をチャーターした。船が港に帰る間にリーマン・ブラザーズの倒産とそれに続く金融危機があり、銅の価格が暴落した。よって同社の経済モデルは弱体化した。
61 ベルトラン・クレスカ氏への2020年のインタヴューより
62 ロラン・カンパーニュ氏への2020年のインタヴューより
63 «YouTube and Netflix are cutting streaming quality in Europe due to coronavirus lockdowns», CNBC, 20 mars 2020
64 ロラン・カンパーニュ氏への2020年のインタヴューより
65 «Is the internet on the brink of collapse? The web could reach its limit in just eight years and use all of Britain's power supply by 2035, warn scientists», *The Daily Mail*, 2 mai 2015
66 シャノン限界（Shannon's limit）とは、1948年にアメリカの工学者クロード・シャノンが証明したもの。より詳細な情報は、以下を参照。«Shannon's limit, or opportunity?», Ciena, 25 septembre 2017
67 ニューヨーク大学のメディア・文化・コミュニケーション部のNicole Starosielski准教授の以下の研究を参照。Strangling the Internet», *Limn*, n° 10, «Chokepoints», avril 2018
68 FLAG (Fiber-optic Link Around the Globe)、SEA-ME-WE 1、SEA-ME-WE 2、SEA-ME-WE 3、AFRICA-1のケーブル。以下を参照。«Undersea cables : Indispensable, insecure», *op. cit*
69 James Cowie, «Syrian web outage no surprise», Renesys Blog, 9 mai 2013
70 «Strangling the Internet», *op. cit*
71 Ibid.
72 量子のメカニズムによると、粒子は同時に2つの場所に存在することができる。
73 バーミンガム大学（英国）の応用科学・工学教授のアンドリュー・エリス氏への2020年のインタヴューより
74 «IARC classifies radiofrequency electromagnetic fields as possible carcinogenic to humans», Press release n° 208, WHO/International Agency for Research on Cancer (IARC), 31 mai 2011

第10章

1 このケーブルの名称は、光の分子の伝播についての研究で有名なインド物理学者チャンドラシェーカール・ヴェンカタ・ラマン（1888-1970）にちなんだもの。
2 «Israel to play key role in giant Google fiber optic cable project», *Haaretz*, 14 avril 2020
3 Sunil Tagare, «Facebook's apartheid of Israel in 2Africa», 21 mai 2020（同氏のLinkedInにある）

獲る漁船

28 «Sécurité, pêche··· Une enquête publique lancée sur le plus grand câble sous-marin du monde qui passe par la Côte d'Opale», France info, 18 novembre 2019

29 オー・ド・フランス地域圏［仏北部。地域圏は行政区分］海洋漁業養殖委員会（CRPMEM）の事務長アントニー・ヴィエラ氏への 2020 年のインタヴューより

30 «Submarine cables and the oceans: Connecting the world», *op. cit*

31 Ibid.

32 «Vandals blamed for phone and Internet outage», CNET, 10 avril 2009

33 «Vietnam's submarine cable "lost" and "found"», LIRNEasia, 2 juin 2007. この事件だけではない。この記事のなかで、ベトナムの沿岸警備隊は漁船が引き上げた何百トンものケーブルをそれまでに押収したと説明している。

34 «Internet, un monde bien réel», *op. cit*

35 «Câbles transcontinentaux : des milliards de gigaoctets sous les mers», *Le Monde*, 24 juin 2018

36 17ヵ所のうち、14ヵ所はニュージーランド、3ヵ所がオーストラリアの海域

37 «Undersea cables : Indispensable, insecure», Policy Exchange, 1er décembre 2017

38 Kim Nguyen, *The Hummingbird Project,* 111 min, Belga Production / Item 7, 2018

39 ヒベルニア・アトランティック社がケーブルを敷くよりずっと前に、スピードが証券取引の成果を左右することはケーブルの歴史に刻まれている。「1836 年、電信不正事件で電信の使用についての議論が始まった。この事件は、ボルドーの 2 人の銀行家が電信局の職員を買収して公用文書を送る際に印をつけたというものだ。このやり方で、彼らは国債の相場の動きを新聞——郵便馬車で配達されていた——が来る前に知ることができた」と、パトリス・フリシ氏は既述　の「Une histoire de la communication moderne」に書いている。また、同氏は「その 2 人のボルドーの銀行家は、証券取引の相場建てにおける情報の価値を発見した最初の人ではない。すでに王政復古の時代に、ロチルド（ロスチャイルド）家は、主な政治情勢やほかの商品取引市場の相場を他の人より早く知るために個人的な郵便制度を確立した。こうして、1820 年 2 月のベリー公暗殺をいち早く知ったのはフランクフルトのロチルド家だった。同家はさまざまな準備を整え、書簡や命令を出した後に事件を公表した」

40 Digicel Group の海洋技術部長、アラスデア・ウィルキー氏への 2020 年のインタヴューより

41 水深が 1000 メートル未満の海域

42 «Route clearance for Hibernia Express», atlantic-cable.com, 28 janvier 2018

43 アラスデア・ウィルキー氏への 2020 年のインタヴューより

44 ノバスコシア州、ニューブランズウィック州、プリンスエドワードアイランド州の3州

45「そのうちの1人は海の男で、彼のおかげで伝統的漁法の海域を確実に通らないようにすることができた」と、ウィルキー氏は言った。

46「そのうち1区間は、ブレストとサン・ピエール・エ・ミクロンの間にフランス人が［1869 年に］敷設した最初の大西洋横断ケーブルだ」と、ウィルキー氏は説明する。

47 それらはエンカナ社（カナダ）とエクソンモービルのもの

48 ファストネット・ロックはアイルランド島南から数キロメートルのところにある小さな島。

49 AQEST 社のシニアコンサルタント、ロラン・カンパーニュ氏への 2020 年のインタヴューより

50 «Hibernia Express transatlantic cable route connects New York to London in under 58.95 milliseconds», communiqué de presse du Submarine Telecoms Forum, 24 septembre 2015

51 «Starlink, new competitor in HFT space?», Shortwaves Solutions, 16 septembre 2020

Une histoire de la communication moderne, La Découverte, 1991

10 Ciena 社の販売部長ジャン＝ダヴィッド・ファーブル氏への 2020 年のインタヴューより。光を制御することによって得られる速さの概念についての考察については以下を参照。Paul Virilio, *Cybermonde, la politique du pire*, Textuel, 2010

11 «How Google is cramming more data into its new atlantic cable», *Wired*, 5 avril 2004

12 Patrice Flichy, *op. cit.* Flichy 氏は、光ファイバーの細さと伝送される光パルスから連想してそう呼んでいる。

13 «Tonga almost entirely offline after fault develops in undersea fibre-optic cable», *New Zealand Herald,* 24 janvier 2019

14 軍事・諜報目的の非公式のケーブルは除く。2015 年、アメリカの地理学者・アーティストのトレヴァー・パグレン（Trevor Paglen）はアメリカ国家安全保障局（NSA）の利用する光ケーブルを世界中で写真に収めるという驚くべき仕事を実現した。その写真は以下の記事で見られる。«Photos of the submarine internet cables the NSA probably tapped», *Wired,* 20 septembre 2016 et «Trevor Paglen Plumbs the Internet», *The New Yorker,* 22 septembre 2015

15 グーグルは現在、ニューヨークと英国とスペインをつなぐ新たなケーブル（1906 年生まれ 1992 年没のアメリカの情報工学者の名前にちなんで「グレース・ホッパー」と名づけられた）を敷設中だ（«Google is laying a giant new undersea internet cable stretching from New York to the UK and Spain», *Business Insider India*, 28 juillet 2020）。フェイスブックはアフリカ大陸をぐるりと囲むケーブル（2Africa）を敷設中（«Cabling Africa : the great data race to serve the "last billion"», *Financial Times,* 31 janvier 2021）。テレコム・エジプトは南アフリカと南大西洋のセント・ヘレナ島を結びつつあるケーブル「Equiano」の所有者である（ «Telecom Egypt signs agreement with St Helena Government to provide it with its first subsea solution», *Capacity Media*, 2 novembre 2020）。ベトテル社はヴェトナム、中国、日本、タイをケーブル「Asia Direct Cable」でつなぐ（«Asia Direct Cable Consortium to build new Asia Pacific submarine cable», nec.com, 11 juin 2020）

16 このケーブルは 2021 年 2 月に利用が開始された。以下を参照。«The Dunant subsea cable, connecting the US and mainland Europe, is ready for service», Google Cloud, 3 février 2021

17 会議は «Submarine Networks Europe, Middle East and Africa (EMEA)» 2020 : terrapinn.com/conference/submarine-networks-world-europe

18 電気通信分野のイギリス人独立コンサルタント、リンゼイ・トーマス氏への 2020 年のインタヴューより

19 パイオニア・コンサルティング（アメリカ）の戦略コンサルタント、キース・スコフィールド氏への 2020 年のインタヴューより

20 «Internet : la lutte pour la suprématie se joue sous les océans», *Les Échos*, 6 avril 2019

21 David Fayon, *Géopolitique d'Internet. Qui gouverne Le Monde* ?, Economica, 2013

22 «Submarine cables and the oceans: Connecting the world», International Cable Protection Committee, United Nations Environment Programme, World Conservation Monitoring Centre (UNEP-WCMC), décembre 2009

23 «Un océan de câbles : menaces sous les mers, panique dans le cyberespace», RFI, 28 mars 2019

24 «Internet, un monde bien réel», *La Croix,* 24 avril 2018

25 «A broken submarine cable knocked a country off the internet for two days», The Verge, 8 avril 2018

26 «Submarine cables and the oceans: Connecting the world», *op. cit*

27 底引き網漁船とは、海底に網を打って魚を

Life Institute, Boston, 22 octobre 2019
54 «A physicist on why AI safety is "the most important conversation of our time"», The Verge, 29 août 2017
55 «The Doomsday invention: Will artificial intelligence bring us utopia or destruction?», *The New Yorker,* 23 novembre 2015
56«Fourth industrial revolution for the earth. Harnessing artificial intelligence for the earth», World Economic Forum – Stanford Woods Institute for the Environment, Pricewaterhouse Coopers (PwC), janvier 2018
57 カリフォルニア大学バークレー校の情報科学教授ステュアート・ラッセル氏への 2020 年のインタヴューより
58 オックスフォード大学の物理学者トリストラム・ウォルシュ、哲学者アリス・エヴァット、工学者クリスティアン・シュレーダー各氏へのインタビューより。3 氏は、2020 年 2 月にオックスフォード大学のインキューベーション組織であるオックスフォード・ファウンドリーで開催された以下のシンポジウムの主唱者でもある。«AI impact weekend 2020: AI + Climate Change: Building AI solutions to help solve the world's climate crisis»
59 レックス・クアーズ氏への 2020 年のインタヴューより
60 «Fourth industrial revolution for the earth. Harnessing artificial intelligence for the earth», PwC, janvier 2018
61 2019 年の見本市「データセンター・ワールド」での Webaxys 社［グリーンなデータセンターを目指すクラウドサービス業者］の創業社長エマニュエル・アシエ氏の発言より
62 オックスフォード大学スミス企業環境校のアソシエート研究員トリストラム・ウォルシュ氏への 2020 年のインタヴューより
63 ブリタニカ百科事典の「ディープ・エコロジー」の項目より
64 Nick Bostrom, «Existential risks. Analyzing human extinction scenarios and related hazards», *Journal of Evolution and Technology*, vol. 9, n° 1, 2002
65 Stuart Russell, *Human Compatible: Artificial Intelligence and the Problem of Control*, Penguin Books, 2020
66 ステュアート・ラッセル氏への 2020 年のインタヴューより
67 «How the enlightenment ends», *The Atlantic,* juin 2018

第9章

1 1993 年 12 月 21 日にワシントン DC のナショナル・プレス・クラブでアル・ゴア米副大統領が述べた言葉
2 この海底ケーブルは赤十字の創始者で第 1 回目のノーベル平和賞受賞者、アンリ・デュナンにちなんで命名された。
3 最初の国際ケーブルはチリのバルパライソとロサンゼルスを 2019 年に結んだ「キュリー」
4 オランジュ社は光ケーブル「デュナン」のうち光ファイバー 2 組を所有している。同社広報部に何度も連絡したが、ケーブル敷設日についての情報は提供してもらえなかった。何人かの専門家の助けを得て、リアルタイムで更新される（ウェブサイト myshiptracking.com）船の位置情報システムのおかげで私たちはデュナンのケーブルを敷設すると思われるケーブル敷設船の移動を追跡した。最終的には、国内のデュナン「着陸」（設置）に参加するルイ・ドレフュス・トラヴオセアン社から情報をもらった。
5 電気通信のケーブル業界の元エンジニアで、英国の独立コンサルタント、デイヴィッド・ウォルターズ氏への 2020 年のインタヴューより
6 OpticalCloudInfra 社（フランス）の創業者で Pioneer Consulting 社のコンサルタント、ベルトラン・クレスカ氏への 2020 年のインタヴューより
7 銅、スチールまたはアルミニウム
8 ファイバーのなかでは、光は大気中に比べて 66%の速さで進む
9 引用部分は以下の書物より。Patrice Flichy,

タヴューより
28 ペンシルヴェニア大学の情報科学・情報工学部の教授マイケル・カーンズ氏への2020年のインタヴューより
29 «The passives problem and Paris goals : How index investing trends threaten climate action», rapport du Sunrise Project, 2020。この傾向はアメリカに独特のものではない。パッシブ運用はアジア市場の投資の半分、ヨーロッパ市場の3分の1を占める。以下も参照。«Environment program request for proposal : Aligning passive investment with Paris climate goals», William and Flora Hewlett Foundation, 28 janvier 2020
30 このリストはサイトfossilfreefunds.org/carbon-underground-200上で申し込めば閲覧できる。2021年度版ではエンカナは30位(2014年は35位だった)
31 «Encana needed to tap into passive investing, CEO Suttles says», Bloomberg Markets and Finance, 31 octobre 2019
32 «Encana receives securityholder approval for reorganization», Encana Corporation, 14 janvier 2020
33 エンカナは私たちのインタヴュー願いに応じなかった。
34 «Who owns the world of fossil fuels. A forensic look at the operators and shareholders of the listed fossil fuel reserves», Finance Map, 2018 et 2019
35 «The passives problem and Paris goals: How index investing trends threaten climate action», *op. cit*
36 Ibid.
37 サンライズ・プロジェクト[2012年にオーストラリアで設立した、化石燃料からグリーンエネルギーへの移行を促す環境保護活動ネットワーク]の戦略部門責任者ダイアナ・ベスト氏への2020年のインタヴューより
38 MSCI、Stoxx、Solactiveのように、この種の投資を提案する金融サービス会社もある。以下を参照。«Une piste pour investir durable en Bourse à moindres frais», *Le Monde*, 2 novembre 2020
39 ダイアナ・ベスト氏への2020年のインタヴューより
40 «The passives problem and Paris goals: How index investing trends threaten climate action», *op. cit*
41 ヴィタル(Vital)は«Validating investment tool for advancing life sciences»の頭文字をとったもの。DKVのスローガンは、「知識は力だ、深い知識は卓越した力だ」(*"Knowledge" is power / "Deep knowledge" is transcendent power*)dkv.global/about
42 «Artificial intelligence gets a seat in the boardroom», *Nikkei Asia*, 10 mai 2017
43 «A.I. has arrived in investing. Humans are still dominating», *The New York Times*, 12 janvier 2018
44 フアン・パブロ・パルド=ゲラ氏への2020年のインタヴューより
45 Two Sigma Investments LLC, 31 mars 2011
46 «Green Horizon. Driving sustainable development», IBM(日付なし)
47 «IBM expands Green Horizons initiative globally to address pressing environmental and pollution challenges», IBM, 9 décembre 2015
48 «How artificial intelligence can fight air pollution in China», *MIT Technology Review*, 31 août 2015
49 Ibid.
50 データセンター「Interxion」のテクノロジー・エンジニアリング部長、レックス・クアーズ氏への2020年のインタヴューより
51 英語ではDeep learning
52 Michio Kaku, *The Future of the Mind: The Scientific Quest to Understand, Enhance, and Empower the Mind*, Doubleday, 2014(邦訳は『フューチャー・オブ・マインド 心の未来を科学する』(ミチオ・カク著、斉藤隆央訳、NHK出版、2015年)
53 David Rolnick *et al.*, «Tackling climate change with machine learning», Future of

書の分析の領域においては、ロボットだけでなく、機械、インターフェース、コネクテッドされたモノも含まれる。
3 Bruno Patino, *La Civilisation du poisson rouge. Petit traité sur le marché de l'attention*, Grasset, 2019
4 «The flourishing business of fake YouTube views», *The New York Times*, 11 août 2018
5 «Cisco Annual Internet Report (2018-2023) White Paper»（2020 年 3 月 9 日更新）
6 2019 年 11 月「Third」誌第 3 号に掲載された記事 «Vivre avec les objets connectés» de la revue *Third* n° 3, (novembre 2019) を参照のこと。これは、パリ第 3 大学ソルボンヌ・ヌーヴェルの映画視聴覚研究所（IRCAV）の研究者、コミュニケーション学准教授のロランス・アラール氏のインタヴュー記事である。同氏は「Mobile et creation」グループならびに「Labo citoyen」の共同設立者でもある。
7 Energy Internet Corporation の工学部副部長リアム・ニューカム氏への 2020 年のインタヴューより
8 «Send scam emails to this chatbot and it'll waste their time for you», The Verge, 10 novembre 2017
9 以下の講演のランカスター大学（英国）教授のマイク・ハザス氏の発言を参照。«Drowning in data – digital pollution, green IT, and sustainable access», EuroDIG, Tallinn (Estonie), le 7 juin 2017
10 «Training a single AI model can emit as much carbon as five cars in their lifetimes», *MIT Technology Review*, 6 juin 2019
11 自動化は、1987 年にすべて電子化されたパリ証券取引所など世界の多くの取引所ではすでに始まっていた。
12 Friedrich Moser et Daniel Wunderer, *Les Robots traders, la finance à haute fréquence, 90 minutes, Blue+Green communication,* Arte France, RBB, 2020
13 Makor Capital Markets 社のマクロ経済戦略家、ステファン・バルビエ・ド・ラ・セール氏への 2020 年のインタヴューより。注目したいのは、投資戦略をアルゴリズムで精密化している同社のスローガンの一つが「We don't speculate, we calculate（われわれは投機をするのではない、計算するのだ）」であることだ。
14 サンディエゴ大学（カリフォルニア州）の准教授フアン・パブロ・パルド=ゲラ氏への 2020 年のインタヴューより
15 ステファン・バルビエ・ド・ラ・セール氏への 2020 年のインタヴューより
16 HSBC 銀行のために働いていた定量分析のアナリスト、ジェレミー・デジール氏への 2020 年のインタヴューより
17 Ibid.
18 «Intelligence Artificielle (IA) et gestion d'actifs : améliorer la stratégie d'investissement et la connaissance des investisseurs», *Revue Banque*, 25 janvier 2019
19 «Quants have a fundamental issue with indiscretion», Bloomberg, 6 avril 2020
20 ブラックロックのウェブサイトを参照。blackrock.com/fr/particuliers/aladdin
21 アラディン（Aladdin）は、«asset, liability, debt and derivative investment network» の頭文字をとったもの。
22 アラディンの機能はとりわけ以下の記事に説明されている。«BlackRock's Edge: Why technology is creating the Amazon of Wall Street», *Forbes*, 19 décembre 2017
23 フアン・パブロ・パルド=ゲラ氏への 2020 年のインタヴューより
24 Michael Lewis, *Flash Boys.* A Wall Street Revolt, W. W. Norton & Company, 2014
25 Juan Pablo Pardo-Guerra, *Automating Finance: Infrastructures, Engineers, and the Making of Electronic Markets,* Cambridge University Press, 2019. 以下も合わせて参照。«Book Review: *Automating Finance*», CFA Institute, 13 mars 2020
26 «BlackRock's black box: the technology hub of modern finance», *Financial Times*, 24 février 2020
27 ジェレミー・デジール氏への 2020 年のイン

70 Patrick Suskind, Das Parfum. Die Geschichte eines Mörders, Diogenes, 1994
71 Designers éthiques［持続的で責任あるデザインコンセプト研究の協会］の共同経営者、カール・ピノー氏への 2020 年のインタヴューより
72 «Why Apple's notification bubbles are so stressful», OneZero, 27 février 2019
73 Martin G. Helander, Thomas K. Landauer, Prasad V. Prabhu, *Handbook of Human-Computer Interaction*, Elsevier Science, 1997
74 «The button color A/B test: Red beats green», Hubspot, 2 août 2011
75 Introducing your new navigation, Facebook, 5 février 2010
76 «Dopamine, smartphones & you: A battle for your time», *Science in the News*, Harvard Graduate School of the Arts and Sciences, 1er mai 2018
77 スウェーデンの会社 TCO（Total Cost of Ownership）の会長、セーレン・エンホルム（Sören Enholm）氏への 2020 年のインタヴューより
78 Mireille Campana *et al.,* «Réduire la consommation énergétique du numérique», ministère de l'Économie et des Finances, France, rapport pour le Conseil général de l'économie, décembre 2019
79 «L'inquiétante trajectoire de la consommation énergétique du numérique», The Conversation, 2 mars 2020
80 2020 年 11 月 20 日にミュンヘンのアンスティテュ・フランセで開催されたオンライン講演会 «Croissance numérique et protection de la planète, un oxymore ?» における Digital For the Planet の会長イネス・レオナルデュッジ氏の発言から。
81 Center for Humane Technology のウェブサイトから Take Control の項目を参照。humanetech.com/take-control
82 «Troubles de l'attention, du sommeil, du langage… "La multiplication des écrans engendre une décérébration à grande échelle"», *Le Monde*, 21 octobre 2019
83 designersethiques.org
84 デザイナーズ・エチックがオンライン掲載している「*Le Guide d'écoconception de services numériques*」を参照。eco-conception.designersethiques.org/guide/
85 gogray.today
86 «Is the answer to phone addiction a worse phone ?», *The New York Times*, 12 janvier 2018
87 ユーザーは「設定」→「一般」→「アクセシビリティ」、そして「カラーフィルタ」に進む。そしてホームボタンを 3 回連続でクリックすると「グレースケール」へ切り替わる。この機能はアンドロイドの現在のヴァージョンの端末管理機能「Digital Wellbeing」でもできる。
88 カール・ピノー氏への 2020 年のインタヴューより
89 以下の講演のランカスター大学（英国）教授のマイク・ハザス氏の発言を参照。«Drowning in data – digital pollution, green IT, and sustainable access», EuroDIG, Tallinn (Estonie), 7 juin 2017
90 ジャン＝ピエール・ラスキン氏への 2020 年のインタヴューより

第8章

1 以下の講演のランカスター大学（英国）教授マイク・ハザス氏の発言を参照。«Drowning in data – digital pollution, green IT, and sustainable access», EuroDIG, Tallinn (Estonie), 7 juin 2017
2 ここで言う「ロボット」とは、「自立決定を構成する初歩的な動作の一部について自立した決定を下して作業を行うことができる機械装置」である。この定義は、フランスの経済変容先取り・未来予測省際グループ（PIPAME）と競争力・産業・サービス総局（GDCIS）が 2012 年 4 月 12 日の報告書 «Le développement industriel futur de la robotique personnelle et de service en France» (12 avril 2012) で提案したもの。本

Politico, 20 octobre 2016
51 これらの計算機によって、自動車を構成するもの（モーター、変速機、ブレーーキシステム）の動きを命令することができる。以下を参照。«Number of automotive ECUs continues to rise», eeNews Europe Automotive, 15 mai 2019
52 «The race for cybersecurity: Protecting the connected car in the era of new regulation», McKinsey & Company, 10 octobre 2019
53 Ibid.
54 仏持続可能開発・国際関係研究所（IDDRI）の「転換する生活様式」についてのシニア研究者マチュー・ソジョ氏への2020年のインタヴューより（パリ）。ステランティス（PSA、フィアット=クライスラー合併後の新社名）会長カルロス・タヴァレス氏ですら、自動運転車の研究を取りやめた。「このテクノロジーの追加コストから考えると、車の価格は非常に高くなり、それを買える人はいずれにしても運転席ではなく後部座席にいるような人だろう」と述べた。以下を参照。«Premiers coups de frein sur la voiture autonome», *Les Échos*, 26 mars 2019
55 ライダーとは（light detection and ranging：光による検知と測距）、レーザーにより、自動運転車の周囲360°を3次元でスキャンする。1台のライダーは最大64のレーザーを駆使し、毎秒、100万の測定ポイントを収集する。以下を参照。«Voiture autonome : un déluge de données à interpréter», Data Analytics Post, 17 mai 2018
56 «La donnée : nouvel or noir de la voiture de demain», *La Tribune,* 22 mars 2018. 以下も参照。Laurent Castaignède, *Airvore ou la face obscure des transports,* Écosociété, 2018
57 マチュー・ソジョ氏への2020年のインタヴューより
58 «Do driverless cars really need edge computing ?», *Data Center Knowledge*, 12 juillet 2019
59 Nikolas Thomopoulos et Moshe Givoni, «The autonomous car–a blessing or a curse for the future of low carbon mobility? An exploration of likely vs. desirable outcomes», *European Journal of Futures Research*, vol. 3, n° 1, décembre 2015. この両氏によると、自動運転車は公共交通機関やモーターなしの移動手段を抑えてプライベート使用のための車の復活を促すリスクがある。
60 «Not all of our self-driving cars will be electrically powered – here's why», The Verge, 12 décembre 2017
61 «Another big challenge for autonomous car engineers: Energy efficiency», *Automotive News,* 11 octobre 2017
62 Mathieu Saujot, Laura Brimont, Oliver Sartor, «Mettons la mobilité autonome sur la voie du développement durable», IDDRI, juin 2018. この著者たちは、現在ヨーロッパの自動車は1km当たり122.4グラムの二酸化炭素排出だが、自動運転車では26グラム追加されるという。
63「Airvore ou la face obscure des transports」(*op. cit*) の著者ロラン・カステニェード氏へのインタヴューより
64 マチュー・ソジョ氏への2020年のインタヴューより
65 Nir Eyal, *Hooked: How to Build HabitForming Products*, Portfolio Penguin, 2014（邦訳は『Hooked ハマるしかけ 使われつづけるサービスを生み出す［心理学］×［デザイン］の新ルール』翔泳社 2014年）
66 ブルーは黒に次ぐ濃い色であるため、画面上のコンテンツを読みやすさを助ける
67 2009年12月8日にポール・レイ氏が行った講演を参照。«Designing Bing: Heart and Science» : channel9.msdn.com/events/MIX/MIX10/ CL06
68 Ibid.
69 «Why Google has 200m reasons to put engineers over designers», *The Guardian,* 5 février 2014. グーグルとBingは私たちの取材に応じなかった。

Nation, and the Probable Exhaustion of Our Coal-Mines, Nabu Press, 2010 (1re éd. Macmillan and Co, 1865)　彼は「使う燃料が少なくなれば消費低減になると考えるのはまったく非合理的だ。その正反対のことが真実である」と書いている。

30 «Fuel Consumption of Cars and Vans», International Energy Agency (IEA), juin 2020

31 International Organization of Motor Vehicle Manufacturers : oica.net/category/sales-statistics/ のサイトで販売統計を見よ

32 また、「車の燃料消費を減少させることは、ガソリンの使用を少なくしたのではなく、ドライバーの走行距離を増やしただけだ」と、ある専門家は言う。以下を参照。«Numérique : le grand gâchis énergétique», *CNRS le journal*, 16 mai 2018

33 «CO2 emissions from commercial aviation: 2013, 2018, and 2019», International Council on Clean Transportation (ICCT), 8 octobre 2020

34 European Parliament's, «CO2 emissions from aviation», European Parliament's starting position, Briefing EU Legislation in Progress, 23 janvier 2018

35 英語の Light-emitting diode の頭文字をとって LED という

36 Christopher C. M. Kyba *et al.*, «Artificially lit surface of Earth at night increasing in radiance and extent», *Science Advances*, 22 novembre 2017

37 «It's not your imagination: Phone battery life is getting worse», *The Washinton Post*, 1er novembre 2018

38 «5G consumer potential – Busting the myths around the value of 5G for consumers», An Ericsson Consumer & IndustryLab Insight Report, mai 2019

39 «Pourquoi la 5G est une mauvaise nouvelle pour l'environnement», 01net, 26 janvier 2020

40 5G の利点を称えるオランジュ社の広告を参照。youtu.be/ZPt4pwy7Vn0

41 ジャン=ピエール・ラスキン氏への 2020 年のインタヴューより

42 Green IT 創設者のフレデリック・ボルダージュ氏への 2020 年のインタヴューより

43 オランジュ社の労組 CFE-CGC 委員長、セバスティアン・クロジエ氏への 2020 年のインタヴューより

44 Ibid.

45 仏国立科学研究所（CNRS）の情報工学研究のエンジニア、フランソワ・ベルトゥ氏への 2020 年のインタヴューより

46 Christopher L. Magee *et al.*, «A simple extension of dematerialization theory: Incorporation oftechnical progress and the rebound effect», *Technological Forecasting and Social Change*, vol. 117, avril 2017。世界の 99 の経済の非物質化とされるものについての研究でも同じ結論が出た。「結論としては、どの国も、経済活動の非物質化を表していない」下記を参照。Federico M. Pulselli *et al.*, «The world economy in a cube: A more rational structural representation of sustainability», *Global Environmental Change*, vol. 35, novembre 2015

47 以下の文献の Isabelle Autissier による前文を参照。*Sobriété numérique. Les clés pour agir*, de Frédéric Bordage, Buchet-Chastel, 2019

48 ライアン・カジは 2020 年で 120 億回の再生回数、収入は 2950 万ドル。

49 «Driving transformation in the automotive and road transport ecosystem with 5G», *Ericsson Technology Review* n ° 13, 13 septembre 2019

50 Zia Wadud et al., «Help or hindrance? The travel, energy and carbon impacts of highly automated vehicles», *Transportation Research Part A: Policy and Practice*, vol. 86, avril 2016. 交通事故数が継続的に減少すると、衝突のリスクが減るため、より軽量の自動車——汚染も少ない——を製造するようになるという人もいる。以下を参照。«Connected cars could be big energy savers, or not»,

8 «Nataliya Kosmyna, à la recherche d'une intelligence artificielle éthique», *Le Monde*, 29 septembre 2020。科学者ジョエル・ド・ロネ氏のように「共生ウェブ」を論じる人もいる。同氏の以下の著作を参照。«Vers la fusion homme-machine. Un Web en symbiose avec notre cerveau et notre corps», *in Sociétés*, n° 129, 2015/3
9 «Cisco Edge-to-Enterprise IoT Analytics for Electric Utilities Solution Overview», Cisco, 1er février 2018
10 «What is 5G? Your questions answered», CNN, 6 mars 2020
11 モナコ・テレコムのマルタン・ペロネ社長への 2020 年のインタヴューより
12 «South Korea reaches almost 13 million 5G subscribers in January», RCR Wireless News, 1er mars 2021
13 ジャーナリスト、チョー・ムヒョン氏への 2020 年のインタヴューより
14 «La 5G : avancée technologique, recul écologique ?» という 2020 年 3 月 9 日の講演（パリ）における「環境のために行動する（Agir pour l'Environnement）」団体の会長代理ステファン・ケルコヴ氏の発言より。
15 «5G, une feuille de route ambitieuse pour la France», rapport de l'Autorité de régulation des communications électroniques, des postes et de la distribution de la presse (ARCEP), 16 juillet 2018
16 ルーヴァン・カトリック大学ポリテクニック校（ベルギー）、同大学の Institute for Information and Communication Technologies, Electronics and Applied Mathematics（ICTEAM）の教授、ジャン=ピエール・ラスキン氏への 2020 年のインタヴューより
17 «China's telecoms carriers push to complete "political task" of 5G network roll-out amid coronavirus crisis», *South China Morning Post*, 5 mars 2020
18 «Merkel fordert mehr Tempo beim digitalen Wandel», *Süddeutsche Zeitung*, 1er décembre 2020
19 «Le retard numérique allemand affole Angela Merkel», *L'Obs*, 31 janvier 2017
20 アムステルダムの Green IT［環境に責任を持つ IT 関係者のグループ］のコンサルタント、ジョン・ブース氏への 2020 年のインタヴューより
21 «Gallium: China tightens grip on wonder metal as Huawei works on promising applications beyond 5G», *South China Morning Post*, 20 juillet 2019
22 この情報はロンドンのホールガーテン&カンパニー（Hallgarten & Company）（米投資銀行）の鉱業部門戦略家、クリストファー・エクルストン氏が 2020 年のインタヴューの際に述べたこと。
23 フランスの市民団体 Robin des Toits の会長、ピエール=マリー・テヴニオー氏への 2020 年のインタヴューより
24 «The road to 5G is paved with fiber», *Inside Towers*, 12 octobre 2018
25 «5G's rollout speeds along faster than expected, even with the coronavirus pandemic raging», CNET, 30 novembre 2020
26 «Canalys: 278 million 5G smartphones to be sold in 2020», GSM Arena, 10 septembre 2020
27 2020 年 3 月 9 日にパリのラ・ルシクルリーで行われた「5G はテクノロジーの進展だが、環境保護では後退か?」という講演におけるヨーロッパ・エコロジー=緑の党の欧州議員ミシェール・リヴァジ氏の発言より。
28 こうした不安は、リスクに敵対的な現代社会に特徴的な「ノセボ効果」と医師が呼ぶところのものに含まれる。ノセボ効果とは、プラセボ効果とは逆に、効果的な薬だと提示されているのに、不活性な物質の摂取に影響されていると確信すること［偽薬によって、望まない副作用（有害作用）が現われること］
29 William Stanley Jevons, *The Coal Question: An Inquiry Concerning the Progress of the*

58 Cap Ingelec 社の仏国内子会社 CAP DC 社長アーメッド・アーラム氏への 2020 年のインタヴューより

59「最終ユーザーとデータセンターを接近させることから生じる環境保護面の利点は、だれも正確には測定することはできない」と、2020 年のインタヴューの際、フィリップ・リュース氏は断言した。

60 クリスティアン・デジャン氏への 2019 年のインタヴューより

61 この数字は英国リーズ大学の招聘教授で、エンジニアコンサルタントのイアン・ビターリン氏が 2020 年のインタヴュー時に示したもの

62 オランダ・デジタルインフラストラクチャー協会（DINL）の会長 Michiel Steltman 氏への 2020 年のインタヴューより。将来は、おそらくデータ処理との集中化と非集中化（エッジ）が並行して進むことになるだろう。

63 digital.worldcleanupday.org

64 Let's Do It World 社長、アネリ・オーヴリル氏への 2020 年のインタヴューより

65 Ibid.

66 «Internet mobile : la 4G est-elle une abomination énergétique ?», greenIT.fr, 15 mars 2016

67 Renee Obringer *et al.*, «The overlooked environmental footprint of increasing Internet use», *Resources, Conservation and Recycling,* vol. 167, avril 2021

68 signal.org

69 olvid.io/en

70 protonmail.com

71 e.foundation。このほかに Graphenne OS(grapheneos.org)、Lineage OS (lineageos.org) などのブラウザもある。Fairphone の IT ソフトウェア長寿性部門のアニエス・クルペ部長のように、フェイスブックはデータを取得する方向を推進しすぎたために、ネットユーザーは同社の提供するサービスに少しずつ背を向け始めたと考える人もいる。

72 duckduckgo.com

73 これはフランスの通信業者 TeleCoop が提案している。同社は「エコロジー・連帯転換にコミットする初の協同組合通信業者」とされる。telecoop.fr を参照。

74 これはアメリカ人エンジニア、Vint Cerf 氏の意見であるようだ。彼は1943年生まれで、IT のパイオニアの一人だが、「インターネットへのアクセスは権利ではなく特権になるだろう」とする。

75 «En 2050, Internet sera-t-il toujours debout ?», CNET France, 1er octobre 2019

76 Sims Lifecycle Services 社の欧州・中東・アフリカ地域担当の経済発展部長であるオランダ人 Jelle Slenters 氏への 2020 年のインタヴューより

77 フィリップ・リュース氏への 2020 年のインタヴューより

第7章

1 原書は、Steve Case, *The Third Wave. An Entrepreneur's Vision of the Future,* Simon & Schuster, 2017

2「すべてのもののインターネット」の啓蒙的定義やその経済的可能性については、ユーチューブでアメリカの企業 Cisco の動画を参照。youtube.com/watch?v=ALL6MuFWs1A (août 2014)

3 原書は、Kevin Kelly, *The Inevitable: Understanding the 12 Technological Forces That Will Shape Our Future*, Viking, 2016（邦訳『〈インターネット〉の次に来るもの　未来を決める 12 の法則』（服部圭訳、NHK 出版、2016 年）

4 Ibid.

5 RFID とは Radio frequency identification のこと。センサーが無線通信によってモノを特定する技術を意味する。そうして、2 つのモノが通信し合い、情報を交換する。

6 Byung-Chul Han, Im Schwarm. Ansichten des Digitalen, MSB Matthes & Seitz Berlin, 2013

7 クラウドサービス会社 Hydro66 の営業部長、フレドリック・カリオニエミ氏への 2020 年のインタヴューより

いが、環境への影響が多くの研究で指摘されている。たとえば、2019 年に世界自然保護基金（WWF）が公表した«Hydropower pressure on European rivers: The story in numbers» には以下のように記されている。「ヨーロッパの水力発電所の数はすでに非常に多い。また、発電所が保護地区と重なっていることから、ヨーロッパの生物多様性に重大な影響を及ぼしていることが明らかだ」。ケベック州は、97%の電力が水力発電であることから、データセンターの建設地として選ばれる。ケベック州の電力を供給するハイドロ・ケベック社の市場開発部長クリスティアン・デジャン氏は「このことは有利だ。安くて、再生可能で、途切れない、使える電力がある!」という。しかし、データセンター研究所所長のフィリップ・リュース氏は、ケベックの電力は「グリーンではない。なぜなら谷を水没させ、何千ヘクタールもの生物空間を消滅させ、池を作り、ダムに水をためるために川筋を破壊し、現地民全員を移住させるからだ。電気の生産チェーン全体を評価して、その起源に問いを投げかける必要がある」と言う。スカンジナビア半島北部とロシアのコラ半島に住むヨーロッパ最後の遊牧民を代表するサーミ族の生活環境へのデータセンターの影響にも留意するべきだろう。「ダムのようなインフラはサーミ族と彼らのトナカイの遊牧ルートを切断する恐れがある」と、ノルウェーのサーミ議会の政治顧問ルーナール・ミルネス・バルト氏は 2020 年のノルウェー・トロムソ市でのインタヴューの際に言った。ノルウェーのサーミ族へのダムの影響をより詳しく知るには以下の報告書を参照。«Colonial tutelage and industrial colonialism: Reindeer husbandry and early 20th-century hydroelectric development in Sweden», Åsa Össbo, Patrik Lantto, *Scandinavian Journal of History*, vol. 36, n° 3, juillet 2011

47 このフェイスブックのページは Vuollerim/Jokkmokk Lilla Lule Älv ska leva igen

48 Älvräddarna という市民団体のクリステル・ボルグ氏への 2020 年のインタヴューより

49 ノルウェー南部レンネソイ島には、グリーン・マウンテン社のデータセンターが北大西洋条約機構（NATO）の潜水艦基地の跡地であるフィヨルドの奥に建設された。データセンターの冷却装置は、サーバー室を冷やす管を通して汲み上げられる海水によってまかなわれる。「その管の網の目の大きさがうまく計算されておらず、貝類、魚、エビなどがすべて吸い込まれて管内を行き来するようになった。データセンターの熱によるバーベキューだよ……ただし、ゆっくりとした過熱だがね!」と、2015 年にそのデータセンターを訪れたデータセンター・マガジンの編集長イヴ・グランモンターニュ氏は愉快そうに語った。2020 年の同氏へのインタヴューより。

50 «Kolos to build world's largest data center in northern Norway», conférence de presse à Ballangen, Norvège, 18 août 2017

51 1980 年代にベンジャマン・ルグラン、ジャック・ロブ、ジャン=マルク・ロシェットが SF 漫画のなかで着想した、凍り付いた風景を突き抜ける列車に付けられた名前にヒントを得た。この作品は韓国人監督ポン・ジュノが 2013 年に映画化した。

52 別の言い方をすれば、デジタル通貨の製造である。以下を参照。«Kolos data center park in Norway is being acquired by cryptocurrency miners», Datacenter Dynamics, 28 mars 2018

53 «Le bitcoin engloutit 0,5 % de l'électricité mondiale », L'Usine nouvelle, 2 mai 2021

54 Fremover 紙の編集長、Christian Andersen 氏への 2020 年のインタヴューより

55 CBRE Data Centre Solutions 社のスカンジナヴィア営業部長のイザベル・ケムラン氏への 2020 年のインタヴューより

56 «Russian personal data localization requirements», Microsoft, 30 novembre 2020

57 2019 年の見本市「データセンター・ワールド」での Cap Ingelec 社社長、オリヴィエ・ラベ氏の発言

ニルソン氏が唱えたもの。2020 年の両氏へのインタヴューより
22 モロッコの情報サービス会社 Axeli の社長アブデラリ・ラービ氏への 2020 年のインタヴューより
23 «Facebook to build its own data centers», Data Center Knowledge, 21 janvier 2010
24 2020 年 1 月にオンライン情報サイト「SearchDataCenter.com」に掲載されたその記事は現在は閲覧できない。
25 業界団体「ルレオ・ビジネス・リージョン」の責任者だった（2011-2017 年）マッツ・エングマン氏への 2020 年のインタヴューより
26 以下の興味深い研究を参照。Asta Vonderau «Scaling the cloud: Making state and infrastructure in Sweden», *Ethnos, Journal of Anthro pology,* vol. 84, n° 4, 2019
27 マッツ・エングマン氏への 2020 年のインタヴューより
28 Arctic Business Incubator 社のニクラス・エステルベルィ氏への 2020 年のインタヴューより
29 データセンターは「ナチュラ 2000」［EU 規模の自然保護区のネットワーク］に登録された貴重な野鳥保護地区と隣り合っていたため、ルレオ市長は、建設を妨害しないよう鳥類学会と交渉しなければならなかった。«Han kan stoppa Facebooks bygge», *Computer Sweden*, 15 septembre 2011 を参照せよ。地元住民のレナルト・ヘドルンドさんは環境保護のために告訴した。このために建設はやや遅れたが、その告訴は受理されなかった。
30 «Luleå gives Facebook "thumbs up" in record bid», The Local, 17 mars 2013
31 専門家たちの意見は、より新しいデータのみがルレオに保存されているという点で一致している。「冷たいデータ」と呼ばれる、あまり閲覧されない古いデータはヨーロッパの利用者からずっと離れた別のデータセンターに保存されているらしい。
32 ニクラス・エステルベルィ氏への 2020 年のインタヴューより
33 カール・アンデション氏への 2020 年のインタヴューより
34 カール・アンデション氏への 2020 年のインタヴューより
35 ニクラス・エステルベルィ氏への 2020 年のインタヴューより
36 Asta Vonderau, «Scaling the cloud: Making state and infrastructure in Sweden», *op. cit*
37 Jeffrey A. Winters, *Power in Motion: Capital Mobility and the Indonesian State,* Cornell University Press, 1996
38 Hannah Appel, «Offshore work: Oil, modularity, and the how of capitalism in Equatorial Guinea», *American Ethnologist,* vol. 39, n° 4, novembre 2012
39 «Google reaped millions in tax breaks as it secretly expanded its real estate footprint across the U.S.», *The Washinton Post*, 15 février 2019
40 «Documents for Google in Lenoir, North Carolina», *The Washington Post*, 25 janvier 2019
41 Vinnie Mirchandani, *The New Technology Elite: How Great Companies Optimize Both Technology Consumption and Production*, John Wiley & Sons Inc, 2012
42 «Secret Amazon data center gives nod to Seinfeld», Infosecurity, 12 octobre 2018
43 Tung-Hui Hu, *A Prehistory of the Cloud,* The MIT Press, 2015
44 マルティン・ルター大学ハレ・ヴィッテンベルク（ドイツ）の学際地域研究センターの所長で、既述の記事 «Scaling the cloud: Making state and infrastructure in Sweden»(*op. cit.*, 2020) を書いたるアスタ・ヴォンドロー?フォンデ?? Vonderau 氏へのインタヴューより
45 Randi、Parki、Seitevare、Akkats などのダム
46 二酸化炭素の排出が、環境を保護する行動の唯一の基準になる傾向が強い。しかし、水力発電は二酸化炭素の排出はほとんどな

«Climat, l'insoutenable usage de la vidéo en ligne, Un cas pratique pour la sobriété numérique», Résumé aux décideurs, The Shift Project, 2020

82 Webaxysの創業社長エマニュエル・アシエ氏が2018年8月に、E5T（Energie, Efficacité Energétique, Economie d'Energie et Territoires（エネルギー、エネルギー効率、エネルギー経済と国土）基金のサマーセミナーで行った講演より

第6章

1 アムステルダム大学の情報科学教授、アンワール・オッセラン（Anwar Osseyran）氏への2020年のインタヴューより

2 «Greenpeace Cloud protest: do Amazon, Microsoft deserve the doghouse ?», *Wired*, 2012

3 «Greenpeace flies over Silicon Valley, praises Internet companies that have gone green», Greenpeace USA, 3 avril 2014

4 «Amazon employees step up pressure on climate issues, plan walkout Sept. 20», *The Seattle Times*, 9 septembre 2019

5 2019年の見本市「データセンター・ワールド」における、インタークシオン・フランス社のエネルギー部長リンダ・レキュイエール氏へのインタヴューより

6 これについては前著『レアメタルの地政学』（原書房、2020年）で説明した。

7 «Apple Campus 2: the greenest building on the planet?», *The Guardian*, 7 décembre 2014

8 «Amazon announces five new renewable energy projects», Amazon, 21 mai 2020. GAFAMがイニシアティブをとるプロジェクトをより詳細に知るには、以下を参照せよ。«The greening of GAFAM: Reality or smokescreen ?», blog Bio Ressources, 19 octobre 2020. グリーンピースはフェイスブック、グーグル、マイクロソフト、ヤッフー、インスタグラムといった会社の努力を歓迎している。«Clicking Clean, Who is winning the race to build a green Internet ?», 2017

9 ハイドロ・ケベック社の新市場開発部長クリスティアン・デジャン氏への2019年のインタヴューより

10『データセンター・マガジン』編集長イヴ・グランモンターニュ氏への2020年のインタヴューより

11 Ibid.

12 データセンター研究所所長、コンサルタント会社「Plus Conseil」創業者、シンクタンク「Datacenter en transition」の共同創始者であるフィリップ・リュース氏への2020年のインタヴューより

13 オランダデータセンター協会のステイン・グローブ氏への2020年のインタヴューより。以下の報告書も参照。«Les *data centers*, ou l'impossible frugalité numérique ?», les Cahiers de recherche, Caisse des dépôts, 2020

14 フィリップ・リュース氏への2020年のインタヴューより

15 ハーレマーメール市の都市整備の責任者マリエット・セデ氏への2020年のインタヴューより。別の方法としては、サーバーをセントラルヒーティングの放熱器やボイラーとともに設置することで建物を暖房することだ。この選択肢では熱源を多様化できる。qarnot.comを参照。

16 英語では「電力使用効率（power usage effectiveness :PUE)」と呼び、「データセンターが消費する全エネルギーを、IT機器が実際に使うエネルギーで割った数値」とCap Ingelecの2009年4月2日の声明に書かれている。

17 カルノ・コンピューティング社のエリック・フェラン氏への2019年のインタヴューより

18 とりわけオランダのAsperitas社の提案するソリューションを参照せよ。asperitas.com

19 Natick計画。natick.research.microsoft.com

20 «Synthetic DNA holds great promise for data storage», CNRS News, 21 octobre 2020

21 この展望はスウェーデンのルレオ工科大学の研究者カール・アンダーソン氏とミカエル・

57 2019 年度で、ドミニオン社のエネルギーミックスは天然ガスと原子力がそれぞれ約 42%、石炭が約 12%、再生可能エネルギーが約 5%、原油が 1%未満である。ドミニオン・エナジーのウェブサイト上でレポート «Building a cleaner future for our customers and the world» の «Dominion Energy power generation mix portfolio 2019» を参照。

58 ブレント・ウォールズさんはその画像をオンラインに載せている。Upper Potomac Riverkeeper のフェイスブックで見られる（2021 年 5 月 20 日現在）

59 ドミニオン社に連絡を取ったが、マウント・ストーム発電所とアッシュバーンのあるワシントン DC 地域の間の直接の関係を確認したいという私たちの要望に同社は返答しなかった。

60 ヴァージニア州の活動家ジョッシュ・スタンフィールドさんへの 2020 年のインタヴューより

61 « 〝Gob〟 -smacked: Dominion Energy plays both sides, double crosses everyone on Wise County coal-fired power plant closure date?», Blue Virginia, 28 février 2020

62 «What a battle over Virginia's most powerful monopoly can teach Democrats everywhere», HuffPost, 2 décembre 2018

63 «Dominion Energy nearly quadruples Virginia political contributions from 2018 to 2020», Energy and Policy Institute, 28 janvier 2021

64 «Democratic sweep sets up confrontation with corporate giant that has loomed over Virginia politics for a century», The Intercept, 6 novembre 2019

65 ジョッシュ・スタンフィールドさんへの 2020 年のインタヴューより

66 «In Virginia, a push to save country's 〝cleanest〟 coal plant», AP News, 28 février 2020

67 The Virginia Public Access Project で「Terry Kilgore」を 2021 年 7 月 7 日に検索。

68 «Climat : méthane, l'autre gaz coupable en quatre questions», *Les Échos*, 14 octobre 2020

69「シエラ・クラブ」の弁護士かつ活動家アイヴィー・メイン氏への 2021 年のインタヴューより

70 アドビ、アカマイ・テクノロジーズ、アップル、AWS（アマゾン・ウェブサービス）、エクイニクス、アイアン・マウンテン、LinkedIn、マイクロソフト、セールスフォース、QTS が 2019 年 5 月 8 日にドミニオン社に宛てた書簡

71 «Clicking Clean: Who is winning the race to build a green internet?», rapport de Greenpeace, 2017

72 これは、2020 年にヴァージニア議会で可決された州下院法案 1526、つまり電気事業規制：環境目標「クリーン経済法（Virginia Clean Economy Act）」である。

73 «Netflix streaming – More energy efficient than breathing», The Netflix Tech Blog, 27 mai 2015

74 フィリップ・リュース氏への 2020 年のインタヴューより

75 «Ensuring renewable electricity market instruments contribute to the global low-carbon transition and sustainable development goals», Gold Standard, mars 2017

76 «Le numérique est-il source d'économies ou de dépenses d'énergie ?», Institut Sapiens, Paris, 6 juillet 2020

77 «Lean ICT : pour une sobriété numérique», The Shift Project, octobre 2018

78 Ibid.

79 «Un mail est aussi énergivore qu'une ampoule allumée pendant une heure», *Le Figaro*, 16 mai 2019

80 «Email statistics report, 2020-2024», The Radicati Group, février 2020. 電子メールの二酸化炭素排出総量を見積もるのは非常に難しい。現在 GreenIT.fr と NegaOctet がこの問いに答えようと実施している研究は 2021 年末に公表される予定だ。

81 これについては以下の報告書を参照。

30 アリアンダー社のこの計画の責任者ポール・ヴァン・エンゲレン氏への 2020 年のインタヴューより

31 Ibid.

32 «Internetsector: betrouwbare stroom vergtkernenergie», *Het Financieele Dagblad*, 10 février 2016

33 RIRE NCC（ヨーロッパ IP リソース・ネットワーク調整センター）のマルコ・ホーゲボーニング氏への 2020 年のインタヴューより

34 «Meer regie op vestiging van datacenters in Amsterdam en Haarlemmermeer», *Amsterdam Dagblad*, 12 juillet 2019

35 «Haarlemmermeer and Amsterdam get closer to lifting data center moratorium, with restrictions», *Datacenter Dynamics*, 11 juin 2020

36 オランダデータセンター協会のステイン・グローブ氏への 2020 年のインタヴューより

37 «The Amsterdam Effect», QTS Data Centers, 12 août 2019

38 «TikTok : implantation d'un nouveau *data center* européen à Dublin», *newsroom* de TikTok, 6 août 2020

39 データセンターワールド見本市にて、Cap Ingelec 子会社 Cap DC の社長オリヴィエ・ラベ氏への 2019 年 11 月のインタヴューより

40 «All-Island generation capacity statement 2019-2028», EirGrid Group, SONI, 2019

41 «High-energy data centres not quite as clean and green as they seem», *The Irish Times,* 11 septembre 2019

42 2020年のアメリカ合衆国エネルギー情報局（US Energy Information Administration）によると、今日、アメリカの電力生産の 19% が石炭によるもの

43 « 〝Coal is over〟 : the miners rooting for the Green New Deal», *The Guardian,* 12 août 2019

44 «Coal explained. Where our coal comes from», U.S. Energy Information Administration, 9 octobre 2020

45 アルタヴィスタ発電所と第 2 露天坑の関係はアメリカ合衆国エネルギー情報局（EIA）のデータによって証明できるかもしれない。EIA は米国の発電所の化石燃料消費についての情報を公表する連邦機関である。「Form EIA-923」という文書の「Fuel Receipts and Cost」という章で、アルタヴィスタ発電所は 2008 年まで第 2 露天坑―ツインスター・マイニング社が開発―で採掘された石炭を一部使っていたと書かれている。アルタヴィスタ発電所は 2013 年にバイオマスに転換した。

46 アパラチアン・ヴォイシーズの中央アパラチア担当のエリン・サヴェイジ氏への 2021 年のインタヴューより

47 この爆発物は硝酸アンモニウムと燃料油を混ぜたもの。

48 市民団体「コウル・リヴァー・マウンテン・ウォッチ」の啓蒙活動連絡係ジュニア・ウォークさんへの 2021 年のインタヴューより。«Blasting above coal river mountain communities», Coal River Mountain Watch, 2 mai 2017 も参照のこと

49 «Mountaintop Removal 101», Appalachian Voices（日付なし）

50 Ibid.

51 «Central Appalachia flatter due to mountaintop mining», Duke Today, 5 février 2016

52 たとえば、以下を参照。Kristofor A. Voss, Emily S. Bernhardt, «Effects of mountaintop removal coal mining on the diversity and secondary productivity of Appalachian rivers», *Limnology and Oceanography,* vol. 62, n° 4, mars 2017

53 «Basic information about surface coal mining in Appalachia», United States Environmental Protection Agency (EPA), 6 octobre 2016

54 «Central Appalachia flatter due to mountaintop mining», *op.cit*

55 Ibid.

56 エリン・サヴェイジ氏への 2021 年のインタヴューより

9 «Numérique : le grand gâchis énergétique», CNRS Le journal, 16 mai 2018
10 データセンター研究所所長、コンサルタント会社「Plus Conseil」創業者、シンクタンク「Datacenter en transition」共同創始者であるフィリップ・リュース氏への 2020 年のインタヴューより
11 この言葉については «Le virtuel pose la question de l'effacement des limites»（*Le Monde*, 2 septembre 2019）のエルザ・ゴダールのインタヴューを参照されたい。利用者は Wi-Fi のシグナルが点灯するのに 1 分 30 秒待つ忍耐を失っているから、ルーターにはしばしばスイッチオフのボタンがついていないことを見れば、即時性という厳命は火を見るよりも明らかだ。
12 フィリップ・リュース氏への 2020 年のインタヴューより
13 Ibid.
14 だが、OVH は私たちのインタヴュー願いには応じなかった。
15 2021 年3月には、またしても OVH のストラスブールのデータセンターが今度は火災に遭った。この火災で同社の何万社という顧客が大量のデータを失った。«Incendie OVH: retour sur une catastrophe pour le marché du *cloud computing*», Le Big Data, 17 mars 2021
16 カルノ・コンピューティングのポール・ブノワ氏への 2019 年のインタヴューより
17 Cécile Diguet et Fanny Lopez, «L'impact spatial et énergétique des *data centers* sur les territoires», rapport de l'ADEME, février 2019
18 フィリップ・リュース氏への 2020 年のインタヴューより
19 Ibid.
20 マルク・アクトン氏への 2020 年のインタヴューより
21 «Numérique : le grand gâchis énergétique», *op. cit*
22 «Power, pollution and the Internet», *The New York Times*, 22 septembre 2012. この記事に掲載された数字は古いものなので注意深く扱う必要がある。だが、電力浪費の実態を評定するものではある。
23 フィリップ・リュース氏への 2020 年のインタヴューより。TikTok は 10 代の若者に非常に人気のある動画シェアのアプリケーション。
24 電子情報技術研究所（LETI）の所長トマ・エルンスト氏への 2019 年のインタヴューより
25 2019 年 11 月のデータセンター・ワールドにおける仏ガス供給網社（GRDF）のジョゼ・ギニャール氏の講演
26 もちろん、世界の消費電力に対してデータセンターが実際に消費した電力の割合について、オブザーバーたちの間には議論がある。最も楽観的な―大きな批判を受けた―推定値は 1%であり（«Recalibrating global data center energy-use estimates», Eric Masanet *et al.*, *Science*, vol. 367, 28 février 2020 を参照）、最も悲観的な数字は 3%である（«Global warming: Data centres to consume three times as much energy in next decade, experts warn», *The Independent,* 23 janvier 2016）。こうした推定値はとりわけ以下の記事に総括されている（«Data centers and global electricity use – Two camps», Hydro66, 2 mai 2020）。真実はおそらくその中間だろう。また、データセンターは IT 業界の環境負荷の 15%を占める。以下を参照：Frédéric Bordage, *Sobriété numérique. Les clés pour agir*, Buchet-Chastel, 2019
27 «To decarbonize we must decomputerize: why we need a Luddite revolution», *The Guardian,* 18 septembre 2019
28 Cécile Diguet et Fanny Lopez, «L'impact spatial et énergétique des *data centers* sur les territoires», *op. cit*
29 フランクフルト、ロンドン、アムステルダム、ダブリンを合わせて「FLAD」と呼ばれる。«Report: Dublin replaces Paris in the top four, as European hubs accelerate»,*Datacenter Dynamics*, 13 octobre 2020

K. Roberts

76 «Utah lawmaker floats bill to cut off NSA data centre's water supply», *op. cit*

77 法案：H.B 150, Prohibition on electronic data collection assistance, 2015 General Session, State of Utah. Chief Sponsor : Marc K. Roberts

78 «Rep. Marc Roberts of Utah visits The Jason Stapleton Program to discuss NSA Reform Bill», The Jason Stapleton Program, The Live Show, 2 décembre 2014

79 マイケル・マハーリー氏への 2020 年のインタヴューより

80 «New pictures show Facebook's massive new data center taking shape in Utah as tech giant plans 900,000 sq ft expansion to house its servers», *The Daily Mail,* 2 mars 2021

81 Mél Hogan, «Data flows and water woes: The Utah Data Center», Big Data & Society, 13 juillet 2015

82 これはガーディアン紙の記者ベン・ターノフ（Ben Tarnoff）氏の意見でもある。彼は 2019 年 9 月 18 日付同紙の «To decarbonize we must decomputerize: why we need a Luddite revolution» という記事の中で、「自動学習能力のある一望監視装置（パノプティコン）を警察署が設置するのを妨げることは、気候問題の正義の問題である」と書いている。

83 こうした運動の関連付けは「環境的人種主義」という概念にインスピレーションを得ている。1980 年代にアメリカに現れたこの概念は、人種的平等の運動と環境保護の運動を結びつけた。実際「人種差別を受けている」ととらえられる人々は、汚染された川のそばに住む可能性が高く、「ファースト・ネーションズ」［先住民］の居留地は石油パイプラインに囲まれている割合が高い。その後、より広範な環境保護運動が勢力を増し、あらゆる運動の中心に環境問題を置くようになる。こうした運動の立案者によると、どんな小さな社会的、政治的問題でも必ずより大きな気候問題に関係しているという。「every issue is a climate issue（どんな問題も気候問題だ）」ということだ。これについては Alyssa Battistoni, «Within and against capitalism»（*Jacobin Magazine,* 15 août 2017）を参照されたい。

84 ガーディアン紙の記者ベン・ターノフ氏への 2020 年のインタヴューより

85 «CC1 renewable energy showcase project ribbon cutting ceremony», NSA, non daté. 以下の文書も参照。«NSA goes green», un chefd'œuvre de *greenwashing* : nsa.gov/news-features/initiatives/nsa-goes-green/ green-roofs

86 «The energy secrets of MI6 headquarters», BBC, 14 mai 2014

第5章

1 «2020 – This is what happens in an Internet minute», infographie de Lori Lewis et Chadd Callahan, spécialistes américains du numérique（@LoriLewis et @OfficiallyChadd）

2 «A summer storm's disruption is felt in the technology cloud», *The New York Times*, 1er juillet 2012

3 «Google goes down for a few minutes, web traffic drops 40 percent», *Wired*, 17 août 2013

4 «Google's Gmail and Drive suffer global outages», *The Guardian,* 13 mars 2019

5 Annual data center survey results, Uptime Institute, Seattle, Washington, 2019

6 CBRE Data Center Solutions 社のデータセンター技術コンサルタント部門の責任者、マーク・アクトン氏への 2020 年のインタヴューより

7 OVH は « On vous héberge（あなたを宿泊させます）» の頭文字をとった名前で、1999 年にフランスで創業した

8 OHV のクラウドサービスを利用する企業のなかには、ミシュラン、NextRadioTV、ラジオ局 NRJ などの企業のほか、ポンピドゥーセンターや大統領府などの公的機関もある。

46 スウェーデンのルレオ工科大学の研究者カール・アンダーソン氏への 2020 年のインタヴューより
47 フランスのシンクタンク「The Shift Project」のメンバーで、かつ Virtus Management 社の共同社長、ユーグ・フェールブッフ氏への 2019 年のインタヴューより
48 2018 年に公表された、米ソフトウェア Domo 社による «Data never sleeps 6.0» によると、2020 年までにインターネット利用者が消費するデータは毎秒 1.7 メガオクテット、1 日 146.88 ギガオクテットと予測する。この数字はその後更新されていないが、おそらくこれを超えているだろう。
49 1ゼタオクテットは 1000 エクサオクテット
50 フレデリック・カリオニエミ氏への 2020 年のインタヴューより
51 Uber 社（キックボードサービスは事業のわずかな部分にすぎない）は、現在までに 100 ペタオクテットのデータ―フェイスブックに掲載される 6600 億枚の写真に相当する―を収集したと述べた。«Uber's big data platform: 100+ petabytes with minute latency», Uber Engineering, 17 octobre 2018 を参照。
52 «Interxion construit le plus gros *datacenter* de France, près de Paris», *L'Usine nouvelle*, 6 mai 2020
53 «And the title of the largest data center in the world and largest data center in US goes to…», Datacenters.com, 15 juin 2018
54 インターネット相互接続点とは、インターネットプロバイダーが自分たちのトラフィックを相互に接続するためのインフラである
55 «Why is Ashburn known as data center alley?», Upstack（日付なし）
56 «Why is Ashburn the data center capital of the world?», Datacenter.com, 29 août 2019
57 «Why is Ashburn known as data center alley?», *op. cit*
58 «In Loudoun, neighbors want better looking data centers», Data Center Frontier, 9 septembre 2019
59 アッシュバーンの住民ブライアン・カーさんへの 2020 年のインタヴューより
60 «Farmland to data centers switch worries neighbors», *Loudoun Now,* 21 février 2019
61 Ibid.
62 «Loudoun county's data centers: computing the costs», *Patch,* 2 février 2020
63 ブライアン・カーさんへの 2020 年のインタヴューより
64 «The NIMBY challenge: A way forward for the data center industry», *Data Center Frontier,* 21 octobre 2015
65 «The NSA is building the country's biggest spy center (Watch what you say)», *Wired,* 15 mars 2012
66 «What happens when the NSA comes to town», *Esquire,* 11 mars 2014
67 «Malls fill vacant stores with server rooms», *The Wall Street Journal*, 3 novembre 2014
68 «Bluffdale releases water bill for NSA data center», *Fox* 13, 25 avril 2014
69 «A constitutional strategy to stop NSA spying», American Thinker, 16 novembre 2013
70 マイケル・マハーリー氏への 2020 年のインタヴューより
71 «Nevada beats feds by turning off their water», Tenth Amendment Center, 30 août 2014
72 マイケル・マハーリー氏への 2020 年のインタヴューより
73 マーク・ロバーツ氏の様々な姿勢をより細かく分析するためには、ballotpedia.org で同氏の名前を検索されたい。また robertsmarc.com を参照のこと。マーク・ロバーツ氏は私たちのインタヴューの申し込みに応じなかった。
74 «Utah lawmaker floats bill to cut off NSA data centre's water supply», *The Guardian,* 12 février 2014
75 法案：H.B 161, Prohibition on electronic data collection assistance, 2014 General Session, State of Utah. Chief Sponsor: Marc

bounds of human mobility», *Scientific Reports*, vol. 3, 2013

29 リアム・ニューコンブ（Liam Newcombe）氏へのインタヴューより。同氏は、欧州委員会の再生可能エネルギー班から 2015 年に出版された «Code de conduite européen sur les datacenters» の共著者である

30 カールスルーエ工科大学の情報システム安全秘密保持科のトルステン・シュトルーフェ教授への 2020 年のインタヴューより

31 «Electric scooters are racing to collect your data», ACLU Northern California, 25 juillet 2018

32 «Federal agencies use cellphone location data for immigration enforcement», *The Wall Street Journal*, 7 février 2020. «Trump administration orders Facebook to hand over private information on〝antiadministration activists〟», *The Independent*, 30 septembre 2017

33 «Electric scooters are racing to collect your data», *op. cit*

34 中国政府が自国で展開している社会信用システムは、日常生活の行為一つ一つについて全国民にプラスあるいはマイナスの点数をつけるもの。国民につけられた総得点により、褒賞あるいは自由の規制が割り当てられる。

35 «E-Scooter. Die Daten Fahren mit», Der Hamburgische Beauftragte für Datenschutz und Informationsfreiheit, 13 septembre 2019

36 «Datenschutzexperten warnen vor E-Scooter-Verleihern», Fuldainfo.de, 26 novembre 2019

37 個人情報の扱いならびにその自由な流通に関する個人の保護に関する 2016 年 4 月 27 日付の欧州議会および欧州理事会の EU 規則 2016/679

38 torproject.org

39 トルステン・シュトルーフェ教授への 2020 年のインタヴューより

40 この進化は以下の書物に非常によく説明されている。*Geopolitique d'Internet : qui gouverne le monde ?*（David Fayon, Economica, 2013）

41「無料の」経済を分析した、非常に参考になる以下の書を読まれるようお勧めする。『フリー 〈無料〉からお金を生み出す新戦略』（クリス・アンダーソン著、NHK 出版、2009 年）（原題：Free: The Future of a Radical Price）。その中で、「〝無料〟は〝無利益〟を意味しない。商品が利益にたどり着く道が間接的になったことを意味する」とある。この「無料経済」は 1920 年代にアメリカでラジオ上の宣伝に登場し、その後テレビやインターネットに普及した（最初のウェブサイト上の広告は 1994 年に登場した）。その結果、利益の論理を排除した空間とウェブを作ったネットのパイオニアの意向に反するようになった。今日、「ウェブは、媒体の経済モデルをあらゆる産業に拡大した立役者だ」

42 Julien Le Bot, *Dans la tête de Marc Zuckerberg*, Actes Sud, 2019

43 Smart Citizens Lab, Waag Society の Douwe Schmidt 氏への 2020 年のインタヴューより

44 Sandy Smolan 氏の 48 分のドキュメンタリー「The Human Face of Big Data」（Against All Odds Production, 2014）を参照されたい。

45 永遠なる希求は、〝強い人工知能〟の出現だ。この展望には、第 8 章で示すように、多くの専門家は疑問を抱いている。台湾の実業家カイフ・リー（李開復）氏は自書のなかで、将来は中国が人工知能の覇者になるだろうと予測する。それは中国のエンジニアやそのアルゴリズムがライバルのアメリカより優れているからではなく、中国の IT 大企業、有名な「BATX」（百度、アリババ、テンセント、シャオミ）が集めた膨大なデータのために中国のコンピュータのほうがよりインテリジェントになるからである。*AI Superpowers : China, Silicon Valley, and the New World Order*, Houghton Mifflin Harcourt Publishing Company, 2018

など。セシル・ディゲ、ファニー・ロペーズ両氏による以下のすばらしい報告書を参照せよ。«L'impact spatial et énergétique des *data centers* sur les territoires», ADEME, 2019

5 «L'impact spatial et énergétique des *data centers* sur les territoires», *op. cit*

6 «The "World's most beautiful data center" is a supercomputer housed in a church», Vice, 15 janvier 2019

7 ADEME の報告書 «L'impact spatial et énergétique des *data centers* sur les territoires» (*op.cit.*) はこのテーマについて、データセンター Vertiv 社の専門家、Séverine Hanauer 氏の調査を引用している。

8 ポール・ブノワ氏への 2019 年のインタヴューより

9 より詳しくは、cloudinfrastructuremp.com で世界のクラウド分布地図を参照できる。

10 エクサオクテット（EB）は 10 億オクテットの 10 億倍

11 フレドリック・カリオニエミ氏への 2020 年のインタヴューより

12 オーストラリアのシンクタンク「Consumer policy Research Center」は消費者の生成するデータを9つのカテゴリーに分類している。使用する機器、位置特定、消費習慣、検索履歴に関するデータ。それに、通信内容、リレーション［データを関連づけている属性］、生体認証指標、売買、購入タイプが加わる。

13 «The promise and pitfalls of e-scooter sharing», Boston Consulting Group, 16 mai 2019

14 アメリカ市民自由連合／アメリカ自由人権協会（American Civil Liberties Union, ACLU）の弁護士モハマッド・タスジャー? Mohammad Tasjar 氏への 2020 年のインタヴューより

15 Bird の個人情報保護規約を参照せよ。bird.co/privacy/

16 Ibid.

17 Quadrature du Net の Klorydryk（仮名）さんへの 2020 年のインタヴューより。テスラグループのような他のモビリティ企業はさらに遠くを目指す。こうした企業は自動運転タクシーのサービスを将来展開するために、自社のコネクティッドカーによって集められる限りのデータを集めている。「データを集めれば集めるほど、展開するのに強固なポジションを築くことができ、競争に勝てる」と、モハマド・タジサー氏は 2020 年に言った。

18 Quadrature du Net とは、「デジタル環境における基本的自由を保護・促進する」市民団体。laquadrature.net/en

19 スイストポ（スイス連邦地形局／Swisstopo）の製品イノベーション部長、ラファエル・ロリエ氏への 2020 年のインタヴューより。同氏は «Vers une économie numérique» (blogs.letemps.ch/ raphael-rollier) というブログの作者でもある。

20 Lime の個人情報保護方針は li.me/privacy で参照できる

21 モハマド・タジサー氏への 2020 年のインタヴューより

22「ハクティヴィスト」という言葉は、「ハッカー」と「アクティヴィスト」を縮めたもの。自分のハッカーの能力を、お金を稼ぐためでなく、政治的、社会的公正に向けて社会を向上させるために使う活動家のこと。

23 エグゾデュス・プライバシー（Exodus Privacy）の MeTaL_PoU さん（仮名）への 2020 年のインタヴューより

24 様々なトラッカーのリストは Exodus Privacy の以下のサイトで閲覧可能。reports.exodus-privacy.eu.org/en/trackers/

25 ラファエル・ロリエ氏への 2020 年のインタヴューより

26 モハマド・タジサー氏への 2020 年のインタヴューより

27 «NYC taxi data blunder reveals which celebs don't tip – and who frequents strip clubs», Fast Company, 2 octobre 2014

28 Yves-Alexandre de Montjoye, César A. Hidalgo, Michel Verleysen et Vincent D. Blondel, «Unique in the crowd: The privacy

おける SF_6 の漏洩はそれだけで、同年に130万台の車が排出した温室効果ガスに相当する。
52 フース・ヴェルデルス氏は2009年、共同研究のなかで温室効果ガス排出の20%に達するだろうと警告している。«The large contribution of projected HFC emissions to future climate forcing», publiée en juillet 2009 dans PNAS (Proceedings of the National Academy of Sciences of the United States of America) その後、この予測数字は下方修正された。
53 Tim Arnold *et. al.*, «Inverse modelling of CF4 and NF3 emissions in East Asia», acp. copernicus.org, articles, vol. 18, n° 18, 2018
54 SF_6 と NF_3 の影響は二酸化炭素（1世紀で影響は薄れる）の何倍にもなるため、いつかは「それらのガスが二酸化炭素より多く大気に存在することになる」と、エジンバラ大学のティム・アーノルド教授は強調する（2020年のインタヴューより）。フロン類の漏れは管理されておらず、計算も難しいことから、フロン排出の予測はおそらく非常に控えめであると、私たちの複数の情報源は見ている。
55 «HFCs and other F-gases: The worst greenhouse gases you've never heard of», Greenpeace, 2009
56 «Greenhouse effect due to chlorofluorocarbons: Climatic implications»,*Science,* vol. 190, n ° 4209, 3 octobre 1975
57 ガバナンス及び持続可能な開発研究所（IGSD）のダーウッド・ザルケ（Durwood Zaelke）所長への2020年のインタヴューより
58 «Les〝HFO〟entrent en scène dans les systèmes de réfrigération et de climatisation», Climalife, 3 janvier 2013
59 たとえば、HFO-1234zeは情報処理センターの冷却システムに使われ始めていると、仏大気汚染調査業際技術センター（Centre interprofessionnel technique d'études de la pollution atmosphérique :CITEPA） の広報・革新支援担当のステファニー・バロー氏は説明する（2020年のインタヴューより）
60 «Honeywell invests $300m in green refrigerant», *Chemistry World*, décembre 2013
61 «Position paper on HFO», Greenpeace, novembre 2012
62 ダーウッド・ザルケ所長への2020年のインタヴューより
63 グリーンピースのキャンペーン参謀、パウラ・テホン氏への2020年のインタヴューより
64 この自然冷媒は水、アンモニア、プロパン、ブタンなどが主成分だ。グリーンピースの報告書 «Natural refrigerants: The solutions»（発行年月日は書かれていない）を参照。
65 «Courts strike down US restrictions on HFCs», *Chemical & Engineering News,* août 2017
66 これは、フロン類の温室効果ガスに関する2006年5月17日付の欧州議会ならびに欧州評議会のEC規則№ 842/2006による。この規則は、フロン類の温室効果ガスに関する2014年4月16日付の欧州議会ならびに欧州評議会のEU規則№ 517/2014に変更された。
67 フース・ヴェルデルス氏への2020年のインタヴューより
68 ワシントンのガバナンス及び持続可能な開発研究所（IGSD）の気候とエネルギーに関する顧問クリステン・タドニオ所長への2020年のインタヴューより

第4章

1 Hydro66の営業部長、フレドリック・カリオニエミ氏への2020年のインタヴューより
2「データセンター・マガジン」編集長、イヴ・グランモンターニュ氏への2020年のインタヴューより
3 Qarnot Computing社の共同創業者で代表者であるポール・ブノワ氏への2019年のインタヴューより
4 パリ郊外クルブヴォワ市にある仏自動車ブランド「ドラージュ」の元工場のデータセンター

29 Ibid.
30 パッケージはとりわけICチップとプリント回路の電気接続を保証するもの。
31 ジャン＝ピエール・コランジュ氏への2020年のインタヴューより
32 カリーヌ・サミュエル氏への2019年のインタヴューより
33 極端紫外線レーザーを使うリソグラフィーにより、トランジスタを完璧な精密さでエッチングできる
34 ジャン＝ピエール・コランジュ氏への2020年のインタヴューより
35 アニエス・クルペ氏への2020年のインタヴューより
36 ジャン＝ピエール・コランジュ氏への2020年のインタヴューより
37 «Short on space, Taiwan embraces a boom in recycling», *The New York Times*, 29 novembre 2013。情報通信技術産業は台湾の輸出の40%を占め、国内総生産の20%を占める。
38 国立清華大学の化学科の凌永健（Yongchien Ling）教授への2020年のインタヴューより
39 «Le silicium : les impacts environnementaux liés à la production», EcoInfo, CNRS, 20 octobre 2010
40 ASE韓国については以下を参照。«Taiwan's ASE ordered to shut factory for polluting river», Phys.org, 20 décembre 2013。Nerca社については、以下の記事を参照。«High tech waste out of control», *CommonWealth Magazine*, vol. 568, 18 mars 2015
41 2021年にも台湾では干ばつがあり、TSMCは再びタンクローリーで水を輸送しなければならなかった。以下を参照。«Taïwan's chip industry under threat as drought turns critical», *Nikkei Asia*, 25 février 2021
42 «The conundrums of sustainability: Carbon emissions and electricity consumption in the electronics and petrochemical industries in Taiwan», MDPI, Open Access Journal, vol. 11, octobre 2019
43 ジャン＝ピエール・コランジュ氏への2020年のインタヴューより
44 «What will it take to improve Taiwan's air ?», The News Lens, 19 février 2018
45 台湾のONG「Citizen of the Earth」の活動家Han-Lin Li氏への2020年のインタヴューより
46 Ibid.
47 メタンや亜酸化窒素など
48 順に、ハイドロフルオロカーボン（HFC）、六フッ化硫黄（SF_6）、パーフルオロカーボン（PFC）、三フッ化窒素（NF_3）、四フッ化炭素（CF_4）
49 オランダ国立公衆衛生環境研究所の研究者、フース・ヴェルデルス氏によると、世界のHFC（ハイドロフルオロカーボン）の10%、あるいはそれよりやや少ない量が今日、データセンターを冷却するのに使われているという。現在、中国などの国々が、閉鎖されるデータセンターや、冷却回路に含まれるフロン類を処理できる能力がどれくらいあるかはあまり知られていない。
50 フロン類は安定しており、電気陰性度が高い。SF_6（六フッ化硫黄）の80%が電力供給システムにおけるショートのリスクを避けるために使われており、8%が電子産業に利用されているという（以下を参照。Matthew Rigby, Ray F. Weiss, Tim Arnold et al., The increasing atmospheric burden of the greenhouse gas sulfur hexafluoride (SF6), acp.copernicus.org, 2020）半導体産業はNF_3（三フッ化窒素）の45.9%を消費しているという（以下を参照。«NF3 & F2 trend analysis report», Grand View Research, septembre 2015）
51 BBCの記者マット・マクグラス氏への2020年のインタヴューより。同氏の以下の記事を参照のこと。«Climate change: Electrical industry's〝dirty secret〟boosts warming», BBC, 13 septembre 2019。この記事によると、2017年の英国およびEUに

3 MIPS は Material input per service unit の略

4 以下の報告書を参照。«Calculating MIPS: Resource productivity of products and services», de Michael Ritthof, Holger Rohn et Christa Liedtke, en coopération avec Thomas Merten, Wuppertal Spezial 27e, Institut de Wuppertal pour le climat, l'environnement et l'énergie, janvier 2002

5 仏グルノーブル=アルプ大学の「リスク管理と予見」グループの教授、カリーヌ・サミュエル氏への 2019 年のインタヴューより

6「生態圏で理論上引き起こされる物質のあらゆる動きが吟味される」と、以下の報告書は述べる。«Calculating MIPS: Resource productivity of products and services», *op. cit*

7 Frans Berkhout, Joyeeta Gupta, Pier Vellinga, *Managing a Material World: Perspectives in Industrial Ecology,* Springer, 2008

8 Ibid.

9 La stratégie du «facteur 10» et du «sac à dos écologique», *Les Cahiers du développement durable*, Cahier 4 : outils, Institut Robert-Schuman Eupen (Belgique)

10 Ibid.

11 たとえば、ressourcen-rechner.de/calculator.php?lang=en

12 ヨーロッパの消費者の平均は年間 40 トン

13 Frédéric Bordage, Aurélie Pontal, Ornella Trudu, «Quelle démarche Green IT pour les grandes entreprises françaises ?», étude WeGreen IT et WWF, 2018

14 Frédéric Bordage, *Sobriété numérique, les clés pour agir,* Buchet-Chastel, 2019

15 Ibid.

16 Ibid.

17「マテリアルフローコスト会計」（MFCA:Material flow cost accounting）というメソッドもあることをここに記しておこう。ADEME によると、それは「原材料の流れとストックおよび、それに関係するコストを特定・測定することができる。このメソッドは最終製品の製造・実現に貢献しないあらゆる流れを対象とするものだ」。同メソッドは日本で使用され、それにより国際標準規格 ISO14051:2011 が確立された。ADEME の以下の文書を参照。«Méthode de comptabilité des flux de matières – Étude de *benchmarking* sur les déchets dans les méthodologies d'action sur les coûts, et sur les coûts dans les méthodologies d'action sur les déchets des entreprises», 2012

18 この表現はジャック・シラク政権で 1995 ～ 97 年に環境相だったコリーヌ・ルパージュ氏によるもの。同氏は弁護士事務所「Hugo Lepage Avocats」の創立メンバー。

19 ローマクラブの以下の報告書を参照。Ernst Ulrich von Weizsäcker, Levin Hunter Lovins, Amory Bloch Lovins, *Facteur 4. Deux fois plus de bien être en consommant deux fois moins de ressources*, Terre Vivante,1997

20 フェアフォンの IT およびソフトウェア長寿性部門責任者アニエス・クルペ氏への 2020 年のインタヴューより

21 静電気の蓄積を防止するための服

22 原子力・代替エネルギー庁（leticea.fr/cea-tech/leti）

23 この発明でジャック・キルビー（1923 ～ 2005）は 2000 年にノーベル物理学賞を受賞した。

24 台湾積体電路製造（TSMC）は英語では Taiwan Semiconductor Manufacturing Company

25 «The chip industry can proclaim 1 trillion served», Market Watch, 4 février 2019

26 ウェハー（wafer）という名は洋菓子のウェハースに由来する

27 IC チップの面積が増えていないのと同様に価格も上がっていない、というのは快挙だ。「もし自動車産業が同じ努力をしたとすれば、ロールスロイスは 2CV 車と同じ価格で売られるだろう」と、フランソワ・マルタン氏は解説する。

28 2012 ～ 2017 年に TSMC の技術開発センター長だったジャン=ピエール・コランジュ氏への 2020 年のインタヴューより

2020
46 «Bouygues to remove 3 000 Huawei mobile antennas in France by 2028», Reuters, 27 août 2020
47 «The data center is dead», Gartner, 26 juillet 2018
48 «Sonos will stop providing software updates for its oldest products in May», The Verge, 21 janvier 2020
49 HOP（Halte à l'obsolescence programmée）のアデル・シャソン氏への 2020 年のインタヴューより。ドイツの研究所 Fraunhofer が 2021 年に実施した調査によると、スマートフォンの 20%はソフトウェアの問題のために使われなくなった。以下を参照。«Ecodesign preparatory study on mobile phones, smartphones and tablets», Fraunhofer pour la Commission européenne, février 2021
50 Frédéric Bordage, *Sobriété numérique, les clés pour agir, op. cit*
51 Frédéric Bordage, «Logiciel : la clé de l'obsolescence programmée du matériel informatique», Greenit.fr, 24 mai 2010
52 *Livre blanc Numérique et Environnement*, *op. cit*
53 «Working with microbes to clean up electronic waste», Next Nature Network, 8 mars 2021
54 Robert M. Hazen *et al.*, «On the mineralogy of the 〝Anthropocene Epoch〟», *American Mineralogist*, vol. 102, n° 3, mars 2017
55 «John Deere just swindled farmers out of their right to repair», *Wired*, 19 septembre 2018
56 «Seuls les réparateurs agréés peuvent remplacer le bloc photo d'un iPhone 12», iGeneration, 30 octobre 2020
57 iFixit の創業者カイル・ウィーンズ氏への 2020 年のインタヴューより。同社のサイトを参照のこと。ifixit.com
58 以下の非常に有益な著作を読んでもらいたい。Aaron Perzanowski et Jason Schultz, *The End of Ownership: Personal Property in the Digital Economy*, MIT Press, 2016　また、以下のサイトも参照。theendofownership.com
59 ファブラボ（fablab）は fabrication laboratory（ものを作るラボラトリー）の略。
60 リペア・カフェ運動の創始者マーティン・ポストマ氏への 2020 年のインタヴューより
61 ADEME の *La face cachée du numérique – Réduire les impacts du numérique sur l'environnement,*（janvier 2021）といった手引書、あるいは «The environmental footprint of the digital world»,（GreenIT, septembre 2019）の調査を参照。
62 *Livre blanc Numérique et Environnement, op. cit*
63「修理のしやすさ指数」は、フランスで無駄撲滅と循環経済に関する 2020 年 2 月 10 日法（№ 2020-105）によって確立された。
64 «Global e-waste surging: Up 21 % in 5 years», United Nations University, 2 juillet 2020
65 closingtheloop.eu
66 同様のプロジェクトが 2018 年にベルギーの Domien Declercq 社と Recy-Call という組織によってスタートした。行き残れる経済モデルがなかったために、Recy-Call は 2019 年に事業をやめた。
67 フェアフォンの IT およびソフトウェア長寿性部門責任者アニエス・クルペ氏への 2020 年のインタヴューより
68 たとえば、フェアフォンは 2015 年製造の「フェアフォン 2」とアンドロイド 9 の互換性確立に成功した。以下を参照。«Redefining longevity: Android 9 now available for Fairphone 2», fairphone.com, 25 mars 2021

第3章

1 wupperinst.org
2 ヴッパータール気候・環境・エネルギー研究所の研究者イェンス・トイブラー氏への 2020 年のインタヴューより

フランス人研究者イドリス・アベルカーヌ（Idriss Aberkane）は 2014 年に HuffPost のブログで主張した。以下を参照。«L'économie de la connaissance est notre nouvelle renaissance», *The Huffington Post*, 4 juin 2014

29 Seth Godin, *Unleashing the Ideavirus: Stop Marketing AT People ! Turn Your Ideas into Epidemics by Helping Your Customers Do the Marketing thing for You*, Hachette Books, 2001（邦訳は『バイラルマーケティング――アイディアバイルスを解き放て！』セス・ゴーディン著／大橋禅太郎訳／翔泳社／ 2001 年）

30『フリー 〈無料〉からお金を生み出す新戦略』NHK 出版／小林弘人、高橋則明訳／ 2009 年）（原題 : *Free: The Future of a Radical Price*, Chris Anderson, Hyperion, 2009).

31 «Internet : qu'est-ce que le 〝cloud〟, et depuis quand en parle-t-on?», Slate, 4 septembre 2014

32 «Dégâts environnementaux, dérèglement climatique : la face cachée du numérique»（環境破壊、気候変動:IT の隠された一面）という会議（2020 年 2 月 29 日、パリにおいて、Fondation Good Planet 主催）の際の、「Maison de l'informatique responsable（環境に配慮した IT の家）」の責任者ベラ・ロト氏の発言より。

33 GreenIT.fr の創始者フレデリック・ボルダージュ氏への 2018 年のインタヴューより。アップル社の株式市場における時価総額は 2020 年に 2 兆ドルに上った。2015 年、同社の広告費は 18 億ドルだった。アップル社は広告費について公表することをやめた。下記を参照。«Apple mysteriously stopped disclosing how much it spends on ads», Business Insider, 25 novembre 2016

34 #MiXiT21 講演会の際の研究者 James Auger 氏の講演の動画を参照。mixitconf.org/2021/ means-and-ends

35 Milestone Investisseurs の創業者、Potential Project の管理者である Erick Rinner 氏への 2020 年のインタヴューより

36 «How Steve Jobs' love of simplicity fueled a design revolution», *Smithso nian Magazine*, septembre 2012

37 エリック・リネール氏への 2020 年のインタヴューより

38 ここで挙げた 3 者に、インターネット・ネットワークそのものを向上させたエンジニアを加えてもいいだろう。「1990 年代にインターネットに接続すると、物質性が感じられた。ネットワークの音やジージーいう雑音がしてけっこう大変だった。その後、ネットワークはスムーズになってヴァーチャルな印象を持つようになった」と、学者のドミニク・ブリエ氏が 2014 年 4 月 9 日 France Culture 局の放送（«Les infrastructures d'Internet : quelle géopolitique ?» で分析している。

39 Gilles de Chezelles, *La Dématérialisation des échanges*, Lavoisier, 2006

40 Ibid.

41 Ibid.

42 Ibid.

43«Dégâts environnementaux, dérèglement climatique : la face cachée du numérique»（環境破壊、気候変動：IT の隠された一面）という会議（2020 年パリにおいて、Fondation Good Planet 主催）の際のベラ・ロト氏の発言より。「〝物質の威力増大〟と言ってもいい。素材が複数になることにより、〝非物質化〟の代わりにマルチマテリアルの現象が見られる」*La Nouvelle Religion du numérique*, de Florence Rodhain, EMS-Libre & Solidaire, 2019

44 «Beijing orders state offices to replace foreign PCs and software», *Financial Times*, 8 décembre 2019. 2014 年、中国政府はすでに、「金融の安全」のために中国の銀行に IBM サーバーを自国製のサーバーに替えるよう要請した。以下を参照。«China said to study IBM servers for bank security risks», Bloomberg, 28 mai 2014

45 «US telcos ordered to 〝rip and replace〟 Huawei components», bbc.com, 11 décembre

7 «Heilongjiang promotes investment in graphite industry», Harbin Today, 20 décembre 2019
8 «Data age 2025. The digitization of the world», Seagate, novembre 2018
9 磁気センサーとは、磁場の方向と大きさを計測する装置
10 «The world of aluminium extrusions – an industry analysis with forecasts to 2025», AlCircle, 22 août 2018
11 «La face cachée du numérique – Réduire les impacts du numérique sur l'environnement», ADEME, janvier 2021
12 Frédéric Bordage, *Sobriété numérique, les clés pour agir*（Buchet-Chastel, 2019）のなかで、「［1台のスマートフォンの］エネルギー消費の80%は製造中になされる」と書かれている。アップル社製のiPhone12Proに至ってはその数字は86%にも達する。以下を参照。«The carbon footprint of your phone–and how you can reduce it», reboxed.co, 26 février 2021
13 Qaunot Computing社のポール・ブノワ氏への2019年と2020年のインタヴューより
14 ジャレド・ダイアモンド氏は以下の世界的ベストセラー『文明崩壊—滅亡と存続の命運を分けるもの（上・下）』（草思社、2005年／草思社文庫2021年）の著者である。（原書は *Collapse: How Societies Choose to Fail or Survive*, Penguin Books, 2005 et 2011.
15 «What's your consumption factor?», *The New York Times*, 2 janvier 2008
16 «Global material resources. Outlook to 2060 economic drivers and environmental consequences», OCDE, 12 février 2019
17 «50 mesures pour une économie 100 % circulaire», «feuille de route» économie circulaire, ecologique-solidaire.gouv et economie.gouv.fr, avril 2018
18 «An eco-modernist manifesto», ecomodernism.org, avril 2015　ただし、「インテリジェント」農業がさらなる生産性向上に貢献するということについては、議論の余地がある。
19 ギークとは、新しいテクノロジーの愛好家
20 エストニア政府の情報システム責任者シーム・シクット（Siim Sikkut）氏への2020年のインタヴューより
21 また「ヨーロッパのシリコンバレー」とも呼ばれる。国民一人あたりの「ユニコーン企業」（評価額が10億ドルを超えるスタートアップ企業）の数は世界で最も多い。Skype、TransferWise、Playtech、Boltなど。
22 e-Residencyの局長Ott Vatter氏への2020年のインタヴューより
23 タリン工科大学のRagnar-Nurkseイノベーションおよびガバナンス部門の電子政府教授、ロベルト・クリマー（Robert Krimmer）氏への2020年のインタヴューより
24 エストニア共和国の元大統領（2006 - 2016年）トーマス・ヘンドリク・イルヴェス氏への2020年のインタヴューより
25 これについては、ヘーゲルとアンリ・フォシヨンの間の、時代を隔てた論争が思い起こされる。ヘーゲルは、芸術はマティエールを超えたところでスピリチュアリティを得ると主張し、美術史家のフォシヨンは、「消失するものであっても、重力、慣性、リズムなどのマティエールを構成する力に従属していなくても、依然としてマティエールでない抽象はあり得ない」とした。これについては以下を参照。*La Matière*, textes choisis et présentés par Arnaud Macé, Flammarion, 2013
26 «Déclaration d'indépendance du Cyberespace», par John Perry Barlow, 8 février 1996（原題：A Declaration of the Independence of Cyberspace）
27 Fritz Machlup, *The Production and Distribution of Knowledge in the United States*, Princeton University Press, 1972
28 実際、「われわれの［経済］成長が資源を基盤にしているなら、成長は無限ではあり得ない。だが、成長が知識に基づいているなら、無限の成長は容易に到達できる」と、

op. cit

59 GreenIT の創立者、フレデリック・ボルダージュ氏への 2018 年のインタヴューより

60 Digital For the Planet の創立者、イネス・レオナルデュッズィ氏への 2019 年のインタヴューより

61 Cap'Oise Hauts-de-France の代表者アンリ・サバティエ=グラヴァ氏に感謝をささげる。同氏への 2020 年のインタヴューのおかげでこの部分を書くことができた。

62 «Clicking clean – Who is winning the race to build a green internet?», rapport de Greenpeace International, 2017

63 «Lean ICT : pour une sobriété numérique», *op. cit*

64 Ibid.

65 仏国立科学研究所（CNRS）、情報科学・無作為システム研究所（Institut de recherche en informatique et sytème aléatoires:IRISA）のアンヌ=セシル・オルジュリ氏への 2020 年のインタヴューより

66 CBRE Data Center Solutions のデータセンター技術コンサルタント責任者マルク・アクトン氏への 2020 年のインタヴューより

67 Livre blanc Numérique et Environnement. op, cit.

68 Total cost of ownership の頭文字をとって TOC。IT 製品の持続可能認証を発行する企業。tcocertified.com

69 Ruediger Kuehr et Eric Williams, *Computers and the Environment: Understanding and Managing their Impacts,* Springer Netherlands, 2003

70 ニューヨークのロチェスター工科大学のエリック・ウィリアムズ教授への 2020 年のインタヴューより

71 2017 年 6 月 7 日にタリン（エストニア）で行われた講演 «Drowning in data – digital pollution, green IT, and sustainable access»

72 コンサルタントで出版者、研究者のマイケル・オギア氏への 2020 年のインタヴューより

73 GAFAM はアメリカのネット 5 大企業、グーグル、アップル、フェイスブック、アマゾン、マイクロソフトの頭文字をつなげたもの

74 ドイツのマルティン・ルター大学ハレ=ヴィッテンベルクの学際地域研究所長、アスタ・フォンデラオ氏への 2020 年のインタヴューより

75 欧州統一左派・北方緑の左派同盟（仏語 GUE/NGL ／英語 EUL/NGL）会派の補佐官ソフィー・ラウツァー氏への 2020 年のインタヴューより

76 就労者 1 人のデジタル負荷についてのより正確なヴィジョンについては以下の報告書を参照。«Quelle démarche Green IT pour les grandes entreprises françaises ?», Club Green IT & WWF France, 2018

77 «Google workers double down on climate demands in new letter», The Verge, 4 novembre 2019

78 イネス・レオナルデュッズィ氏への 2019 年のインタヴューより。また、以下も参照。«Ces étudiants des grandes écoles qui ne veulent pas travailler dans des entreprises polluantes», francetvinfo.fr, 15 octobre 2018

第2章

1 この名前は変えられている

2 ジャーナリストがルポルタージュをする際に、通訳や同行をする人

3 Grand Angle 製作で、ジャン=ルイ・ペレーズと共同監督のドキュメンタリー『La Face cachée des énergies vertes（グリーンエネルギーの隠された面）』のためのこの地に来た。

4 チェルノーゼムは腐植土の豊かな土壌

5 グラファイトの精製過程についての詳細は、とりわけ以下の調査を参照。Allah D. Jara, Amha Betemariam, Girma Woldetinsae, Jung Yong Kim : «Purification, application and current market trend of natural graphite: A review», *International Journal of Mining Science and Technology*, vol. 29, n ° 5, septembre 2019

6 名前は変えられている

2016
34 シンクタンクThe Shift Projectのために Hugues Ferreboeuf率いる作業部会による2018年10月の報告書 «Lean ICT : pour une sobriété numérique»
35 デジタルテクノロジーの環境への影響についての研究の歴史をざっと見通すには、2019年にエリクソングループが発表した «Estimating the enabling potential of ICT – a challenging research task» を推薦する。その注釈まとめには、それより前のより充実した研究 «Considerations for macro-level studies of ICT's enabling potential» Jens Malmodin, Pernilla Bergmark, Nina Lövehagen, Mine Ercan, Anna Bondesson, ICT for Sustainability, 2014にも言及している。
36 二酸化炭素換算のギガトン
37 «Lean ICT : pour une sobriété numérique», *op. cit*
38 Ibid.
39 gesi.org。GeSIのメンバーはAT&T、Dell、Deutsche Telekom、Huawei、IBM、Swisscom、ZTEなど
40 «GeSI SMARTer 2020: The role of ICT in driving a sustainable futur», Global e-Sustainability Initiative aisbl and The Boston Consulting Group, Inc, décembre 2012
41 «#SMARTer2030 : ICT Solutions for 21st Century Challenges», GeSI et Accenture Strategy, 2015
42 unfccc.int
43 «ICT at COP21: Enormous potential to mitigate emissions», World Bank Group, décembre 2015
44 «Potentiel de contribution du numérique à la réduction des impacts environnementaux : état des lieux et enjeux pour la prospective», rapport de l'ADEME, décembre 2016
45 CNRSの情報工学分野の研究者フランソワ・ベルトゥ氏への2019年と2020年のインタヴューより。同氏は、すぐ上の注にあるADEMEの報告書のなかで、GeSIの報告書に対するより突っ込んだ、次のような考証的分析を行っている。「全般的に、［中略］GeSIの報告書は、自らのテクノロジー・ソリューションを前面に出したい企業のためのコミュニケーション手段だという印象を与える。［中略］各国の各部門の避けられない排出量に関する数字を読むと、どちらの報告書についても企業支持の側面を考慮に入れないことは難しいため、その結果と勧告に信頼を置くことは困難である。［中略］独立した識者たちによって考証的見直しを行えば、報告書の偏向についての疑念を晴らすことができるだろう」
46 BTグループ、ドイツ・テレコム、ファーウェイ、マイクロソフト、ヴェライゾンなど
47 私たちの調査によると、調査実施に計50万から200万ユーロかかったらしい
48 フランソワ・ベルトゥ氏との2019年と2020年のインタヴューより
49 Ibid.
50 Frédéric Bordage, rapport «Empreinte environnementale du numérique mondial», GreenIT.fr, septembre 2019
51 Ibid.
52 Françoise Berthoud, «Numérique et écologie», *Annales des Mines – Responsabilité et environnement,* n° 87, 2017/3
53 «Journée du dépassement : Internet est le 3e 〝pays〟 le plus énergivore», RFI, 1er août 2018
54 «Global electricity generation mix, 2010-2020», Agence internationale de l'énergie (IEA), 1er mars 2021
55 «Lean ICT : pour une sobriété numérique», *op. cit*
56 «Numérique : le grand gâchis énergétique», *CNRS Le journal,* 16 mai 2018
57 フランス生物多様性庁の地理情報学部門責任者ブリュノ・ラファージュ氏の、2019年全国生物多様性総会における「スマートシティと生物多様性」分科会での発表より
58 «Lean ICT : pour une sobriété numérique»,

法者たちに、スマートシティの「リスクと利点について無邪気でないアプローチをするよう」求めた。しかし、彼らは正確な計算をまったく行っていない。やっと2016年になって、環境保護産業委員会（Environmental Industries Commission）が «Getting the green light: Will smart technology clean up city environments?»（グリーンライトを得ること：スマートテクノロジーは都市環境をきれいにするだろうか？）という報告書を公表し、「インテリジェントテクノロジーが都市の環境パフォーマンス向上に大きな役割を果たすだろうという決定的な証拠が欠如している」と結論づけた。

14 Kikki Lambrecht Ipsen, Regitze Kjær Zimmermann, Per Sieverts Nielsen, Morten Birkved, «Environmental assessment of Smart City Solutions using a coupled urban metabolism – life cycle impact assessment approach», *The International Journal of Life Cycle Assessment,* 2019

15 この研究では2つの方法が組み合わされた。一つは、都市に出入りするすべての物資の流れを調べ（都市メタボリズム）、もう一つは都市のライフサイクルのすべての段階で、物資の流れを分析する、つまり資源の採掘から製品の製造、その使用と寿命の尽きるまで（ライフサイクル分析）

16 カナダ・ケベック州のシャーブルック大学の土木工学部の研究者であるキッキ・ランブレヒト・イプセン氏への2020年のインタヴューより

17 Mickaël Launay, *Le Grand Roman des maths, de la préhistoire à nos jours*, Flammarion, 2016

18 最大持続生産量（仏語 Rendement Maximum Durable:RMD ／ 英語 Maximum sustainable yield:MSY）は英国生物学者 Michael Graham が1935年に理論化した概念

19 AgroParisTech 大学の Alexandre Gaudin 教授への2020年のインタヴューより

20 トリクロロフルオロメタン (trichlorofluoromethane)

21 Stephen A. Montzka, Geoff S. Dutton, Pengfei Yu *et al.*, «An unexpected and persistent increase in global emissions of ozone-depleting CFC-11», *Nature*, 557, 16 mai 2018

22 スペースデータのこと

23 Matt Rigby, Sangho Park, Takuya Saito et al., «Increase in CFC-11 emissions from eastern China based on atmospheric observations», Nature, 569, 22 mai 2019。以下も参照。«Ozone layer: Banned CFCs traced to China say scientists», BBC, 22 mai 2019

24 ジョージ・オーウェル『1984年』（早川書房、新訳2009年／角川文庫2021年など）英国での初版は1949年

25 Frédéric Bordage, Marine Braud, Damien Demailly *et al., Livre blanc Numérique et Environnement*, Institut du développement durable et des relations internationales, Fondation Internet nouvelle génération, World Wide Fund for Nature France, GreenIT.fr, mars 2018

26 杭州市は上海の南200kmに位置する都市で、浙江省の省都

27 «In China, Alibaba's data-hungry AI is controlling (and watching) cities», *Wired*, 30 mai 2018

28 «Évaluation des systèmes de GTB [gestion technique du bâtiment] dans le tertiaire»。仏環境・エネルギー管理庁（ASEME：Agence de l'environnement et de la maîtrise de l'énergie）の2015年12月の報告書。ADEMEは2020年にエコロジー転換庁（Agence de la transition écologique）になった

29 cropswap.com

30 farmmatch.com

31 toogoodtogo.org/en

32 *Livre blanc Numérique et Environnement, op. cit*

33 Hubert Tardieu, «La troisième révolution digitale. Agilité et fragilité», *Études*, octobre

novembre 2019

22 «Today's youth, tomorrow's internet A Nominet Digital Futures Report», Nominet, 2019

23 «Being young in Europe today – digital world», Eurostat, juillet 2020

24 «The perils of progress», *The New Republic*, New York, 29 juin 2010

25 Trine Syvertsen, *Media Resistance: Protest, Dislike, Abstention*, Palgrave Macmillan, 2018

第1章

1 トルコ人研究者 Gökçe Günel の «*Space ship in the Desert. Energy, Climate Change and Urban Design in Abu Dhabi*»(Duke University Press, 2019) から着想を得た表現。世界的なコロナウイルスの流行のため、私たちはマスダールに行くことはできなかった。アラブ首長国連邦による宣伝文書から、この町の描写を試みた。

2 Federico Cugurullo «Exposing smart cities and eco-cities: Frankenstein urbanism and the sustainability challenges of the experimental city», *Environ ment and Planning A: Economy and Space*, 16 novembre 2017

3 Federico Cugurullo, op.cit.

4 ビデオ «Welcome to Masdar City» youtube.com/watch?v= FyghLnbp20U. を参照。多数の宣伝文書が masdarcity.ae/en/ 上で閲覧できる。

5 インテリジェントかつ持続可能な都市開発専門のダブリン・トリニティーカレッジ准教授フェデリコ・クグルロ氏への 2020 年のインタヴューより

6 fosterandpartners.com/projects/masdar-city/

7 実際、PRT 自動車両の前に鳥が飛んでくると、それにぶつからないように車両はすぐに停車する。そうなると PRT をトンネル内で運行させねばならなくなり、この計画は実施されなかった。

8 水とエアコンの消費量の測定に関して想定外の問題が多数発生したが、解決されず、「その設備がなぜ機能しないのかだれも理解できないようだ」と、以下の本で Gökçe Günel が報告している。*Spaceship in the Desert. Energy, Climate Change and Urban Design in Abu Dhabi, op. cit*

9 «Masdar's zero-carbon dream could become world's first green ghost town», *The Guardian*, 16 février 2016

10 «Mapping Smart Cities in the EU», Directorate General For Internal Policies, Policy Department, Economic and Scientific Policy, janvier 2014

11 Navigant Research's smart city tacker 2Q19 highlights 443 projects spanning 286 cities around the world», Business Wire, 20 juin 2019. またこのコンサルタント会社 Navigant Research によると、スマートシティ・テクノロジーの年間世界市場は 2019 年に 974 億米ドル近くに達し、2028 年には 2630 億ドルに達するという。

12 テキサス州ヒューストンのライス大学の人類学准教授 Gökçe Güne 氏への 2020 年のインタヴューより

13 1994 年、英国人研究者 Simon J. Marvin は «Green signals: The environmental role of telecommunications in cities（グリーンシグナル：都市における通信の環境面の役割）» という論文のなかで、通信がより持続可能な都市の発展に貢献するという広く受け入れられた考え方に疑問を呈した。2014 年には、Jenni Viitanen と Richard Kingston の 2 人の英国人研究者が「Environment and Planning A」誌に発表した «Smart cities and green growth: outsourcing democratic and environmental resilience to the global technology sector»（スマートシティとグリーン成長：民主的で環境保護的回復力をグローバルテクノロジー部門に外部委託する）という論文のなかで、Simon J. Marvin の研究に言及し、それを継続した。2 人はスマートシティの環境負荷についての仮説を手探りで模索し、「都市がインテリジェントになればなるほど、それだけ電子廃棄物を多く発生させる」と述べた。そして立

原注

イントロダクション

1 アーパネット（Arpanet）は Advanced Research Projects Agency NETwork のこと。
2 TCP/IP とは Transmission Control Protcol/Internet Protocol
3 «US heading anti-jihadist intelligence sharing operation – report», *The Times of Israel*, 25 mars 2021
4「ユーチューブとネットフリックスはヨーロッパのロックダウンのためストリーミングの品質を下げている」と、米ニュース専門放送局 CNBC は 2020 年 3 月 20 日に報じた。しかし、ステファン・ボルツメイエールら多くの情報処理の専門家は、ネットワークは飽和にはほど遠かったと考える。«L'Internet pendant le confinement», framablog.org, 21 mars 2020 を参照。
5 «Why the world is short of computer chips, and why it matters», Bloomberg, 17 février 2021
6 World Wide Web は文字通りには「世界的ネットワーク」という意味で、インターネットの父であるイギリス人物理学者ティム・バーナーズ=リーによって名づけられた。人類全体へのインターネット拡大の予想については、以下を参照。«Humans on the internet will triple from 2015 to 2022 and hit 6 billion», *Cybercrime Magazine,* 18 juillet 2019
7 «10 hot consumer trends 2030», Ericsson ConsumerLab, décembre 2019
8 «Giant cell blob can learn and teach, study shows», *Science News*, 21 décembre 2016
9 Digital For the Planet の責任者、イネス・レオナルデュッツィ氏への 2019 年のインタビューより。
10 情報工学研究者フランソワ・ベルトゥ氏への 2019 年と 2020 年のインタヴューより。
11 シンクタンク「The Shift Project」のためにユーグ・フェールブフ氏（Hugues Ferreboeuf）が率いる作業部会の報告書 «Lean ICT : pour une sobriété numérique»（2018 年 10 月）
12 スカイプの創始者で、フューチャー・オブ・ライフ・インスティテュート創始者の一人であるヤーン・タリン氏への 2020 年のインタヴューより
13 GAFAM とは、デジタル経済において最も強力な 5 つのアメリカ企業であるグーグル、アップル、フェイスブック、アマゾン、マイクロソフトの頭文字をとった頭字語。
14 この「パイオニア」という言葉は、フェアフォンのソフトウェアの長寿性と情報テクノロジーの責任者であるアニエス・クルペ氏が提唱した。
15 fridaysforfuture.org
16 We Don't Have Time というスタートアップ。wedonthavetime.org
17 «Comment la grève solitaire de Greta Thunberg est devenue virale en deux heures», La Netscouade, 18 octobre 2019
18 Victoria Rideout, Michael B. Robb, «The common sense census: media use by tweens and teens», Common Sense Media, 2019
19 «La face cachée du numérique – Réduire les impacts du numérique sur l'environnement», ADEME, janvier 2021
20 Simon Kessler と Johan Boulanger による 53 分のドキュメンタリー「Génération Greta（AFP et Galaxie presse, 2020）
21 «J'ai trois Greta Thunberg à la maison… Ces ados écolos qui prennent en main le bilan carbone de la famille», *Le Monde*, 16

[著者] **ギヨーム・ピトロン** (Guillaume Pitron)

1980 年生まれ。資源地政学を専門とするジャーナリスト（ル・モンド・ディプロマティーク誌など)、ドキュメンタリー監督。パリ大学で法学修士、ジョージタウン大学で国際法修士号を取得。レアメタルと地政学について、フランス議会などに定期的にレクチャーしている。邦訳に『レアメタルの地政学』がある。

[訳者] **児玉しおり**（こだま・しおり）

神戸市外国語大学英米学科、神戸大学文学部哲学科卒業。1989 年渡仏、パリ第 3 大学現代仏文学修士課程修了。パリ近郊在住の翻訳家。主な訳書にピトロン『レアメタルの地政学』、ノヴォスロフ他『世界を分断する「壁」』『世界の統合と分断の「橋」』、ブザール『家族をテロリストにしないために』。

なぜデジタル社会《しゃかい》は「持続不可能《じぞくふかのう》」なのか

ネットの進化《しんか》と環境《かんきょう》破壊《はかい》の未来《みらい》

2022年6月27日　第1刷

著者…………ギヨーム・ピトロン

訳者…………児玉《こだま》しおり

装幀…………一瀬錠二（Art of NOISE）

発行者…………成瀬雅人
発行所…………株式会社 原書房

〒160-0022 東京都新宿区新宿 1-25-13
電話・代表 03（3354）0685
http://www.harashobo.co.jp
振替・00150-6-151594

印刷…………新灯印刷株式会社
製本…………東京美術紙工協業組合

ISBN978-4-562-07187-6, Printed in Japan